Y0-AFT-355

Негромкие люди Марии Метлицкой

Читайте повести и рассказы

Марии Метлицкой

в серии «Негромкие люди»:

. . . .

Бабье лето

Понять, простить

Обычная женщина,
обычный мужчина

Свои и чужие

На круги своя

Мария Метлицкая

На круги своя

Москва
2017

УДК 821.161.1-32
ББК 84(2Рос=Рус)6-44
М54

Оформление серии,
иллюстрация на суперобложке и переплете
Петра Петрова

Метлицкая, Мария.

М54 На круги своя : [сборник] / Мария Метлицкая. – Москва : Издательство «Э», 2017. – 384 с. – (Негромкие люди Марии Метлицкой. Рассказы разных лет).

ISBN 978-5-699-98555-5

В молодости человек живет в предвкушении счастья. Кажется, до него рукой подать. Еще чуть-чуть – и оно придет, накроет волной, захлестнет. Известное выражение «Счастье в простых вещах» кажется не просто несправедливым, но даже оскорбительным: каждый день ходить на работу, любить одного и того же человека, варить борщ и воспитывать детей – это счастье? Нет, конечно!

Но наступает момент, когда приходит осознание – счастье именно в простых вещах. В работе, которую делаешь день изо дня, в любимом человеке, который мало похож на рыцаря в доспехах и даже на любимого актера. Но это он приносил чай с малиной, когда ты болела, и решал с вашим ребенком задачи по математике.

И мы возвращаемся на круги своя – там, где нас любят и ждут, где нас окружают те самые простые вещи, из которых и складывается счастье.

УДК 821.161.1-32
ББК 84(2Рос=Рус)6-44

ISBN 978-5-699-98555-5

На круги своя

— А браслет я отдам Люське, — бубнила Тереза.

— Ага, отдай, — откликнулась Нана и добавила тише, глубоко вздохнув: — Господи, ну как же мне все надоело!

Она влезла на старый шаткий венский стул и потянулась к верхней полке огромного темного резного буфета. Боже, сколько на нем резных финтифлюшек, затейливого деревянного кружева, крученых непонятных цветов, утиных и рыбьих голов — и сколько же на всем этом старье пыли! Тереза, увлекшись любимой темой, продолжала:

— Борьке квартиру, а кому еще? Все-таки он единственный кровный родственник.

Это камень в Нанин огород — знай и ни на что не рассчитывай!

— Хотя, — вздохнув, добавила Тереза, — Борька, конечно, сволочь. Только и ждет, когда я подохну. Все ждут!

Опять за свое! Однако в этих словах была доля правды, причем приличная доля. Нана старалась считать, что к этим «всем» она не относится. Это было несложно — рассчитывать на что-нибудь у нее причин особенно не было. Тереза надолго замолчала и немигающим взглядом уставилась в окно.

– Что молчишь? – вдруг крикнула она Нане. – Тебе, что ли, думаешь, квартира?

Нана спрыгнула со стула, села на него, посмотрела на Терезу и тихо сказала:

– Ну оставь, пожалуйста. Ничего я не жду.

– Врешь! – выкрикнула Тереза и повторила: – Врешь! Святошу из себя корчишь, а сама только и думаешь, что же отвалится лично тебе.

– По себе судишь, – ответила Нана. – Обед греть?

Тереза встрепенулась:

– Что ты там накулемала? Опять небось овощной суп? Надоело до чертей. Хочу мяса, жареного мяса, лобио хочу, сулугуни. Ты грузинская женщина? Или диетсестра в больнице?

– Одно другому не помеха, – ответила Нана. И добавила: – А про все вышеперечисленное я тебе давно советую забыть. Если, конечно, ты хочешь жить дальше.

– Жить? – возмутилась Тереза. – Это называется жизнью? Без чашки кофе по утрам, без рокфора, без бисквитов с джемом? Если это жизнь, то смерти я точно не боюсь.

Тереза скорчила гримасу, одну из тех, которой она часто пользовалась в жизни и которая, видимо, когда-то прекрасно работала, – гримасу обиженной девочки. И застучала ногтем по столу. Ногти у нее были длинные, очень крепкие, слегка загибающиеся вовнутрь. Нана махнула рукой и пошла на кухню. Пока грелся суп, она застыла у окна – выпал первый снег, и было нарядно, торжественно и светло.

Нана уехала из Тбилиси почти десять лет назад. Тогда ей было двадцать семь. Уезжала, да нет, убегала она из холодной, нетопленой квартиры, от ненасытной «буржуйки», которая пожирала невероятное количество дров и ее, Наниных, сил, от одинокой темноты по вечерам – свет давали всего на несколько часов. Убегала от одиночества, отчаяния, безработицы и безденежья. И еще от своего затянувшегося и дурацкого романа, отнявшего у нее все жизненные силы. Романа, не имеющего ни перспектив, ни легкого и скорого, подспудно желаемого конца. Объект назывался Ираклий, был он художник, абсолютно одержимый и такой же абсолютно нищий.

Наверное, гений, так как обычному человеку все же нужно много всего: мебель, одежда, еда, деньги, наконец. И еще планы на дальнейшую жизнь. Ираклия же не интересовало ровным счетом ничего, кроме холстов и красок. Жил он в полуподвальной, сырой комнате, почти не приспособленной для жилья, спал на раскладушке, зимой и летом носил единственные латаные-перелатаные Наной джинсы, черный, связанный ею же свитер – даже летом он все время мерз – и китайские кеды – тоже круглый год. Питался он лавашом из соседней лавки и чаем. На кофе денег не было. Из дома он выходил по крайней надобности – купить кисти, краски и растворители. Нана приносила ему керосин и подкармливала его – картошка, фасоль, баклажаны. Был он, наверное, большой талант, и посему она мирилась до поры с его странностями. Иногда он делал дивные коллажи из кожи, мозаики и цветного стекла. Она пыталась что-то придумать, кого-то приводила в его мастерскую, бегала по знакомым, но кому это тогда было нужно – в годы разрухи и безвременья? А талантов эта щедрая земля плодила множество. Сама Нана бегала тогда по трем работам – утром на почту, работавшую отвратительно и с перебоями, днем гуляла с соседской собакой, огромным дряхлым сенбернаром, а вечерами мыла посуду в маленькой кафешке. Оттуда и приносила Ираклию что бог, а точнее, хозяин заведения, послал. Ираклий съедал все молча, не глядя, говорил «спасибо» и добавлял, что все это лишнее и что он может вполне обходиться без этого. Нане было обидно до слез. На сколько хватит терпения? У нее хватило на четыре года.

Понимала, что по-другому здесь и быть не может – только терпеть и служить. И восхищаться. Терпела, служила, восхищалась. Потом силы кончились. Позвонила Терезе в Москву, та пообещала:

– Приезжай, что-нибудь придумаем.

Собралась одним днем. Прощаться к Ираклию не пошла. Знала, что он ее не остановит, только плечом пожмет. Зачем же душу теребить? С вокзала поехала прямо к Терезе.

– Таких, как ты, полгорода. Со всех концов бывшей страны. Вот она, ваша драгоценная независимость! Все гордые, а жрать нечего. Все сюда претесь, – хлестала словами Тереза. – Ни на что особое не рассчитывай – только в прислуги. Хочешь, работай у меня, но с жильем устраивайся сама. Я ни с кем никогда не жила и жить не собираюсь.

Жила Тереза в центре, в огромной старой квартире, с высоченными потолками, с лепниной, эркерами и старинным, наборным, уже рассохшимся паркетом. Квартира была в ужасном состоянии – ремонта там не было лет двадцать. Уже тогда вокруг Терезы вились разные ушлые людишки, предлагая обмен с доплатой в любом спальном районе Москвы, загородный дом со всеми удобствами и просто огромные деньги. Старуха была непреклонна – не сдвинусь отсюда никогда. В деньгах особой нужды у нее не было – постоянно, раз в месяц примерно, приходила знакомая тетка с клиентами, которые что-то покупали: то брошь с изумрудами, то часы с амурами, то консоль из карельской березы, то севрских пастушек. Ей вполне хватало на безбедную жизнь. И все это добро не кончалось, не кончалось. Нана никак не могла взять в толк, почему Тереза не оставляет ее ночевать – комнат было три. Но Терезино слово было твердо, и Нана стала искать жилье. Она сняла комнату в частном доме, правда, сразу же за Кольцевой – в общем, еще почти Москва. В доме имелось газовое отопление, и это уже было счастье. Нана все время мерзла. Да разве это трудности после Тбилиси – вода и электричество круглые сутки, на

участке банька. Хозяйка Нану жалела, считала почему-то беженкой и вечером оставляла на плите алюминиевую миску мясных щей и черный хлеб с толстым шматом сала и пучком зеленого лука. В доме было тепло, и Нана, почти счастливая и сытая, быстро засыпала под тяжелым ватным одеялом под размеренное тиканье хозяйских ходиков.

Тереза, конечно, капризничала. Всю жизнь она привыкла быть центром вселенной. Теперь все ушло, испарилось — поумирали любовники и подруги, закончились для нее рестораны и театры, выезды в гости, портнихи, маникюрши, массажистки. Закончилась та жизнь, где все крутилось, вертелось, не умолкал ни на минуту телефон, приносили на дом обеды из «Арагви», спекулянтки привозили тряпки, в ювелирном на Горького тоже был свой директор — в его кабинете она выбирала серьги, в «Тканях» на Герцена перед ней раскатывали километры бархата и шелка, в Елисеевском выносили коробки с ананасами, икрой и балыками, лучшие доктора принимали ее у себя на дому. И каждый вечер она решала сложную проблему — куда пойти сегодня, где будет интереснее и веселее.

Когда-то Тереза была светской львицей и одной из самых известных красавиц Москвы. Про себя она так и говорила: «Моя профессия — красавица». Она родилась в простой рабочей семье — отец ее был поляк, рабочий на камвольной фабрике. Ее, шестнадцатилетнюю девчонку из рабочего Орехова-Зусва, привез в Москву первый муж, увидевший ее случайно и абсолютно сразу же потерявший от нее голову. Было ему около сорока, и занимал он крупный пост в военном ведомстве. Свою семью он оставил моментально и без раздумий, а Терезу не просто обожал, а боготворил. Он понимал, что она истинный алмаз, и на оправу явно не скупился. К двадцати годам недавно нищая и голодная Тереза уже имела личную портниху, косметичку, домработницу, несколько дорогих шуб и полную и абсолютную власть над мужем. Вкус, надо сказать, у нее был отменный от природы,

и она моментально, без переходов, вступила в новую жизнь. К тому времени погиб, попав под электричку, ее отец, остались мать-ткачиха и две младших сестры. Дорогу в поселок она забыла сразу же, а вот шофера с продуктами отсылала туда еженедельно.

Хороша она тогда была сказочно – очень высокая, крутобедрая и полногрудая, с тонкими, длинными пальцами и очень изящной, маленькой ступней. Натуральная пепельная блондинка, с карими, слегка навыкате, глазами, с белоснежной, совсем без румянца, тонкой кожей и крупным, ярким капризным ртом.

Свое убогое детство и юность она с удовольствием забыла, органично вписавшись в столичную жизнь, придумав себе какое-то дворянское происхождение и богатых дальних родственников в Варшаве. Прожили они с мужем всего лет семь – он скончался от инфаркта мгновенно, не пережив каких-то несправедливых пертурбаций на службе. Тереза осталась юной вдовой. Да, конечно, были роскошная квартира, шкафы, полные нарядов, шкатулки с драгоценностями, но совершенно не было средств. Тереза впала в панику и отчаяние, однако выход нашелся довольно скоро – она закрутила роман с начальником покойного мужа. Он был тоже немолод, несвободен, но карусель опять понеслась – гости, подарки, водитель, прислуга. Правда, теперь изменился ее статус – она была только любовницей, и это ее угнетало. Стала присматриваться к возможным кандидатам в мужья. Присмотрела – немолодого, но очень известного актера кино. Он был небогат, но все двери перед ним были нараспах. К тому же престиж. Окрутила она его довольно быстро, а вот с любовником прощаться не собиралась, встречалась с ним тайно на съемной квартире, когда муж отсутствовал в городе. Так продолжалось пару лет, с мужем у нее теперь было совсем иное общество – писатели, композиторы, художники, но и старая связь с генералом казалась тоже незыблемой. Но кто-то стукнул, его припугнули навер-

ху, и от Терезы он отказался. Стал попивать и муж-актер, до которого теперь тоже доползали разные слухи. Брак трещал по швам. Однажды пьяный актер поднял на нее руку, но она – крепкая и сильная, остановила это дело разом, припечатав его к стене. Денег категорически не хватало – у актера уже была репутация сильно пьющего человека, и сниматься его почти не приглашали. Появились новые лица. Он ныл, скулил, жаловался на жизнь и изводил этим бедную Терезу. Роль жены-матери была явно не по ней. С актером она развелась и закрутила роман с набирающим тогда силу поэтом-песенником. Родом он был из Грузии и, абсолютно игнорируя свой брак и тихую, забитую жену, появлялся с Терезой везде и всюду открыто, представляя ее своей музой. С ним она стала тогда ездить по всему Союзу и даже за границу. Властью он был вполне обласкан и любим. Часто бывали они и на его родине, в Тбилиси, где он считался гордостью и национальным героем. Там же, в Тбилиси, Тереза познакомилась с матерью Наны, дальней родственницей поэта. Они даже вполне подружились, если к Терезе вообще можно было применить слово «подруга». Мать Наны присылала ей из Тбилиси посылки – ее любимую чурчхелу, вяленую хурму, орехи, инжирное варенье. А Тереза отправляла в Тбилиси свои старые тряпки, отслужившие ей уже вполне, початые флаконы французских духов, неудобную ей обувь. В общем, началась игра – щедрая богатая дама и бедные благодарные родственники. Впрочем, там все действительно были счастливы и считали Терезу широкой и доброй душой. Ей это было приятно, как всегда приятно кого-то облагодетельствовать. К тому же это давалось легко и не требовало никаких душевных и материальных вложений, что Тереза ценила превыше всего. С поэтом она прожила весело и беззаботно лет восемь, а потом он вероломно предал ее, женившись на восемнадцатилетней дочке их общей приятельницы, объявив теперь своей музой эту малолетку. От предательства и обиды Тереза оправилась не сразу. Особенно когда поняла, что ей уже под сорок и шансы ее, увы, уже не так высоки, как прежде. Она так долго пребывала в статусе первой красавицы, что смириться с новым положением – брошенной немолодой любовницы – ей было очень нелегко. А сплетни, а насмешники!

Когда она немного оправилась от обид и унижений, то поняла: хватит с нее эксцентричных и непредсказуемых людей богемы. Ей нужен муж, именно муж, а не любовник. Устойчивый, надежный, верный и обеспеченный. С выходом в тираж мириться она категорически не хотела и отправилась в санаторий на море – покой и еще раз покой, массажи, диета, крепкий сон. В Москву вернулась через месяц – помолодевшая, похудевшая, с яркими живыми глазами, настроенная только на победу. Но с мужем не вышло. Тереза влюбилась насмерть – по законам жанра опять в объект недостойный и никак не вписывающийся в ее планы. Это был молодой красавец-балерун, жиголо, коварный и расчетливый. Здесь все было гнуснее и сложнее. Кроме Терезы, у балеруна были еще вполне внятные увлечения горячими поклонниками мужского пола. В одночасье Тереза стала для него и мамкой, и нянькой, и подружкой – кормила его, одевала, возила на курорты, делала ремонт в его захудалой однокомнатной квартиренке где-то на окраине. За все это получала жалкие крохи – изредка благодарность и уж совсем редко – вялые, непродолжительные ласки в форме одолжения. Вот тогда она начала носить в комиссионку столовое серебро и украшения. Худела, много плакала, караулила его ночами. Ненавидела и презирала себя, но ничего поделать с этим не могла. Решилось все само собой спустя три года – на гастролях в Германии коварный возлюбленный сбежал от своей труппы, разом избавив Терезу от невыносимых страданий и непомерных трат. Она поубивалась полгода и наконец-то стала приходить в себя – так восстанавливаются после тяжелой и изнурительной болезни. Увидела в зеркале и новые морщины, и седые волосы. Огляделась –

квартира прилично разграблена и опустошена. Да и очередь под дверью не стоит – годы. Но постепенно собрала себя по частям – поменяла обои, чтобы скрыть дырки после вынесенных из дома картин и тарелок, и нашла себе мужа. На ее жизнь глупостей достаточно. Кандидат в мужья был из академической среды, совсем незнакомой ей. Ученый с мировым именем, академик при всех регалиях, вдовец. Обработала и окрутила она его довольно лихо – для него она была вполне молода и, безусловно, все еще очень хороша собой. В довесок к мужу-академику ей досталась огромная запущенная квартира на Патриарших и дача в Мозжинке – гектар дремучего леса. Но главное не это – теперь у нее появился статус, она сделалась законной супругой академика. Вначале ей показалось, что это абсолютно другой мир – интеллигенция, ученые, совсем другие ценности. А когда разобралась, то оказалось, что все одно и то же – те же сплетни, зависть, подсиживания, интриги и интрижки. Что ж, в этом мире она вполне сумеет сориентироваться.

У мужа вечно были симпозиумы, конференции, лекции, поездки. Во всем этом она разбиралась слабовато, но лицо держала – будьте любезны. Жизнь началась спокойная, размеренная, сытая и тихая. Через четырнадцать лет Тереза опять овдовела. Правда, теперь беспокоиться ей было не о чем.

Страсти давно откипели, старость ей была обеспечена. Одиночество? Да и в этом есть своя прелесть. Ни ты ничего не должна, ни тебе. Правда, с годами объявились родственники – племянник Борис, сын ее младшей сестры, сорокалетний потасканный холостяк-неудачник, и племянница Люська – дочь от второй, старшей и уже умершей, сестры. Люська была нищая разведенка, играющая в простушку, вдруг крепко возлюбившая свою стареющую тетку, рьяно проявляющая о ней суетливую и бестолковую заботу, а на деле – хитрая, примитивная и расчетливая подхалимка. Тереза ее не выносила. А вот к молчаливому Борису относилась снисходительно, периодически, правда, напоминая ему, откуда его вытащила. Борис, человек нервный, желчный, издерганный, был острым на язык. С Люськой они друг друга ненавидели и старались не совпадать. Тереза Борьку этого жалела, подбрасывала деньжат и даже, расщедрившись, купила ему машину. Он все это принимал с шутовскими поклонами и едкими комментариями – так он вроде отстаивал свою независимость. Люська страстно ему завидовала и постоянно пыталась вбить клинья между теткой и братом – ей доставались лишь выношенные пальто и старые туфли на сбитых каблуках. Она всегда приносила кулечек дешевых конфет – дескать, оторву от себя, но с пустыми руками не приду, – долго пила на кухне чай и без остановки канючила: еле притащилась, ноги промокли, сама вымерзла, а вот о тебе, тетя, дорогом человеке, не забываю. Тереза ее презирала и принимала только на кухне. Тогда же и появилась в Терезиной жизни Нана – одинокая, сбежавшая из Тбилиси от неустроенности и тяжелой любви.

Платила Тереза ей щедро и уже держала за родного человека. У Наны с Борькой начался несуразный, вялотекущий роман – да нет, даже не роман, а какие-то дурацкие отношения: без чувств, без обязательств, просто прибились друг к другу от тоски два одиноких человека. Нана смотрела на Борьку – тощего, узкоплечего, лысеющего, с вечной гримасой неудовольствия на лице, с потухшими глазами и бледным ртом – и вспоминала буйные черные кудри Ираклия, его прекрасные тонкие руки, черные влажные глаза и запах жизни и таланта, исходящий от него.

Что изменилось в ее жизни? Не прибавилось ни радости, ни счастья. А может, счастье было тогда, когда она приходила в его нетопленую лачугу, осторожно трогала холсты, приносила горячий лаваш и зелень, мыла в холодной воде кисти?

Нана налила в глубокую тарелку фасолевый суп, накрошила туда много зелени – привычка кавказского человека,

тонко нарезала хлеб, поставила все это на фарфоровый поднос с салфеткой и понесла в комнату Терезе. Та дремала в кресле.

– Обед, – сообщила Нана.

Тереза вздрогнула и открыла глаза.

– Господи, ну что ты орешь? – недовольно сказала она, подвинула к себе поднос и стала жадно есть.

Нана сидела напротив и молчала. Потом Тереза опять завела свою бодягу про наследство. Опять делила кольца, распределяла сервизы и картины, считала деньги, оставшиеся от продажи дачи в Мозжинке, правда, они уже были почти «проедены». Объявляла в сотый раз, что Люське не даст ничего, а потом вспоминала, что она человек справедливый и что не обидит никого. Добавляла, что все-таки Люська мерзкая, а Борька – фрукт еще тот. Что-то лепетала по поводу Фонда мира, Красного Креста и детских домов. Нана молчала. Она унесла поднос на кухню и принялась варить кофе – себе и Терезе.

«Не спросила даже, ела я или нет, что за эгоизм, да вся эта семейка, вместе взятая, друг друга стоит».

Потом они пили кофе с печеньем, и Тереза, щурясь и стуча ногтем по блюдцу, все спрашивала у Наны:

– Ну а ты-то что про все это думаешь?

– Сама решай, – твердо останавливала ее Нана и просила в который раз с ней этих разговоров не вести.

Но Тереза была опытной провокаторшей.

– Дай коробку! – приказывала она.

Нана вздыхала и шла в спальню. Коробка стояла в шкафу под постельным бельем – на самой верхней полке. Это была старая и ветхая коробка из-под туфель, заклеенная по углам широким скотчем.

– Господи, как все надоело, – шептала Нана, слезая со стула.

Она входила в комнату и демонстративно шлепала коробкой об стол. В коробке звякало.

— Ну, я могу идти? — спрашивала Нана и замолкала, отвернувшись к окну.

Как-то раз Тереза, молча перебирая драгоценности артритными, скрюченными пальцами, бросила что-то через стол.

— Это будет твое. — Нана не двигалась. — Не хочешь посмотреть? — поинтересовалась Тереза. Нана взяла в руки кольцо.

— Четыре карата! — подбородком кивнула Тереза и в царственной позе откинула голову. — Здесь на все хватит. Ты на это жизнь устроишь. Куда ты после моей смерти? Пропадешь.

— Спасибо, — кивнула Нана. — Но ты живи, и вообще не надо мне ничего.

— Целку из себя не строй! — крикнула Тереза. — Не надо ей! Врешь! Все только и ждете, когда я «приберусь».

«Да ты здоровее нас всех», — подумала Нана. Она положила кольцо на стол и пошла мыть чашки. Потом надела сапоги, пальто и заглянула к Терезе:

— Я пошла, ехать далеко.

Тереза не ответила, только кивнула.

— Я тебе завтра нужна? — спросила Нана.

— Завтра эта драная лахудра припрется, — ответила Тереза, имея в виду Люську.

Нана добиралась, как всегда, долго. Автобус, метро, опять автобус. Пришла замученная и продрогшая. Очень хотелось горячего чаю, но на кухню она не пошла — не хотела тревожить хозяев. У нее в комнате всегда стоял термос с кипятком. Она бросила в чашку чайный пакетик и налила воды. В комнате было прохладно — дуло из окон. Она надела толстые шерстяные носки, спортивные штаны и старый свитер. Забралась под одеяло. Почему-то уснуть не получалось.

Она вспоминала родной Тбилиси, мощеные горбатые улочки, утопающие в плотной зелени деревьев, запах горячего лаваша и терпкой зелени, свою молодость, полную надежд, необъяснимую радость и легкость — от всего. Вспомина-

ла Ираклия, его убогую каморку, его тонкие нервные пальцы и его острые ноздри, горящие глаза и его ласки, яростные и беспокойные, и такие редкие ласковые слова. И бесконечную одержимость. Что это было? Любовь? Если так, то почему она уехала тогда от него? Да нет, не уехала, а сбежала, сбежала. А он? Он, наверное, пропал, сгинул, и пропали все его прекрасные картины, и обвалилась его ветхая лачуга. Обвалилась так же, как ее, Нанина, жизнь. А на что она рассчитывала? На приз, на удачу? Удачей можно было считать работу у Терезы, хотя и это большой вопрос. А если считать призом Бориса, то приз этот весьма сомнительный. А если все это бросить на весы? Там – родина, солнце, гений и любовь. Она могла бы служить гению – и в этом было бы счастье. А сейчас у нее чужой, холодный, сумасшедший город, чужой, жесткий топчан, капризная старуха и чужой, нелюбимый человек. Там она мыла кисти в холодной воде, от которой стыли руки, но мыла она их гению. А здесь под чужим металлическим рукомойником негнущимися пальцами она стирает носки бездарю и нелюбимому. Наревевшись вдоволь и нажалевшись себя, Нана уснула, а утром ее разбудила хозяйка.

– К телефону, – недовольно бросила она.

Нана бросилась к телефону – звонили ей крайне редко, только в случае чего-то экстренного. В трубке сквозь рыдания послышался Люськин крик:

– Приезжай срочно, дверь взломали, а она мертвая за столом сидит, холодная уже. Ее ломали, чтобы распрямить.

«От испуга орет, не от жалости», – почему-то мелькнуло у Наны в голове. Она быстро оделась, выскочила из дома и схватила попутку.

Дверь в квартиру Терезы была открыта, и там толпилось много людей – Люська, Борис, соседи, врач, участковый. Почему-то подумалось, что все ходят в грязной обуви по светлому ковру, который накануне Нана вымыла щеткой со стиральным порошком. Когда все оформили и Терезу увезли, в квартире осталось три человека – Нана, Борис и Люська.

Нана и Борис молчали, а Люська продолжала всхлипывать и причитать.

На буфете лежал плоский заклеенный белый конверт. Нана протянула его Борису. Осторожно, ножом, он вспорол плотную бумагу, и Люська наконец заткнулась. Борис достал из конверта тетрадный листок в линейку, исписанный крупным, неровным почерком, и стал читать вслух. Последний привет от Терезы:

Квартира, Борька, тебе. Хоть ты и сукин сын. Смотри не просри. Люське отдай богемский сервиз, браслет с жемчугом (у которого сломан замок) и каракулевую шубу. Коричневую. И хватит с нее, дуры. Черную отдай Елене Павловне (участковый врач). И норковую шапку тоже ей. Икону, ту, что висит в спальне, отдай бабе Тане – соседке напротив. Она хоть и противная старуха, но единственный верующий человек. Не то что все мы. Кольцо, что в четыре карата, отдай Нанке за верную службу. Ей на все хватит. Сделай все, как я прошу. Морды друг другу не расцарапайте, а то я там буду недовольна, хоть и повеселюсь. Все.

Борис прочел письмо и замолчал. Молчали все. Первой пришла в себя Люська. Бесконечно моргая мелкими, без ресниц, глазами и утирая ладонью хлюпающий острый нос, заверещала в голос и с угрозой:

– Хрен тебе, Борька, а не квартира. Судиться с тобой буду, шубу мне, курва старая, молью побитую, откинула, браслет сраный, а этой приживалке, – она кивнула на Нану, – четыре карата, щас, подождете слегка. Все с тобой делить буду. По закону – судом. Это не завещание, а филькина грамота, от руки написанная. Все пополам! Я ей такая же племянница, как и ты. До последнего буду биться, – зловеще пообещала Люська. Лицо ее из серого стало кирпичным, и она всем туловищем подалась к Борису.

Борис молча курил, а потом спокойно бросил ей:

– Да пошла ты, тварь.

Нана вскочила, схватила сумку и бросилась к двери. Борис нагнал ее на лестнице и сунул в руку кольцо, которое лежало в конверте. Нана плакала и качала головой.

– Ничего мне от вас не надо, ничего у вас не возьму. – У нее начиналась истерика. – Сволочи вы, гады, вы ведь ее даже не похоронили. Она-то цену вам знала. Ничего мне от вас не надо!

– Это не от нас, – спокойно сказал Борис и вложил кольцо ей в ладонь. – Это тебе от Терезы, она так хотела.

Нана выскочила на улицу. Там было еще светло – шел ровный крупный снег. Хоронили Терезу через два дня. В гробу она лежала спокойная и величественная, как царица. Было видно, что хоронят красавицу. Поминки устраивала Люська – пекла блины и рыдала без конца. А глаза были пустые и злые. Люська по-хозяйски доставала остатки драгоценной Терезиной посуды и расстилала кружевные крахмальные скатерти. Молча выпили водки – никто не сказал про Терезу ни слова.

«Вот что осталось от Терезы – пустыня и холод, ни грамма любви, – подумала Нана. – И к чему была ее красивая и богатая жизнь?» Об этом, наверное, знала одна Тереза. И скорее всего, ни о чем не жалела. Как прожила, так и получила. Никто не скорбел. Все подсчитывали свои доходы и убытки. Собственно, делали то, что делала сама Тереза всю свою жизнь. Была ли она счастливой? А кто из присутствующих здесь был хотя бы чуть-чуть счастлив? Да разве это нам обещали?

Что-то прошипев, уехала к себе Люська. Нана мыла посуду.

– Останешься? – спросил Борис.

Ехать в ночь в свою хибару Нане не хотелось. Она легла в Терезиной спальне. Ночью к ней пришел Борис. Утром Нана проснулась – рядом лежал чужой человек. Слипшиеся редкие волосы на выпуклом лбу, хрящеватые уши, полуоткрытый рот. Нана умылась холодной водой, съела яблоко, оделась и ушла, не попрощавшись, понимая, что в этот дом она

больше не вернется. Квартира без Терезы казалась холодной и чужой.

Через три дня Нана вспомнила про кольцо и поехала на Арбат.

– Чем порадуете? – с сарказмом осведомился старый плешивый ювелир с моноклем в глазу.

Она протянула кольцо в узкое окошечко. Ювелир поднес его к глазам и хмыкнул:

– Это не ко мне, это в галантерею напротив. – И небрежно бросил кольцо в металлическое блюдце. Оно жалобно звякнуло.

– В каком смысле? – не поняла Нана.

– Это подделка, стекло, дерьмо, короче, – ответил он ей.

– Вы ошибаетесь, – горячо заверила его Нана. – Это старинный бриллиант, четыре карата, наследство от тетушки, посмотрите внимательнее, – убеждала его Нана.

– Ваша тетушка – большая шутница, – засмеялся ювелир. – Веселится, поди, на том свете, глядя на вас. Я тут сорок лет сижу и стекляшку от бриллианта отличать научился, слава богу. Так что привет вашей остроумной тетушке, дорогая наследница, – острил он.

Нана вышла на улицу. Сначала она решила заплакать и горько пожалеть себя и свои убитые годы, а потом ей стало смешно и легко. Как-то сразу смешно и легко одновременно.

Она посмотрела на часы и заспешила. Билетные кассы могли закрыться на обед. Билет в Тбилиси она взяла на следующий день. Кольцо сначала хотела выбросить, а потом передумала – все же память о Терезе. Прилетев, она поймала такси и назвала адрес. Они ехали по знакомым улицам, и она попросила шофера ехать потише и с удовольствием болтала с ним обо всем – на родном языке. Обычно немногословная, никак не могла остановиться. Она открыла дверь в квартиру, зашла в свою комнату и села на диван. Там было все по-прежнему, только сильно пахло пылью. Нана встала и распахнула настежь окна. Ворвался свежий ветерок, и запахло весной.

Она не стала разбирать чемодан, только поменяла теплую куртку на легкий плащ и, быстро сбежав по ступенькам, вышла на улицу, остановила попутку и быстро доехала до знакомого дома. Там было все по-прежнему – тихой окраины, слава богу, не коснулись перемены. Она подошла к знакомой двери, и у нее перехватило дыхание. Потом она толкнула дверь рукой. В комнате было тепло и горели толстые белые свечи. За столом сидел Ираклий и кусачками ломал крупные куски цветной смальты на осколки. Он поднял глаза и увидел Нану. Она стояла в дверном проеме, не решаясь войти.

– Гамарджоба, Нанули! – сказал Ираклий. – Тебя так долго не было! Ты потерялась в лесу? Заблудилась? – усмехнулся он.

– Да, Ираклий, я потерялась и заблудилась, – ответила Нана. Грузины умеют говорить иносказательно и красиво. Древняя культура тостов и застолий.

– Хорошо, что пришла, – кивнул Ираклий. – Я соскучился. И очень хочется есть. Лаваш принесла?

– Нет, – ответила Нана. – Я очень торопилась. Сейчас я все принесу, сбегаю в магазин.

– Он за углом, Нана, помнишь дорогу? Смотри опять не заблудись. Искать тебя у меня времени нет. – Он внимательно посмотрел на Нану.

– Я помню дорогу, Ираклий. И вряд ли опять заблужусь. Не волнуйся, – тихо ответила Нана. Она подошла к Ираклию, провела рукой по его голове и увидела тонкую серебристую прядь у него в волосах. Она вышла на улицу и неспешно пошла известным маршрутом. Ярко светило солнце. В лавке зеленщика она купила яркую, пеструю зелень, у булочника взяла ноздреватый, обжигающий лаваш, а шашлычник на углу ссыпал ей в бумажный пакет молодое, сочное и горячее мясо. Она медленно шла по улице, и душа ее была наполнена радостью и покоем. «Все возвращается на круги своя», – подумала Нана. И ощутила огромное, непомерное счастье. Такое, какое бывает только в детстве.

Ева Непотопляемая

В семье говорили про Еву многое. И все – разное. Чтобы столько говорили об одном человеке! Столько суждений и мнений. Хотя понятно, семья с годами разбухла, разрослась. Все женились, разводились – образовывались новые ветви, а там тоже дети, внуки, сводные братья и сестры, бывшие жены и мужья.

Конечно, все люди разные, и мнения тоже у всех свои. Итак, говорили всякое. Например, что Ева – блестящая женщина, несгибаемая, как стальной прут. Сумела пережить страшный удар судьбы. двадцать лет, самый пик карьеры блестящей спортсменки-фехтовальщицы – и травма. Что-то с голеностопом. Да такая травма, что не то что о спорте не могло быть и речи, молили бога, чтобы просто ходила не хромая. Ева научилась и ходить, и не хромать. Год по больницам, три операции. Два года после костыля репетировала походку легкую, летящую – с носка. Карьера не задалась, а выживать надо было. Стала учиться ювелирному делу. Купила в долг инструменты – штихель, пуансоны, ригель, фальцы, фильеры. Работала с поделочными камнями – яшмой, малахи-

том, бирюзой. Любила серебро, изделия ее были крупными, массивными, слегка грубоватыми, но имели свою прелесть, оригинальность и шарм. Раскупали все с удовольствием. Да и сама Ева была наглядным примером, как их нужно носить. И ей действительно все это очень шло – подвижная, суховатая, гибкая, длинное, узкое лицо, крупный породистый нос, темные, чуть навыкате, глаза с широким и красивым верхним веком. Крупные, ровные зубы. Гладко затянутые в тугой узел волосы. Шелковый шарфик на длинной жилистой шее. В ушах – малахит в черненом серебре, крупный, неровный, к нему бусы, браслет, кольцо. Узкие брюки, свитерок в облипку, талия – предмет всеобщей зависти. Садилась в кресло и закидывала одну на другую длинные ноги. В тонких сильных пальцах – сигаретка. Безукоризненный яркий маникюр.

Кто-то говорил, что Ева – большая эгоистка. В тридцать лет сделала аборт, от мужа, между прочим. Громко заявила:

– На черта мне дети? Посмотришь на всех на вас – и расхочешь окончательно. Бьешься, рвешься на куски – сопли, пеленки – а в шестнадцать лет плюнут в морду и хлопнут дверью. Нет уж, увольте.

С этим можно согласиться, а можно и поспорить. Но спорить с Евой почему-то не хотелось. Суждения ее всегда были достаточно резки и бескомпромиссны.

– А как же одинокая старость? – вопрошал кто-то ехидно.

– Разберусь, – бросала Ева. – Были бы средства, а стакан воды и за деньги подадут. Зато проживу жизнь как человек. Без хамства, унижений, страха и обид.

Еву, конечно, все кумушки тут же осудили: что это за женщина, которая не хочет детей? Холодная и расчетливая эгоистка. И все ей аукнется, никто не сомневался. Муж ее, кстати, человек незначительный, мелкий во всех смыслах, какой-то чиновник средней руки, ничего примечательного, точно не Евин калибр, на эту историю обиделся, собрал вещи и ушел к своей секретарше. Дальше про него неинтересно.

А замуж Ева так больше и не вышла. Говорила, что все поняла и ничего привлекательного в этом нет. Что ж, в это вполне верилось. Хотя мужиков вокруг нее всегда крутилось достаточно. Спустя несколько лет ювелирное дело свое она забросила. Говорила, что сильно упало зрение. Да и реализовывать это с годами стало все труднее и труднее.

К середине жизни она оказалась в школе. Правда, не совсем обычной, а английской, элитной, лучшей в районе. И очень престижной. Считалось большой удачей устроить туда свое дитятко. Работали либо регалии, либо важный звонок сверху, либо весомое подношение. Должность ее называлась секретарь директора. Вроде и должность — ерунда, никакая, что с секретарши возьмешь? Но тут надо учитывать некоторые обстоятельства.

Во-первых, директриса была из старой гвардии, дама почтенного возраста, ярая коммунистка и сталинистка, интригами и прочими вопросами не интересовавшаяся вовсе. И тут Ева вовсю развернулась. Ее энергия била ключом — она точно оказалась на своем месте: сводила нужных людей, выстраивала сложные цепочки отношений, без стеснения выделяла наиболее выгодных родителей, без смущения пользовалась их услугами и связями. Доставала лучшие билеты на лучшие премьеры, ей были открыты двери в закрытые ателье Литфонда и ВТО, известная секция в ГУМе была к ее услугам постоянно, продуктовые заказы с финской колбасой, икрой и крабами, французская косметика, югославские плитка и обои, японские телевизоры, индийское постельное белье, Булгаков и Цветаева, изданные крохотными тиражами и продающиеся исключительно за валюту, лучшая медицина Москвы, путевки в самые недоступные санатории... Словом, балом в школе правила исключительно Ева, умевшая интриговать, дружить и «подруживать». Часами висела на телефоне и устраивала чьито судьбы. Иногда вполне бескорыстно — ей нравился сам процесс.

Короче говоря, царствовала и правила уверенно и с удовольствием. Когда она шла по школе, расступались притихшие дети и склоняли голову в почтении учителя. Решала Ева вопросы любой сложности. Так к ней приклеилось еще одно определение – «Ева Ловкая и Всемогущая». Кто осуждал (а таких было множество, впрочем, не брезгавших ее помощью), называли ее совсем коротко – деляга... Было много завистников. А чему завидовать? Это тоже талант – суметь так организовывать и использовать людей. Наверняка деньги Ева тоже брала. По крайней мере, перехватить у нее можно было всегда – и довольно крупную сумму. В долг она давала легко и никогда не напоминала о нем забывчивым должникам. В общем, она была еще и Евой Благородной. Сидела она в своем предбаннике, именующемся канцелярией, покачивая крупными серьгами и дымя сигареткой (это ей тоже разрешалось непосредственно на рабочем месте), и разруливала вопросы почти мирового масштаба.

Была она по-прежнему формально одинока, то есть не замужем, хотя любовники были у нее всегда. Но на семейные сборища Ева неизменно приходила одна. К себе звала один раз в год – на свой день рождения в середине февраля. В маленькой однокомнатной квартирке не было обеденного стола – только журнальный. И Ева накрывала фуршет – многослойные канапе, безжалостно проткнутые насквозь яркими пластмассовыми шпажками, крохотные маринованные корнишоны, паштет и оливье в тарталетках, малюсенькие, на один укус, пирожные, сделанные на заказ.

– Ко мне приходят не жрать, а общаться, – объясняла она.

И это была правда. Конечно, некоторые активистки бурно обсуждали после, какая Ева нерадивая хозяйка. Но все легко ей это прощали. Слишком многие попадали в зависимость от ее возможностей. С ней было выгодно дружить.

Времена изменились, сталинистку-директрису ушли на пенсию. На смену пришло новое молодое начальство, которое попыталось справиться с Евой. Но не тут-то было. Сдавать свои позиции она явно не собиралась, правдами и неправдами оставалась на своем месте и в том же статусе – хозяйки школы. Она стала еще более популярной и, как говорили теперь, раскрученной. Правда, теперь, вследствие отсутствия дефицита как такового, потребность в блате практически отпала. Но в связях – отнюдь. Знакомства, хорошее имя и репутация по-прежнему имели приличный вес. Благодарность отныне выражали исключительно в денежном эквиваленте – собственно, только это и изменилось. Новая директриса не была бессребреницей, как ее предшественница, но все же вела себя осторожно, потому поручила решать эти тонкие и вязкие вопросы опытной Еве. И та опять стояла у руля, уже фактически легально. С новой директрисой у нее установились крепкие деловые и даже приятельские отношения. Обе зависели друг от друга, и обе ценили друг друга. В общем, этот дуэт состоялся и был вполне успешен.

Еве было уже слегка за пятьдесят. Годы, конечно, не обошли стороной и ее, но она по-прежнему выглядела как сухая, поджарая, энергичная и еще очень и очень интересная дама. Теперь она появлялась на семейных торжествах в роскошных, до пят, шубах, периодически меняя их и опять раздражая окружающих. Ей опять мыли кости, обсуждая и ее наряды, и сумочки по триста долларов, и дорогих косметичек, и круизы по морям и океанам.

Теперь ее называли Ева Непотопляемая. Все так же она была в курсе последних книжных новинок и театральных премьер, знала лучшие рестораны Москвы, делилась впечатлениями о поездке по скандинавским фьордам и святыням Земли обетованной. Любила общаться с молодежью – жажда жизни и интересы их вполне совпадали. Кастрюли, дачные участки и внуки не были Евиной темой. И к тому же у молодежи к ней не было зависти, а были только восхищение и восторг. Да и чему завидовать? Стройной фигуре? Мы и сами еще вполне стройны. Деньгам? Да и мы зараба-

тываем совсем неплохо. Путешествиям? Так у нас вся жизнь впереди. Это вам не кумушки-ровесницы, замученные болезнями, мужьями, нехваткой денег, вредными невестками и непослушными внуками. Они – все вместе, а она, Ева, – отдельно, особняком. Но разве она лучше нас? А вот ведь сумела. Выходит, права по всем пунктам. Признать это было нелегко. Признать – это значит перечеркнуть свою жизнь. Бились-колотились – а ни сил, ни здоровья, ни благодарности. И Еве опять завидовали.

Но тут случилось непредвиденное. Ева вдруг как-то выпала из плотного круга частых семейных торжеств, стала игнорировать юбилеи и даты. Перестала часами висеть на телефоне – говорила коротко и отрывисто, явно нервничая. Все поняли – что-то случилось. И вскоре опасения подтвердились. Наша железобетонная леди смертельно и безоглядно влюбилась. Лебединая песня. Понять можно, а вот принять это было сложновато. Все дело было в объекте.

Объект был явно недостойный. Звали его Анатолий, но его тут же окрестили Толяном, и это звучало как кличка. Был он учителем физкультуры в Евиной школе. Лет ему было слегка за тридцать. Внешне классический физрук – высок, широкоплеч и довольно красив простой, примитивной и лакейской красотой. Туп Толян был непроходимо. Дурацкие прибаутки, идиотские, пошлые анекдоты, смех без видимых причин, понятный только ему. Ева, конечно же, все понимала, но справиться с собой, видимо, не могла. Толян был легализован и вскоре введен в широкий семейный круг.

В общем, случилось то, чего Ева не делала никогда. И общественность опять оживилась. И забурлил вокруг Евиного имени океан слухов, осуждения и порицания. А ей было на все наплевать. Отлично понимая, что все отнюдь не комильфо, она постаралась и, что смогла, поправила. Толяна пообтесала, приодела, сняла толстую золотую цепь с могучей шеи, отвела к хорошему парикмахеру, научила есть с ножом и вилкой. Вся эта нелепая конструкция по-прежнему выгля-

дела как мать и сын, но теперь смотрелась более благопристойно.

Была ли Ева влюблена в него? Или это была просто последняя женская блажь, нелепый и неудобный последний всплеск гормонов, нереализованные, дремавшие покуда материнские чувства, боязнь неумолимо приближающейся старости и одиночества? Кто знает, но факт оставался фактом – Толян был приведен в относительный порядок и признан официально.

На свой пятидесятипятилетний юбилей Ева собрала гостей. Подтянулись, конечно же, все – то-то будет развлечение. Вот повеселимся! Ева выглядела помолодевшей и смущенной. Гладкая голова, тщательно подведенные глаза, темный лак на ухоженных руках, крупные серебряные кольца в ушах, черная шифоновая туника поверх узких атласных брюк, сигаретка в углу рта. Толян услужливо раздевал гостей в маленькой прихожей, видимо, был хорошо проинструктирован. С праздничным столом Ева, как обычно, не заморачивалась – жареные куры, красная и белая рыба, икра в хрустальной розетке, овощи, фрукты. К чему возиться, тратить время, портить маникюр? На десерт Ева подала апельсины, нарезанные колесиками и присыпанные сахарной пудрой и корицей. Кофе и конфеты. Физические затраты минимальные, а, черт возьми, вполне изысканно.

Иногда, отвлекшись от беседы с кем-то из гостей, Ева бросала тревожные взгляды на Толяна. Ее беспокойство было понятно. Толян, уже сильно набравшись, развлекал по праву хозяина молодежь. Рассказывал пошлые анекдоты, от которых сам ржал громче всех, травил утомительные байки об армейской жизни, прихватывал за талии гостей женского пола, интимно обращаясь к ним «лапуль». Это был своего рода аттракцион. Все веселились, а Ева явно страдала.

Постепенно схлынул народ постарше – тяжело вздыхая. А вот молодежь продолжала веселиться. В центре веселья был неутомимый Толян. Ева сидела в кресле, устало прикрыв

глаза. А спустя пару часов она обнаружила в темной ванной комнате – просто зажгла свет и дернула дверь – свою двадцатилетнюю племянницу Лариску с Толяном в весьма однозначной и недвусмысленной позиции.

Ева била Толяна по морде узкой и сильной рукой – наотмашь. Пьяная Лариска сидела на краю ванной, икая и рыдая. Скандал, конфуз, а вы чего хотели? У Евы начались истерика и сердечный приступ, кто-то из родни даже вызвал «Скорую». Поднялась суета. Чудес на свете не бывает, из хама не сделаешь пана, свинья грязь найдет и так далее и тому подобное. Конечно, умом понимала, что расплата неизбежна и отчаянием, и стыдом, но...

Все пошло прахом – репутация, имидж, ее солидное положение. Сначала Еву жалели, а спустя время начали злорадствовать. Но она взяла себя в руки и попыталась «держать лицо» – напился молодой мужик от волнения, с кем не бывает. Виновата, конечно, Лариска. С этой оторвой давно всем все ясно. Все ждали финала. А финала не было. Толян попрежнему жил у Евы и был тих, как украинская ночь. Мыл посуду, пылесосил и подавал кофе Еве в постель. Она была с ним строга, но спустя какое-то время простила – видимо, ничего с собой поделать не могла.

В общем, наступило затишье. Перед бурей. Буря явилась в образе бестолковой шалавы Лариски. Спустя три месяца. Поддатая Лариска колотила ногой в обитую дорогим дерматином Евину дверь. Соседи грозили милицией. Но той все было нипочем. Ева открыла ей дверь. Лариска села на кухне в грязных кроссовках и куртке – раздеться ей не предложили. Рыдая, рассказала Еве про свою неприятность: она была беременна. Толян трусливо прятался в комнате. Ева молча курила.

– Чего ты хочешь? – наконец спросила она.

Лариска зарыдала еще громче. Ева вышла в комнату, открыла секретер и достала деньги. Потом она зашла на кухню и протянула Лариске пятьсот долларов.

– Уйди с глаз долой и сделай аборт в хорошей клинике, – брезгливо сказала Ева.

Лариска тупо смотрела на деньги, а потом заверещала в голос:

– Откупиться от меня хотите? Как бобику дворовому, кость кинуть? Не выйдет у вас ни черта. Рожу вам назло. Сама бездетная и хочешь, чтобы и я такой осталась? Хрена вам, а не аборт! Буду рожать, чтобы вы все усрались!

Лариска гордо развернулась и хлопнула дверью. Посыпалась штукатурка.

Ева устало опустилась на стул. Потом она зашла в комнату и кивнула Толяну:

– Ну что, папаша недоделанный? Поспешай жениться. Семью создавать.

Толян испуганно молчал.

– Собирай вещи! – крикнула Ева. – И вали к невесте. Достал, придурок!

Деваться ему было некуда – у Лариски была своя комната на Соколе. Все лучше, чем общага в Одинцове, пять коек в комнате. Хотя у Евы, конечно, было сытнее.

Как у них там с Лариской сладилось, Ева знать не хотела. Ей надо было вытаскивать себя. Она взяла отпуск и укатила в круиз по Европе. Теперь ее опять зауважали. И снова называли Ева Непотопляемая.

Вернулась она аккурат к Ларискиным родам – так получилось. Лариска родила девочку – недоношенную, слабенькую. Прогнозы врачей были далеко не оптимистичны. Толян появился в роддоме однажды – и, услышав про проблемного ребенка, свалил тут же, одним днем, прихватив с собой в Ларискином чемодане весь свой гардероб, с любовью составленный Евой.

Забирать Лариску из роддома было некому. Отец ее, двоюродный Евин брат, давно умер, а мать жила в Минске с новой семьей. Желающих участвовать в этой истории не нашлось, да и сочувствующих Лариске – тоже. Кроме Евы.

Она и купила приданое ребенку, и забрала Лариску из роддома. Ева прикипела сразу и всем сердцем к Ларискиной дочке. Что тут было – чувство вины, любовь к отцу ребенка, жалость к ней и к ее непутевой матери, женская тоска? Видимо, всего понемножку – а в результате Ева наезжала к Лариске через день, часами торчала в детских магазинах, скупая мешками ползунки, шапочки, пинетки, бутылочки и игрушки.

Лариска принимала все как должное. Да и сам ребенок интересовал ее слабо.

– Ты, все ты! – кричала она Еве. – Ты должна была заставить меня сделать аборт от своего ублюдка. Вы сломали мне жизнь, сгубили молодость, лишили свободы. А сейчас замаливаешь грехи, добренькая какая! На черта мне это говно! – пинала Лариска ногами тяжелые пакеты с продуктами, стоявшие в прихожей.

Ева не отвечала. Она молча разворачивала мокрую девочку, гладила худые бледные ножки, протирала маслом складочки, стригла крохотные ноготочки и мягкой гребенкой соскребала корочку с головы. Делала она все это с тайным восторгом и упоением – боялась обнаружить свою страсть к младенцу. А Лариске было все равно. Пару раз она не явилась ночевать, и Ева, пристроившись на узком диване, клала возле себя спящую девочку и смотрела на нее с умилением и нежностью, боясь шевельнуться, тихо дотрагиваясь до нежной кожи ребенка и вдыхая молочный аромат новорожденной.

Развивалась девочка плохо, какое уж там по возрасту! Головку почти не держала, погремушку не хватала, сосала из бутылочки кое-как – быстро уставала. Ева вызывала профессоров из Семашко, оплачивала лучших массажисток. Толку чуть, слезы. А к году был поставлен страшный диагноз – ДЦП. Ходить будет вряд ли, дай бог, чтобы сидела и держала ложку.

Отчаяние и горе Евы были беспредельны. А беспутная мать и вовсе вскоре сбежала, написав прощальную записку –

от ребенка она отказывается, и Ева может распоряжаться им по своему усмотрению. Хочешь – сдай в Дом малютки, хочешь – мудохайся сама.

Но для Евы случившееся стало абсолютным и безграничным счастьем. Она воспрянула, оживилась и, как всегда, начала действовать. С бумажной волокитой была куча проблем, а главная – Евин возраст. Но тут сработали мощные связи и, конечно, немалые деньги. Вопрос был решен. Еву опять обсуждали: кто-то объявил ее окончательно сумасшедшей, а кто-то – святой. Видимо, дело было не в том и не в этом. Просто раскрылась нерастраченная женская сущность и отогрелась одинокая душа.

Ева ушла с работы и в помощь наняла опытную няню из медсестер. Теперь она знала лучшие центры по лечению ДЦП, часами сидела у компьютера и изучала то, что делалось в профильных центрах и больницах за границей, списывалась с опытными матерями больных той же болезнью детей, знала наперечет лучших специалистов и светил. Биться она решила до конца – денег и сил, слава богу, пока хватало. В каждой оправданной борьбе есть безусловный смысл и победы.

Сначала сдвиги были крошечные, миллиметровые, заметные только Еве и ее верной помощнице. А к пяти годам девочка начала ходить сама, покачиваясь на тонких, неустойчивых ножках, чистила зубы, ела вилкой, надевала одежку на куклу и складывала немудреные пазлы.

А потом Ева решительно и твердо переиначила свою жизнь. Сделала, как она считала, необходимый и единственно правильный шаг. В июне она уехала в Крым, в маленький приморский городок, каких оставалось совсем мало. Тщательно обследовала условия и местность, нашла крепкий небольшой кирпичный домик в три комнаты с палисадником и виноградником недалеко от моря. Оставила задаток и вернулась в Москву. В Москве она тоже разобралась со всем лихо и быстро – квартиру свою продала, а мебель и по-

суду отправила в Крым медленной скоростью. Простилась со всеми и укатила с девочкой в Крым. Сумасшедшая Ева, Гениальная, Непотопляемая Ева! Говорите что хотите. Так круто поменять свою жизнь!

Я бы так не смогла. У меня бы нашлось как минимум десять причин, чтобы не совершать решительных действий. У нее получилось. Она умела подстроить эту жизнь под себя. Меня же подстраивала сама жизнь. Впрочем, не меня одну.

Увиделись мы через четыре года. Сама Ева изменилась мало – только почти совсем поседела и чуть-чуть поправилась. Мы сели за темный дощатый стол в саду, и Ева налила нам прошлогоднего вина. Потом она резала в керамическую миску крупными ломтями огромные розовые помидоры и сладкий бордовый крымский лук. Я смотрела на ее руки – по-прежнему сильные, прекрасные, с хорошим маникюром. Ева поставила на стол тарелку с брынзой, зелень и ноздреватый серый местный хлеб. Что может быть вкуснее? Девочка сидела с нами за столом, ела крупный персик, с которого капал сок, и ладошкой вытирала подбородок. Потом она слегка спорила с Евой, кто будет накрывать чай. Затем девочка вздохнула, рассмеялась и пошла на кухню.

– Какая красавица! – сказала я.

– Что ты! – горячо подхватила Ева. – А какая умница! Мы с ней уже Чехова вовсю читаем, – с гордостью и блеском в глазах ответила она.

Девочка и вправду была хороша – тоненькая, но какая-то крепенькая, сильно загорелая, синеглазая, с легкими пепельными короткими кудрями. Чуть прихрамывая, она принесла на стол чашки, печенье и фрукты и так же важно удалилась опять на кухню.

– За орехами, – объяснила она.

– Чудная какая! – похвалила я ребенка. – Не жалеешь, что уехала? – спросила я Еву.

Она покачала головой:

– Ни минуты, да и потом, ты же видишь, – она кивнула в сторону летней кухни.

Кстати, девочка называла ее Евой. Просто Евой и на ты.

Вот так. И какая, в принципе, разница, кто кому кем приходится и кто кого как называет. Разве дело в этом? Дело совсем в другом. И мы с вами это знаем наверняка. И меня посетила мысль, что я вижу перед собой довольно редкое явление – двух абсолютно счастливых людей. Что и требовалось доказать.

Внезапное прозрение Куропаткина

Куропаткин смотрел в окно и грустил. Точнее, печалился. В последнее время жизнь все чаще показывала Куропаткину дулю. Нет, все понятно – в стране снова кризис, бизнес загибается не только у Куропаткина, все жалуются, скулят и ноют, но все же от этого лично ему не легче никак. Да если бы только бизнес! Все как-то не складывается, по всем, как говорится, фронтам и азимутам. Инка совсем обнаглела – теперь стало окончательно понятно, что ласка и нежность у таких, как его жена, проявляется только при полном материальном благополучии. Когда все в шоколаде. Короче, когда хреново, не жди никакой поддержки. А он, дурак, все еще ждал. Матушка посмеивалась: «Миленький мой, какой же ты дурачок! Ведь я говорила. Инка твоя – до поры. Черненьким не полюбит, и не надейся!»

Надо признать, что матушка – женщина умная. А он, Куропаткин... Снова дурак. Про его благоверную матушка всегда говорила правильно. Та не нравилась ей никогда. Вердикт был вынесен сразу – капризная, избалованная, ленивая и очень охоча до денег.

Матушка – женщина умная, опыт большой. И чего было ее не послушать?

Когда сходились, Куропаткин матушку слушать отказывался. Да и кто кого слушает, когда всюду горит? От Инки балдел и тащился. Оно и понятно – красивая баба, очень красивая. Высокая, стройная, ноги там, грудь. Ох, эти ноги! Болван Куропаткин. Кто в тридцать семь смотрит на ноги? Только дурак! Нет, смотрят, конечно, все. А вот в жены умные люди берут не по ногам. На характер смотрят, на домовитость. На скромность.

Теперь, говорят, даже секретарш богатые люди берут на работу не по ногам. Время такое настало – время умных.

А он балдел, когда они с Инкой шли рядом. Просто от гордости перло. Такая баба и – только моя!

Ну, и так далее – в смысле интима. Тут она тоже... В смысле – ему показала. Где раки зимуют. И он опять обалдел. Такая женщина, бог ты мой! И снова рядом со мной!

Короче, увел Куропаткин Инку от мужа. Купил в ипотеку квартиру. Неслабую, кстати. Три комнаты, холл, обеденная зона и два туалета. Сделал ремонт – тоже нехилый. Ну и привел любимую. Любимая осталась довольна – только вот не одобрила мебель. Пришлось заказать новую, итальянскую, по каталогам. Снова в долги. Ей, любимой, – ни слова. Пусть спит спокойно и думает, что Куропаткин крутой. Потом поменяли машину – Инка сказала, что хочется джип. Снова кредит. Но ничего – как-то тянул. Бизнес тогда шел неплохо. Нервничал, правда. Ночами не спал – ворочался, мучился, мысли вертелись как карусель. А если, а вдруг? Блин, как накаркал!

Еще Инна Ивановна любила моря летом и горы зимой. Моря – Средиземное, Эгейское, Ионическое. Ну а горы – понятно же, Альпы. Лучше Швейцарские или Французские. Ну, и здесь пришлось поднатужиться. Чего не сделаешь ради любимой? Да! Еще шубки, пальтишки, косметички, педикюрши и все остальное.

А что тут скажешь – шикарной дамочке положен приличный уход. Однажды он что-то попробовал вякнуть – ну, типа, попозже. Сейчас трудновато, родная. Прости.

Инна Ивановна бровки взметнула, глазками – сверк, чисто молнии, носик нахмурила.

– Ты что, Куропаткин? Прикалываешься? Ты в чем мне отказываешь? В массаже и в маникюре? Ты спятил? А как я выйду на улицу? Ты об этом подумал? Лахудрой буду ходить? Ты, милый мой, сначала подумай, а потом говори. Я тебя, между прочим, ни разу не обманула. В смысле – потребностей. И никогда не скрывала, к чему я привыкла. А ты теперь жмешься?

Инна Ивановна так расстроилась, что вот-вот заплачет. Носиком хлюпнула, и слезки из прекрасных глазок брызнули, как вода из клизмы – чисто актриса! Хотелось захлопать.

– Я, Куропаткин, от мужа ушла! К тебе, между прочим. Ушла от прекрасного человека! Щедрого, кстати. Уж он никогда – никогда, Куропаткин, – мне не сказал, что я много трачу. И я, Куропаткин, не шубу новую у тебя прошу. А, кстати, могла бы. Моей уже целых три года. Забыл? И не машину. Хотя ей, старушке, тоже лет двести. И не остров в океане. Ты, Куропаткин, не видел других. Такие есть бабы. Не то что я, скромница.

Сказала про этих баб с каким-то скрытым восторгом и завистью. А может, ему показалось?

«Слава богу, – подумал Куропаткин, потея спиной, – мне и тебя, королевны, хватает. О, как хватает, по самое горло. Скромница, блин!»

Все – про себя. А вслух усмехнулся. Это – про первого мужа, щедрого и прекрасного. Ну, тут вообще смех. Первый муж Инны Ивановны был человеком пьющим и ненадежным. Деньги водились, но к первому пороку присовокуплялся второй – «прекрасный и щедрый» играл. В казино. Ну, здесь все понятно – такие штуки до добра не доводят. Пришлось продать роскошную квартиру, пару машин, да и брюлики свои Инна Ивановна частенько носила в ломбард. Всяко было. И разно – Куропаткин потерей памяти не страдал. В отличие от прекрасной и сказочной Инны Ивановны.

А вот любимую память частенько подводила. От расстройства и нервов, наверное. Такое бывает от стресса – частичное выпадение памяти, амнезия называется.

Но, как говорится, поздно пить боржоми, когда почки отвалились. Поздно. Потому что был еще сынок. Ванька. Такой пацан, что... В общем, у Куропаткина сердце падало, когда Ванька его обнимал.

Да и тянуло его к Инке не меньше, чем раньше. А даже, наверное, больше. Как говорится, чем больше вложишь...

В общем, тянул Куропаткин, как мог. Из последних оставшихся сил. Чтоб сохранить достойный уровень жизни. И чтоб благоверная мозг не выносила. Ну, и чтоб у сыночка, у Ваньки, все было.

– Ты же отец! – говорила жена. – Ты же мужчина! А в мужчине главное – это ответственность.

Матушка злобилась и невестку еле терпела. Тоже только из-за внучка. А так, говорила, баба никчемная. «Ни о чем», как сейчас говорят. Ни украсть, ни посторожить.

Куропаткин вяло отмахивался и мамашины выпады терпел молча. Понимал – права. А куда денешься?

– Я ее, мам, люблю, – говорил он, – а уж про Ваньку что говорить!

Матушка махала рукой – безнадежно.

– Ты всегда, Коля, был извращенцем. Никогда хороших девушек у тебя не было. Всегда тебя тянуло к ярким леденцам. Без обертки. А без обертки они замусолены чужими руками.

А теперь все было совсем плохо. Бизнес катился с горы. Да так быстро! Кредиты жали, держали в тисках. Как конец месяца – у Куропаткина аут. Лежит и глядит в потолок.

А любимая злится. Злобится, чашки швыряет. Так глянет – ну, застрелиться.

Все понимал, теперь уже все. И еще понимал, что от Ваньки он не уйдет. Никогда. А если уйдет? Что решится? Что переменится? Кредиты его не закроют. Долги не простят. Проблем за него не решат. И не пожалеют его, дурака. Ну, если родная жена не жалеет...

А тут еще эта стерва Полина. Его секретарша и главный помощник. Боевая подруга. Сама говорила – мы с тобой, Николай, навсегда. Уж я тебя никогда не подставлю. И вправду, столько вместе соли съели – стали родными. А тут? Стала требовать, дура, прибавку к зарплате. В нынешние-то тяжкие времена! Ну, поругались, поорали, и он ей бросил:

– Не нравится – двери открыты!

Сказал сгоряча, все понятно. А эта засранка? Вещички в пакетик сгребла – и к двери.

А у двери обернулась и гнусно хихикнула.

– И поделом тебе, Куропаткин. Лох ты педальный. Правильно Инка твоя говорит.

И дверью – бац! Как по мозгам.

Дрянь. Конечно, стерва. Какая стерва! А самое обидное – что Инку сюда приплела. Знала, что больно. Но без нее стало лихо. Совсем. Ковыряется Куропаткин в бумагах и путается. Все контакты у Полины в ее телефонах, все клиенты.

И понял Куропаткин, что пропадает. Совсем. Окончательно.

Что делать? Идти на поклон? Увеличить зарплату? С чего? Звонить этой дуре и умолять о прощении? «Ох, бабы! – горестно думал он. – Совсем вы меня замотали. Достали совсем. Все вы... одним миром мазаны. А может, действительно я извращенец? Может, матушка права?»

Сделал подборку из прежних и охнул – точно! Все, что были до Инки, – как на подбор. Из себя ничего, с ногами и сиськами, а вот со всем остальным... дело плохо. Все капризнычали, требовали подарки, мелко торговались и крупно хамили.

Ни одной ведь не было другой! Ну, тихой, милой, скромной. Глаза в пол. Чтоб пожалела, ну, въехала чтоб! Не нравились такие Куропаткину. Не его сексотип. Совсем загрустил.

За окном накрапывал дождь. Мелкий, противный. Колкий, наверное. Он даже поежился – брр!

Чертова осень. Под стать настроению.

И снова затосковал. Так захотелось в тепло. На горячий песочек, под нежное солнце. Лечь и забыться – под тихий шум волн. И чтобы никто – вот никто – не просил и не требовал. Ничего!

А просто его бы любили. Просто любили и просто жалели. Или хотя бы сочувствовали.

Но – не видеть ему белого песочка и не слушать прибой еще долго. А может, и никогда.

Куропаткин вышел в приемную (громко, конечно, сказано – весь офис тридцать квадратов вместе с приемной) и попробовал включить кофемашину. Тыркался, дергался. Чертыхался. А не получилось. Запорол целых три капсулы, обжег руку паром и громко выругался – совсем неприлично.

Потом открыл ноутбук и дал объявление. О приеме на работу секретаря. Ну, и требования всякие. Что, в общем, понятно.

Потом надел плащ, щелкнул выключателем, запер дверь и вышел вон. К черту все. К черту! Вот поеду сейчас и напьюсь. К Мишке Труфанову, старому другу, он не откажет – он по этому делу любитель. Ну, и еще потрындеть по душам. Про баб и про жен. Плюс политическая обстановка в стране и в мире. Кризис, дефолт и кредит. Обычные темы мужских разговоров.

Он зашел в лифт, достал мобильник и набрал Труфана. Тот ответил не сразу, видно, только проснулся. Потом оживился и даже обрадовался.

– Приезжай, Колян. Побалдеем! Только, – замялся Мишка, – жрачки возьми. У меня – ни черта. Полный голяк, мышь повесилась!

«Это и так понятно, – подумал Куропаткин, – подумаешь, новости!» Мишка был отъявленный, закоренелый и идейный холостяк. И еще, наверное, умница. Ну, раз так сумел распорядиться. Своей личной жизнью.

И своей личной свободой.

Труфан по жизни не напрягался – радовался тому, что имеет. А имел он крошечную однокомнатную квартирку в Беляеве, оставленную покойной бабулей, и непыльную работенку – составлял на дому дешевенькие, тыщи по полторы, юридические договоры частным лицам.

И ему, представьте, хватало. На колбасу, дешевый коньяк и китайский ширпотреб в виде байковых клетчатых рубашек, джинсов и кед. Труфан был неприхотлив и жизнью доволен. Периодически у него вспыхивали короткие и бурные романы со странными, не первой свежести, некрасивыми и часто замужними тетками.

Труфан не был эстетом. Уверял, что замужние бабы горячи и заботливы – кто супчику сварит, а кто и пирожков напечет. И в сексе торопливы и благодарны. Что, собственно, и надо Труфану. И самое главное – не задерживаются. Поделали дел – и домой, к муженьку. К мужу и деткам. Спешат!

Когда-то Труфан подавал большие надежды – окончил юрфак, и все дороги ему были открыты: папа Труфанов был большим адвокатом. Но подергался Труфан, подергался и выбрал свободу.

Однажды друг детства Куропаткин спросил:

– А ты любил когда-нибудь, Мишка?

Труфан на минуту задумался и почесал лохматую и давно не стриженную башку.

– Да нет, пожалуй. Пожалуй, что нет, – медленно повторил он и тут же оживился: – А кого, брат, любить? – Потом горестно вздохнул и добавил: – Нет ведь достойных. Приглядишься – и нет!

Почему-то обрадовался своим выводам, вероятно найдя объяснение.

– Совсем? – недоверчиво уточнил Куропаткин. – Что, ни одной? И ни разу?

Мишка медленно покачал головой:

– Лично мне такая не попадалась. – Потом прищурил узкий и хитрый глаз и ехидно добавил: – И тебе, друже, по-моему, тоже!

Куропаткин хотел горячо возразить, но... воздержался.

Мишка стоял на пороге – лохматый, с нечесаной бородой, в ретротрениках с пузырями – и внимательно разглядывал друга. Потом тяжело вздохнул и промолвил:

– Ну... все понятно.

– Чего понятно, экстрасенс хренов? – окрысился гость. – Давай ставь картошку!

Мишка снова вздохнул, принял пакеты и поплелся на кухню.

Это был ритуал – вареная картошечка с маринованными огурчиками, колбаска в нарезку и, разумеется, водочка.

Мишка усердно чистил картошку, попыхивая сигаретой в углу пухлого рта, и что-то мычал – типа, песню.

Песни Мишка любил комсомольские, из советского детства. «И Ленин – такой молодой, и юный Октябрь впереди» – эта была самая любимая.

Еще была такая: «Я, ты, он, она – вместе целая страна!» Страны давно не было, а песня осталась.

И еще была: «Слышишь, время гудит – БАМ!» Этот БАМ – Байкало-Амурская магистраль. Стройка века. А не просто вам – БАМ – бам.

Куропаткин сел на табуретку и огляделся. Свинарник. Боже, какой же свинарник! Ну, чокнуться просто. И даже снял локоть с липкой клеенки. Кошмар!

Правда, удивился – не было грязной посуды. Совсем. Обычно – гора.

– Моешь посуду? – спросил он у друга.

– Не-а! – ответил друган. – Пользуюсь пластиком. Очень удобно. Сказка прям. Пожрал, в ведро, и – свободен.

Куропаткин поморщился – гадость какая! Как на первых шашлыках в парке у дома в начале мая. Картошка уже закипала, и Мишка стал накрывать на стол, приговаривая:

– Колбасочка сладенькая. Та-аак, улеглась. Огурчики... ух, хороши! В пупырях! Супротив. Сальцо. Сказка прям, а не сальцо. Главный продукт! Черняшечка, редисон. Стакашечки – стакашки! И – приборчики! – завершил он и победно оглядел плоды своего труда. – А? Красота? То-то, милай! – продолжал «придурствовать» он.

Ну, и присели, как говорится. А дальше – поехали!

– Пошла? – с беспокойством хозяина встревожился друг.

Куропаткин кивнул:

– Пошла. Хорошо!

Ну, и под картошечку, да под сальцо, да с огурчиками в «пупырях» – пошло не просто хорошо, а пошло замечательно. Со счастьем в глазах и в желудке.

Потом вспоминали детство и школу – это был обычный, до боли знакомый и заезженный ритуал, который им не надоедал никогда – дружба детства, она, знаете ли...

А дальше Куропаткин разнюнился. Поведал про бизнес, про кризис и Инну Ивановну. Добавил про Полинкин уход и расстроился окончательно. Просто раскис, как дитя без мягкой игрушки. Хоть плачь.

Мишка молчал, тяжко вздыхал, кивал и подкладывал другу картошечки.

А потом дал совет – как с плеча рубанул:

– А пошли ты их всех, Колян. Одновременно. Всех разом!

– Кого – всех? – не понял Колян. – В смысле – кого? – уточнил он. – Нет, ты объясни.

– Да всех разом! – упрямо повторил Мишка. – И в первую очередь – мадам Евсюкову.

Инну Ивановну он всегда называл Евсюковой – по девичьей фамилии. Так он демонстрировал свою нелюбовь, не желая отдавать ей фамилию лучшего друга – недостойна, типа того.

Ненависть у них была взаимная и долгая. Ну, антиподы, понятно. Только Куропаткин поносить друга детства не разрешал – все разрешал, а это – ни-ни! Это – святое! «А если я начну про твою Кристину и Яну?» – желчно осведомлялся он, вспоминая лучших подруг жены.

– Ага, – кивнул Куропаткин, – с этим понятно. В смысле – с этой. А дальше? Следующий кто, Ванька?

Мишка развел руками:

– Ну, Ванька тут ни при чем. Это я так, к слову.

– Ну и заткнись! – невежливо посоветовал Куропаткин. – Не тебе говорить. Ни жены, ни детей! – зло добавил он.

А Труфан обижаться не думал.

– Вот-вот! И именно поэтому я и имею право, – стал настаивать он. – Пошли – и начни новую жизнь. И ты меня вспомнишь!

– А как? Не подскажешь? – начал горячиться Куропаткин. – Советчик хренов. Забить на долги, да? На кредиты забить? На Ванькину школу? На теннис? На море забить? А у него, у Ваньки, простуды! Если без моря весь год, понимаешь? Ему море... как воздух. Усек? Матушке не помогать? А как она будет – на пенсию? Бутылки сдавать? Нет, ты ответь. Объясни, мне, дураку. Если ты такой умный...

Мишка надулся и замолчал.

– А чего приперся? Ты вроде совета просил? Или я ошибаюсь?

– Ошибаешься! – жестко отрезал Куропаткин и хлопнул ладонью по хилому старому кухонному столу. – И совета, я, кстати, у тебя не просил. Просто приехал как к другу. Душу излить. Что, нельзя? Нельзя, получается? – всхлипнул он.

– Можно, Колян, – мягко ответил Мишка и осторожно постучал рукой по плечу друга. – Конечно же, можно. А в остальном – удачи, друган! Каждый выбирает по себе, Коля. Женщину, религию, дорогу...

Умник! Ах, какой умник! Левитанского цитирует. По себе, да. И ты, друг детских игр и забав, выбрал тоже по себе – так выходит? Срач, в котором живешь. Помойку в вонючем холодильнике. Баб своих сумасшедших и, мягко говоря, некрасивых. Отсутствие детей – от них ведь один геморрой, да, Мишань? И моря-окияны тебе не нужны, и берег турецкий. Забуришься на месяцок в глухую деревню, в кособокий домишко, и там тебе радость и счастье. Разная жизнь у нас с тобой, Мишка. Разные потребности. Но все это не отменяет моей любви к тебе. И такой же огромной привязанности...

Домой Куропаткин решил не ехать – позвонил Инне Ивановне.

Жена фыркнула в трубку что-то типа: понятное дело. Слились в экстазе два алкаша.

И трубку бросила.

«Ну и черт с тобой, любимая, – пробурчал Куропаткин, рухнув на диван. – Черт с тобой!»

Минут через пять он уснул. Устал человек, все понятно.

Мишка Труфанов еще долго сидел на кухне, курил «Беломор» и смотрел в темное окно.

«Такая вот жизнь, – потянуло его на философию, – хреновая. Хороший мужик Колян. Ответственный. Толковый. Отец замечательный. Муж. Налево не ходит, особо не пьет. Все в дом, все в семью. И результат? Где она, эта семья? Где жена, верный друг и соратник? Та, которая пожалеет, поймет? Ау! Нету – ни разу нету. Тянет с Коляна бабло – использует. Противная баба эта Евсюкова. Ох, противная! Мелкий человек, несерьезный. И еще – ненадежный. Хотя красивая, да. Фактурная очень. С такой – хоть в Канн на красную дорожку, хоть в Елисейский дворец. Но туда Куропаткина не зовут. Почему-то. А значит, достоинства Евсюковой ему ни к чему».

Мишка тяжко вздохнул: «Эх, Коля, друг детства! Растила тебя мама, тянула. Себе во всем отказывала. Бассейн, дзюдо, аккордеон. Копейки считала. Чтобы ты стал человеком. А тут – Евсюкова! И все, кранты. Нет человека, и нет мужика. Есть конь на пашне со старым плугом, вьючный осел с бурдюками и тупейший баран. И все это она, Евсюкова! Вот вам наглядный пример – как дурная баба может погубить хорошего мужика».

Мишка высыпал пепельницу, доверху полную бычариков, убрал в старенький «ЗИЛ» остатки колбасы и пошел в комнату – спать.

Долго не мог уснуть – воспоминания накрыли его с головой. И все про Коляна. Вспомнил он Катю Баленко, первую любовь Куропаткина. Красивая, да. У него и не было других. Только противная. Капризная, с вечно надутыми губами. Ныла всегда – то жарко, то холодно. То попить, то поесть. Колян суетился вокруг нее, как юла. Работать пошел на каникулах – купить Катечке ценный подарок. Заработал двести рублей и – давай покупать! Духи у спекулянтов, джинсы и золотую цепочку. Все в пакет и – на, любимая! Это тебе!

Та пакетик открыла, узким носиком повела и сделала – фи. Духи слишком бабские, душные – ей такие не нравятся. Джинсы малы. А цепочка – дерьмо. Плетение ей не то, видите ли! Ну, и как? Стоит Куропаткин, словно дерьмом вымазанный, и страдает. Бледный, расстроенный. Жалкий.

Слава богу, эта дура Баленко его бросила – нашла какого-то хмыря из МГИМО. Колян отстрадал и снова влюбился. И снова... Ох, да что говорить. Беда. Опять с Коляном беда. Следующая. Ксюша, юбочка из плюша. Да уж, из плюша, как же! На шмотках была просто повернута, все друзья – спекулянты. И снова-здорово: «Колечка, хочу джинсики голубые!

С вышивкой! Курточку кожаную, зелененькую! Юбочку под курточку, тоже из кожи...»

В общем, как говорится... А этот дурак? Давай зарабатывать бабки! Чтоб Ксюшу эту чертову ублажить. Чуть из института не вылетел – так увлекся. Стал с долларями крутиться. Мать его еле тогда отмазала, а мог загреметь. Сколько мамаша его тогда денег назанимала – море! Чтобы вытащить своего дебила. Потом отдавала долго, лет пять.

Он, конечно, притих. Испугался. А через полтора года – опять за свое. Сошелся с одной певичкой. Никому не известной, конечно. В кабаке каком-то пела. Дерьмовом, надо сказать. На рабочей окраине. И снова – красавица. Загулы любила – аж подметки летели. За ночь пять кабаков объезжали. Выпивала за ночь три бутылки шампанского. Или четыре – ну, как пойдет. И сразу в кураж. Много там чего было – гости с Кавказа, фарца, бандюганы. Ну и драки, конечно. Дурню этому Куропаткину то лицо разобьют, то руку сломают.

Замуж потом вышла за скандинава какого-то. А Куропаткин снова в страдания! Говорил, что не хочет жить. Очень боялись они за него тогда, очень. Матушка его даже в больничку устроила – в хорошую такую, по великому блату. Клиника неврозов называлась. На Шаболовке.

А Колян, пока здоровье поправлял, снова влюбился. В заведующую отделением. В красивую и не слишком молодую грузинку. Была эта эскулапша похожа на породистую кобылу – крупная, тонконогая, талия тонкая, грудь большая. Глаза огромные, черные – сверкают, горят, словно непотухшие угли, – а мужчин задевает! Замужем, конечно. Муж – человек серьезный и важный. Она все боялась: узнает – пропадем оба. Причем безвозвратно. Концов не найдут. А Куропаткин ее все уговаривал от мужа уйти. Ну не дурак? Забрать двоих дочерей и – к нему. А упаковка у нее была знатная, выше крыши. Хата огромная, «Мерседес» – в те годы-то! Дом где-то во Внукове.

Он, Мишка, тогда у Коляна спросил:

— А потянешь? Ее и детей?

А тот — так беспечно, с улыбкой своей дурацкой:

— Любовь у нас, Мишка! Это ты понимаешь? Любовь!

Ну, тогда снова подключилась умная и несчастная Колькина мать. Пошла к солидному мужу и посоветовала ему «держать свою сучку на коротком поводке». Иначе — беда будет.

Ну, тот разобрался быстро, в два дня — отправил законную в Поти к своим родакам, вместе с дочурками.

А там — тюрьма, со двора и то ходу нет. Вот пусть посидит и подумает! Пару годков. Или поболе. А ты, паренек, погуляй! А что с тобой делать — подумаю. И радуйся, что мне *так удобно*. Что сразу тебя не зашиб.

А этот дурак хотел ехать за ней, в этот Поти! Вызволять любимую. Украсть и увезти — ее и, соответственно, дочек.

Слава богу, отговорили. Иначе — была бы большая беда. Как пить дать.

Ну, и все последующие романы Коляна были из той же серии, как под копирку. Бабы мутные, отношения бурные, а на выходе — слезы, страдания и пустой кошелек.

И опять спасла мама — услала Коляна в ссылку. От грузинского мужа подальше.

Матушка его бедная уже и не чаяла, что внуков увидит. А тут Евсюкова. Все с ней было понятно, но все же... Хоть поженились и Ваньку родили. А что сын ее, Николай Куропаткин, отменный дурак — так это же ясно всем и давно. Чему удивляться?

И вскоре, опечаленный жизненной несправедливостью, Мишка Труфанов уснул.

Куропаткин проснулся от нечеловеческого храпа — такого мощного и невозможного, децибеллов таких, что он от испуга подскочил на кровати.

— Труфан! — позвал он лучшего друга. — Проснись, хрен моржовый!

Крикнул громче – реакции ноль. Подошел к Мишке и дернул пару раз за руку и за ногу. Перевернул Мишкину тушу на правый бок. Храп стал чуть гуманнее, но через пару минут Мишка снова перевалился на спину и зарычал как медведь.

Бесполезно, огорчился Куропаткин, с этим не справиться. Сна больше не будет – это ясно как день.

Он вертелся с боку на бок, вставал, ходил на кухню пить холодную воду, несколько раз посещал Мишкин санузел, не уставая удивляться грязи и свинству кореша.

Снова бухался в кровать и отчаянно ждал рассвета.

Всякие мысли лезли Куропаткину в голову. Всякие. О бренности жизни. О ее несправедливости. О скоротечности – ее же – и о сложности тоже. Думал он и об Инне – с горечью, с болью, с тоской. Думал о маме и сыне – с печалью и нежностью.

А потом вообще в башку полезла всякая ерунда. Всплывали давно позабытые лица, события и прочая хрень. Какие-то незначительные, дурацкие мелочи, о которых и вспоминать-то смешно! Вспомнились и возлюбленные – Катя Баленко, Ксюша. Певичка Лариска. Врачиха Тамара. Это – из тех, с кем было *серьезно*. Серьезно и бестолково как-то – не по-людски, как говорила мать. И, как обычно, оказывалась права.

Потом в памяти стали появляться женщины второстепенные – из тех, с кем бывали просто романы. И тоже, надо сказать, хорошего мало. Куропаткин совсем расстроился – из всех, кого он припомнил, чьи лица сейчас проплывали перед его глазами, не было ни одной стоящей...

Да что говорить! Ничего. Потому...

Потому что *нечего* просто! Фигня.

А под утро, конечно, сморило. В семь зазвонил на телефоне будильник, он нехотя открыл глаза и услышал, как Мишка гремит на кухне.

Мишаня жарил яичницу. От количества желтков на сковородке Куропаткин обалдел. Пересчитал – восемь штук.

– Ну, ты и обжора, – покачал он головой. – Нет, я не буду. В такую рань, да еще с бодуна. Окстись, Труфан! Я вообще утром не ем – только кофе пью.

Мишка развел руками:

– Кофе, брат, у меня не водится – только чай, извини! Могу заварить покрепче, на манер чифиря. Сразу проснешься.

Пришлось согласиться. Пил горький чай и с ужасом наблюдал, как Труфан поглощает яичницу с хлебом. Для интереса подсчитал – восемь яиц, шесть кусков хлеба. Причем с густым слоем дешевого масла.

Вышел на улицу и посмотрел на небеса. Все обложено плотно и густо. Значит, снова не будет солнца, а скорее всего, будет дождь. Ох, и противный же месяц ноябрь! До настоящей зимы далеко, а уж до лета...

Завел тарантас, и снова взгрустнулось. Эх, жизнь копейка! Думал про то, как вечером поплетется домой. Как Инка откроет дверь и обложит его не по-детски. Как Ванька все это услышит и выкатит свои голубые глазенки на нерадивого папу. И вот тогда-то, наверное, и перестанет его уважать.

Он вошел в офис и загрустил еще больше. Без этой чертовой дуры Полины было так пусто, хоть плачь. Обычно Полинка с раннего утра трепалась по телефону. А он, дурак, раздражался! Теперь бы послушал Полинкин треп с удовольствием. Эх... нету Полинки, и нету горячего кофе. И нет свежих булочек из соседней пекарни. Нету. Только тишина, пустота и снова тоска – телефоны молчат.

Мелькнула мысль позвонить этой засранке. Позвонить и сказать: так, мол, и так, Поль, давай друг друга простим и плохое забудем. Столько лет вместе, ну, честное слово! Целых пять или шесть! Столько прошли, мама дорогая, столько, простите, говна съели вместе... Ладно, Поль! Я все понял. Ты не права, конечно, но... придумаем что-нибудь. В смысле бабла.

Подумал и — передумал. А что он может придумать «в смысле бабла»? Когда нет этого бабла и в помине. Просто банально нету, и все. Из чего Польке добавить зарплату? Может, из маминой пенсии?

Снова расстроился, ну, просто до слез. Как вспомнил всех этих... баб своих, в смысле. Жену, секретаршу.

Все из него жилы тянут и веревки вьют, все! Все под себя прогибают, словно он не мужик. Не мужик, а тряпка половая.

Ну, а если... найти в себе силы признаться... то так оно и есть, между прочим.

Он зашел в кабинет, открыл ноутбук и проверил почту. Одна ерунда — и ничего по делу. Ничего! Словно всех клиентов слизала страшная таиландская ураганная волна.

Уставился в задумчивости в окно — так и есть, снова моросит мелкий дождь. Из оцепенения его вырвал телефонный звонок.

Он вздрогнул и схватил телефонную трубку.

— Кто? — переспросил он. — Ведяева Дарья? А, по поводу места. Я понял. Ну, что ж, приходите. Когда? А когда вам удобно? Прямо сейчас? Вы здесь, в холле? Ну, поднимайтесь, Ведяева Дарья. Будем на вас «посмотреть».

«Шустрая, — подумал он, — раз — и внизу, прямо в холле. Ну, что же. Посмотрим. Приезжая наверняка». У него абсолютный слух — мама-то дирижер-хоровик. Нездешний акцент он сечет, что называется, с полоборота.

В дверь постучали, и он открыл. На пороге стояла девица. Бледная моль, серая мышь — как там еще?

Он даже поморщился — уж слишком неказистая и незаметная была эта Дарья.

Она тоже вроде как растерялась — стояла, не шелохнувшись, и хлопала серыми, в бледных ресницах, глазами.

— Ну, проходите. — Он пропустил Ведяеву Дарью вперед.

Провел в кабинет, уселся за стол и указал ей на стул.

– Рассказывайте, – не очень вежливо буркнул он, понимая, что Даша эта – не «наша». В смысле ему не подходит. Категорически.

Она дернулась, чуть подалась вперед, побледнела, громко сглотнула в волнении слюну, отчего он поморщился, и начала:

– Ведяева Дарья, – сказала она, – мне девятнадцать. Ну, почти двадцать. Будет в апреле.

– Оставим подробности, – оборвал ее он, – давайте по делу.

Она снова кивнула и снова сглотнула.

– Да-да, безусловно. Окончила курсы секретарей-референтов. Знаю английский – ну, разговорный и читаю. Со словарем, – пролепетала она.

– Опыт работы, – сурово поинтересовался он, – имеется?

Она снова подвинулась к краю, он глянул на стул – не свались, сердешная! Изъерзалась от волнения.

– Нет, – прошелестела она, мотнув головой, – почти нет.

– Что значит – почти? – удивился он. – В каком это смысле?

– Ну-уу, – протянула она, – в смысле того, что я мало работала. Вот. Всего два месяца. Дома.

– Дома – это где? – уточнил он. – Вы откуда?

– Из Энска, – тихо ответила она, – это город такой, на Волге. Точней, городок.

Он откинулся на стуле и кивнул.

– Знаем. Бывали.

Почему-то сказал о себе во множественном числе. Сам удивился.

– Правда? – обрадовалась Ведяева Дарья. – Давно?

Он махнул рукой.

– Да в прошлом веке. В общем, лет двести назад.

Она расстроилась.

– А-а, так давно... Хотя... – она чуть задумалась, – с тех пор, наверное, ничего и не изменилось. Как был медвежий угол, так и остался, – она тяжело вздохнула, словно переживая за свой городок.

– Ну, и? – спросил он. – Что было дальше?

Она пожала плечами:

– Да ничего. Два месяца проработала в одном офисе. Они торговали деревянными поддонами, ну, и всем остальным. А потом прогорели. Закрылись. И все.

Он снова кивнул:

– Ну, все понятно. И тогда вы решили... Рвануть в столицу, я так понимаю?

– Так, – подтвердила она, – просто... там, дома, совсем нет работы. Совсем! Ну, или только в торговле – на рынке или в продуктовом. Платят копейки, – тихо добавила она и покраснела.

– Понятно! – Он вздохнул, встал и прошелся по комнате. – Все едут в Москву. В столицу. Здесь есть возможности, да? – спросил он, уставившись на нее.

Она пожала плечами и неуверенно ответила:

– Ну да... наверное.

– Наверное! – покачал он головой. – Вот именно, что «наверное»! А не наверняка, понимаете?

Она послушно кивнула и опять побледнела.

– Да ничего вы не по-ни-ма-ете! – почему-то разозлился он. – Совсем ничего! Вот смотрите, зарплата секретаря – да? Да! Зарплата. Тысяч двадцать, не больше. Ну, двадцать пять – на крайняк. При вашем досье-то. Без опыта и все остальное. Согласны?

Она смотрела в пол и чуть заметно мотнула головой.

– Итак – двадцать. Ну, пусть для начала, – повторил он. – Ну, пусть даже двадцать пять. Больше, простите, вам не дадут. Из них проесть – минимум десять. И это если совсем экономно – «Доширак», «Ролтон», картошка и макароны. Все. Понимаете, все! Ни фруктов, ни кофе, ни тортика и ни сыра с колбаской. Ну, или там пару раз в месяц, не больше. В день получки, как говорится. Два – жилье. То есть комната, угол. Хотя скорее второе. На комнату вы не потянете. Угол. В лучшем случае у тихой и вредной бабульки койка под вытертым одеялом. Вечером бабулька смотрит все сериалы подряд вместе с ток-шоу. А ночью храпит. И еще вредничает, придирается, дает советы, рассказывает про подвиги жизни и с тоской вспоминает милые сердцу советские времена. Ну как, симпатично? Не правда ли, Дарья? И угол этот убогий вам обойдется не меньше десятки. Ну, или тыщ восемь – как повезет. Если у черта, простите, в заду. И что остается? На пудру, помаду? Мороженое? На кофточки и все остальное? А маме послать, а? Наверное, надо и маме послать?

Она вдруг как-то вся сжалась, окаменела и качнула головой.

– Нет. Маме не надо. Мама… умерла.

– О господи, – сказал он, – ну, совсем плохо. Ну, папа там или бабуля с дедулей. Хотя положение дел это никак не меняет. Вот это важно! Вы будете недоедать, мерзнуть в дешевой куртяшке, промокать в дрянных сапогах, шарахаться от ментов, бояться этого шумного и неприветливого города, терпеть нужду и страдать. Вот я о чем! Вы понимаете? Такие зарплаты – ну, если только для бестолковых москвичек. У которых есть дом и семья. Мама и папа прокормят, ну, а жилье и так есть. Так, на шпильки и сигареты. Этого хватит – если по-скромному.

Она молча кивнула.

– Ну и выводы? – риторически спросил он. – Езжайте лучше домой. Там хоть родня… И квартира.

– Нету родни, – сказала она. – Никого. Папы и не было. Никогда. А дед с бабушкой умерли. Комната есть – в частном доме. С печкой. Колодец на улице. И туалет.

Она замолчала. И он не знал, что сказать. Стыдно было. Стыдно и гнусно. Паршиво, короче. На старые дрожжи, как говорится.

Она молчала и смотрела в окно.

Он, тяжело вздохнув, наконец произнес:

– Ладно, Ведяева Дарья. Оставьте свой телефон. А там – там посмотрим. Может быть, вы и правы: Москва – город возможностей. Неограниченных. Кто знает – может, карьеру сделаете. А может, богатого жениха подберете. Всяко бывает. Чудеса, наверное, все же случаются. Хотя...

Бледная моль Дарья Ведяева явно обрадовалась и закивала:

– Да-да, конечно! Вот мой мобильный!

Он протянул ей листок бумаги, и она старательно, чуть высунув кончик языка, красивым, каллиграфическим почерком оставила свои координаты.

Он молча кивнул – аудиенция, типа, закончена, и она, поднявшись со стула, медленно пошла к двери.

Там обернулась и тихо и неуверенно сказала:

– До встречи?

Он пожал плечами:

– Как получится.

Она опять побледнела и обреченно кивнула:

– Ну да...

Он откинулся в кресле и стал покачиваться – ага, как же! Карьеру она сделает! Замуж удачно выйдет! Мышь незаметная – зубки торчат, бровки домиком. Здесь, в столице, таких на рубль пучок. А уж красавиц – так тех вообще море. А олигархи слегка в меньшем количестве, надо сказать.

Потом опять загрустил – конечно! А кто придет ко мне на собеседование на такую зарплату? «Зряплату», как шутила его матушка. Хорошие секретари, знаете ли, меньше чем на полтинник не согласятся. Вот и эта сука, Полинка... А что, права! Девка она ловкая, коммуникабельная. Кого хошь уболтает. Покойнику впарит, как говорится. И денег хотела вполне справедливо. Все они справедливые – и Полинка-умница, и Инка-красавица. Все хотят жизни красивой, душистой. Безбедной.

Да и он был бы рад. Нет, честное слово! Да разве ж он отказал бы стерве Полинке? Разве жалел бы на красавицу женушку? Да никогда! Просто... денег-то нет! Банально нет денег. А есть долги и кредиты. Такие дела.

Выпил чаю – к кофемашине боялся притронуться – и лег на диван. Сразу уснул.

Проснулся через пару часов, и снова от телефонного звонка.

Звонила соискательница. Голос противный, писклявый. Визгливый даже: «Скоко-скоко? Двадцать пять? Да вы что, дядя? Сейчас таких получек не бывает!»

Да пошла ты, «получка»! – трубку швырнул со злостью.

Открыл окно – пахнуло свежестью и холодком. Закурил.

Что делать-то? Что? Как сказать Инке, что дела такие хреновые, что... хоть в петлю. Нет, Инка туда не полезет – она жизнелюбка. Выпучит томные очи, ресничками хлоп и спросит металлическим голосом: а что ты раньше, Коля Куропаткин, думал? Когда женился, сына рожал? Семья, мой дорогой, это ответственность. Большая ответственность! На это способны только настоящие мужики. Ну, думай, что делать. Думай, Коля! Ты ведь мужик? Или как?

И мерзенько так прищурится. Сразу унизит, растопчет и ноги вытрет. Одновременно.

Он бухнулся на диван и закрыл глаза. Хорошо бы снова уснуть – чтобы хоть пару часов не думать об этом. Но сон не шел. А шли странные воспоминания. Такие странные, что он удивился.

Например – вспомнился город Энск, откуда была родом бледная моль Дарья Ведяева.

Бывал он там лет двадцать назад. Тогда. Матушка его туда услала, от знойной грузинки спасая.

Городок этот... Ну, как все городки средней России – провинциальный донельзя, с кривобокими улочками, с частными домиками. С памятником вождю на центральной площади.

Вождь мирового пролетариата был смешным и нелепым — руки ниже колен, кепка в руке, а размер ботинок — тут вообще обхохочешься. Тридцать пятый, похоже. Такой ваял спец. Каждый год вождя серебрили — красили серебрянкой для свежести. Он блестел, словно новый таз. А птицам было все равно — птицы-то гадили и гадили на серебряную фигуру. Городок был с пустыми прилавками, кафешкой под названием что-то вроде «Ромашки» или «Ветерка». Ну, все как обычно. Скука, серость, покой. Но! Вечером грохотала дискотека на площади, и возле нее дежурил милицейский «УАЗ» — махач происходил ежедневно и по-серьезному.

Он снимал комнату у немолодой одинокой вдовы. Вдова была работником почты, и от нее пахло картоном и сургучом. Женщина она была спокойная и невредная. Только иногда... запивала. Пила, правда, тоже тихо: ставила у кровати бутылки и начинала «гулять».

Стонала громко — так, что сердце рвалось. Тогда приходила ее племянница Ольга. Девушка лет двадцати. Хорошенькая блондинка со вздернутым носиком и небесно-голубыми глазами. Она была славная, эта Ольга. Именно это определение ей подходило. Видя Куропаткина, она то бледнела, то краснела, то опускала глаза. Он отпускал ей дурацкие комплименты, и она снова бледнела и «входила в краску».

Она даже в какой-то момент ему понравилась — ну, от скуки, что ли. Или подобный тип был ему незнаком — милая, скромная провинциалка. А уж по сравнению с недавней знойной докторицей!..

Она ухаживала за почти невменяемой теткой, и Куропаткин удивлялся ее терпению. Однажды они сели на кухне пить чай. Разговор не клеился, она смущалась и отводила глаза.

А он веселился, подначивал ее, подкалывал и отпускал столичные шуточки. Тогда она подняла глаза и тихо, но твердо сказала ему, что вот этого делать не надо.

Теперь смутился и покраснел он.

С удивлением он вдруг обнаружил, что ему нравится смотреть на ее, казалось бы, такое неяркое и даже невзрачное лицо. Ее спокойная милота как будто успокаивала его. Теперь ему казалось, что и в такой неброской красоте есть своя тихая прелесть – как в природе среднерусской полосы – ничего яркого, резкого для глаза, только спокойная ласковая зелень, мелкие соцветия полевых блекловатых цветов и тонкие, прозрачные молодые березки по краю изумрудно-медового поля.

Ему нравилось, что она говорит мало, только отвечая на его вопросы, а по большей части молчалива. Она не вскрикивала, не охала, не причитала. Если случались проблемы, она просто сжимала бледный и нежный рот. После его бурных историй, громких романов – на разрыв, на разлом – она, словно прозрачный ручей, успокаивала его, а вовсе не будоражила и не тревожила.

Он стал теперь ее ждать – по вечерам в саду, на скамейке. Она приходила и молча садилась рядом. Молчать они могли долго – шелестел листвой сад, гулко падали яблоки, ударяясь о землю, и негромко пели поздние птицы.

Пахло чуть подвядшей августовской травой, мятыми яблоками и душистым табаком.

Он брал ее за руку, она чуть, почти незаметно, вздрагивала, но руки не отнимала.

Сначала ее ладонь была прохладной, почти холодной, но скоро она становилась теплее, и он сжимал ее крепче.

Потом она шла к тетке, кормила ее, сквозь стену он слышал глухой разговор, а спустя час она опять выходила во двор и коротко бросала:

– Слава те господи, спит. Угомонилась.

Однажды она рассказала, что теткина судьба «не приведи боже» – муж утонул, когда тетка была на сносях. Ребеночка она не доносила, да и вообще с этого времени все покатилось под горку.

Тетку она жалела, ходила к ней, а вот ее мать, родная сестра, с той не общалась – не могла простить ей какую-то мелочь вроде пропавших золотых часиков их покойной матери.

Однажды она призналась, что в Энске ей жить тяжело – грустно и безнадежно. Замуж она не пойдет – да не за кого! Кто посмелее, давно уехал, а кому все равно – тот тихо спивается. Надежды, что что-то исправится, нет, да и родителей она бросить не может. А тут еще «болявая» тетка.

Он горячо и бурно начал уговаривать ее бросить Энск, наплевать на все и уехать в Москву.

Она качала головой, чертила на земле кружок босоножкой и не отвечала.

Потом вдруг подняла голову, внимательно посмотрела на него, и он увидел в сумраке августовского вечера ее светлые, прозрачные глаза.

– Боюсь, – сказала она. – Одна – очень боюсь!

– Чего? – не понял он.

– Всего, – усмехнулась она и добавила: – Москвы, например. И тебя.

– А меня-то за что? – глухо хохотнул он. – Разве я страшный?

– Для меня – выходит, что да. Потому... – она помолчала, – потому что ничем это все... хорошим для меня не кончится.

Он вдруг смутился, кашлянул и – ничего не ответил. А что тут ответишь?

Только понял одно – а она-то права!

Это понял, а все остальное – конечно же нет.

В тот вечер тетке было особенно плохо, и Ольга осталась.

Он лежал за стенкой и слышал, как тетка вздыхает и стонет. Ольга спрашивала ее, не надо ли чего – воды или сердечных капель.

Под утро, уже светало, а он все лежал почему-то без сна, тетка угомонилась – раздался ее богатырский, раскатистый храп.

Он вышел на кухоньку и увидел, что Ольга сидит на табурете, положив голову на стол, – спит.

Он тронул ее за плечо, она тут же открыла глаза и с испугом на него посмотрела.

– Что? Опять? – спросила она и вскочила, откинув назад распустившуюся косу.

Он мотнул головой:

– Спит, все нормально. И ты иди. Поспи хоть пару часов.

Она кивнула, одернула платье и пошла в коридор.

Он остановил ее, взяв за плечи, и развернул к своей двери.

Она обернулась, глянула ему в глаза, побледнела, но в комнату зашла.

Он вошел следом и закрыл дверь.

– Ложись, – кивнул он на кровать.

– А... ты? – тихо спросила она.

– А я тут, в креслице, – усмехнулся он.

Креслице было старое, драное и колченогое. Она с сомнением посмотрела на него и покачала головой.

Потом подошла к его кровати, легла к стене, отвернулась и глухо сказала:

– Ложись. Места хватит.

И почему-то громко вздохнула.

Он быстро лег, стараясь не касаться ее тела, но она чуть подвинулась к нему и спустя пару минут обернулась.

– Ты... уверена? – хрипло спросил он, боясь на нее посмотреть. – Не пожалеешь?

– Да, уверена, – коротко ответила она. – И уж точно, – тут она усмехнулась, – уж точно не пожалею!

После той ночи она оставалась часто. Они ничего не обсуждали, не разговаривали на тему их отношений, хотя он все ждал, что она – впрочем, как и все женщины, – спросит однажды: а что будет дальше?

Ожидая ее, он лежал в постели и смотрел в потолок. Она, обиходив тетку, тихо прикрывала дверь, стягивала платье и белье, аккуратно раскладывала вещи на стуле, и, подавляя тяжелый вздох, шлепая босыми ногами, шла к нему.

Он видел в темноте ее белое, словно фарфоровое, тело, светящееся белизной почти прозрачной кожи, крупную женскую зрелую грудь и волосы, которые она быстро, одним движением, мгновенно и легко распускала. Они мягко ложились на плечи и струились по узкой спине.

Она осторожно ложилась с краю, они замирали, не смея дышать, но через пару минут он резко разворачивался, приподнимался на локте, и...

Все это продолжалось недолго, месяца три с половиной или четыре.

Кончилось лето, пролетел теплый и неожиданно солнечный сентябрь, и тут же начался холодный октябрь, обдав резкими ветрами и накрыв уже почти не проходящими, сплошными колючими ливнями.

В октябре он так затосковал, что ежедневно бегал на почту и заказывал разговоры с матерью.

Она умоляла его «досидеть до весны», боясь, что времени прошло слишком мало и что он вернется к «царице Тамаре». Та, по непроверенным слухам, была прощена и снова жила в Москве.

Он рассмеялся, сказал, что это все «ее больная фантазия», возврата туда нет и не будет.

Мать не верила ему, врала (он это чувствовал), что грузинский ревнивец его караулит по-прежнему, и умоляла не приезжать.

Но в середине ноября он точно понял, что едет в Москву. Ничего не сказав матери, он стал собираться.

Однажды Клавдия, его квартирная хозяйка, хитро прищурившись, спросила:

– Лыжи востришь?

Он дернулся и покраснел.

– С чего вы взяли?

Она махнула рукой:

– А чему удивляться? Зиму ты тут не высидишь, знаю!

– Все-то вы знаете, – буркнул он.

Мучил его разговор с Ольгой. Были даже трусливые мысли просто сбежать. Без объяснений. Просто уехать, когда Клавдия уйдет на работу, и все. Просто и быстро. Главное – просто.

Но не решался. Понимал, что с Ольгой надо поговорить. Только о чем? Сказать ей спасибо за, так сказать, проведенные совместно часы и минуты? За то, что скрасила его дни в этой постылой ссылке? За то, что одарила теплом и любовью? Не поскупилась на нежность?

Глупость какая! И как это выговорить? Смешно. Наврать, что едет ненадолго? Типа – дела? И что вернется?

Ну, это вранье она тут же раскусит. Она ведь не дура! Наврать, что приедет за ней? Слишком подло. Она станет ждать и надеяться. Такие, как она, готовы ждать жизнь, а не годы.

Начеркать письмецо? Это, конечно, проще. То есть совсем легко. Например, так – все было чудесно и даже волшебно. Но, ты понимаешь – там мой город и мать. Ничего не попишешь – такое бывает. Спасибо за все. И – прощай. Буду помнить всю жизнь!

Все правда, кроме последнего. Помнить «всю жизнь» он и не собирался. А то, что все было чудесно, чистая правда, ей-богу! Ни капельки лжи. Только вот... вряд ли ее это сильно утешит.

Ну а жизнь, как всегда, мудрее. Сама подсказала, как быть.

Ольга спросила сама:

– Когда ты... домой?

Он растерялся, что-то забормотал, а она перебила:

– Да езжай ты! И поскорее. Зимой тут вообще... невыносимо. Ты уж поверь. И дом этот... холода плохо держит. Щели одни, посмотри!

Он шагнул к стене и провел рукой по шершавым бревнам.

– Да, ты права – уже сейчас... очень холодно.

Она кивнула:

– Ну, вот! Я ж... говорю...

Потом резко вышла из комнаты, а он смотрел на захлопнутую дверь, не решаясь выйти за ней.

Минут через десять она позвала его ужинать.

Он сел за стол, а она накладывала ему в миску картошку. Ели молча. Он бросал на нее осторожные взгляды и видел, как она с аппетитом ест, как берет еще кусок хлеба, отрезает колбасу и хрустит соленым огурцом.

Она была, казалось, совсем не расстроена и даже весела.

Потом они пили чай, пришла с работы тетка и вывалила из бумажного пакета свежие пряники.

Разговор пошел общий, пустой, ни о чем, и тетка только переглядывалась с племянницей, или ему так казалось.

Потом тетка ушла к себе, а Ольга стала убирать со стола, и они снова молчали.

Он пошел к себе, обронив осторожно, что ждет ее в комнате. Она ничего не ответила. Он лег на кровать, взял книгу, но чтения не получалось – он прислушивался к звукам, доносящимся с кухни, а позже – из комнаты. Ольга о чем-то спорила с теткой, но звук был монотонный, приглушенный, и он ничего так и не понял.

Он сам не заметил, как уснул – под стук очередного дождя по жестяной крыше, дождя, который так уже всем надоел.

Проснулся он ночью и удивился, что ее рядом нет. «Значит, обиделась, – подумал он, – ну да, все правильно. Я, конечно, сволочь отменная, но... Я же ничего ей не обещал. Ничего! Она все знала – что я – временщик, что мать меня «спрятала». Что оставаться я здесь не намерен. И что уеду –

совсем скоро уеду. Ну, а то, что случилось... Так по взаимной договоренности, если хотите! Она девочка взрослая, двадцать два – не пятнадцать, ну, и все остальное. А то, что обиделась, – это понятно. Любой бы обиделся. А уж женщина...»

Письмецо он все-таки написал. Вышло дурацким: «Спасибо за все! Ну, и прости – жизнь есть жизнь, она и диктует. У нас разные жизни и разные планы. И снова – прости».

Письмецо это неловкое он положил на колченогий и шаткий кухонный стол тети Клавы.

И был таков. В поезде, отъезжавшем от городка, он вдруг загрустил. На душе стало зябко и пусто, словно вот сейчас, когда он уезжает, надеясь при этом, что навсегда, у него что-то забрали – не то, что вроде дорого ему и сильно нужно, но все-таки...

Поезд шел ночь, и наутро, в самую рань, в полшестого, он вышел на московский перрон.

Было довольно холодно, и вокзал, пути и вагоны были укутаны плотным туманом, перемешанным с запахом паровозного дыма.

Он постоял на перроне, жадно вдыхая эту сладкую и знакомую смесь запахов большого и очень родного города, расправил плечи, улыбнулся и бодро пошел на выход.

Та недавняя и очень короткая жизнь, которую он проживал еще вчера, осталась так далеко, что он тут же забыл ее – не жалея о ней ни минуты.

И не вспоминая, кстати, почти никогда. Или – совсем никогда.

Исключая сегодняшний день. Из-за этой нелепой Ведяевой Дарьи.

* * *

Он лежал на диване, то проваливаясь в странный тяжелый сон, перемешанный с явью, то просыпаясь – тревожно, словно очнувшись от тяжелой болезни. И снова впадая в небытие.

Потом наконец проснулся, открыл глаза, попил теплой невкусной и старой воды из бутылки и посмотрел на часы. Было довольно поздно, почти семь вечера, и он удивился, что жена ни разу не позвонила.

Он взял телефонную трубку и набрал ее номер.

Голос ее был раздраженным и злым.

– Что, Куропаткин? Очнулся?

Он что-то забормотал, пытаясь найти оправдания. Он всегда разговаривал с ней словно оправдывался. Такая форма сложилась давно, но каждый раз он расстраивался, словно впервые, чувствуя себя шкодливым и глупым ребенком.

Она перебила его и прибавила голосу:

– Мужчина – это ответственность, Куропаткин! Ты меня слышишь? А то, что делаешь ты... Это, знаешь ли... беспредел! Вот что это такое!

– Почему беспредел? – удивился он. – И вообще, при чем тут именно это слово?

Лексикон ее первого мужа.

Инна Ивановна на вопрос не ответила, выкрикнув еще что-то обидное, вроде того, что он – настоящий козел и дерьмо, и бросила трубку.

Он встал с дивана, окончательно разбитый и поверженный, достал из сейфа бутылку хорошего коньяка – для гостей. И стал пить прямо из горла – от большого душевного расстройства и даже практически с горя.

Выпив почти до дна, он снова рухнул на свой сиротский диван, просипев вслух почти неразборчиво:

– Значит – вот так? Значит, развод, моя милая! Ну, хорошо! – последнее прозвучало совсем угрожающе.

И снова уснул. Утром, часов в шесть, он проснулся от страшной боли в спине – диван производства славного украинского города Н. объяснил ему, где раки зимуют. Кряхтя и постанывая, согнувшись почти в дугу, он еле дошел до туалета, чтобы умыться и привести себя в порядок.

Глядя на свое отражение, он четко понял одно – являться с такой мордой домой он не вправе.

И дело даже не в жене, дело в Ваньке.

– Ох, ну и рожа! – сказал он вслух и покачал головой.

Вернувшись в офис, он дрожащими руками поковырялся в кофеварке, понимая, что если не крепкий кофе, то лютая и мучительная смерть.

Кофе получился – вот что значит напрячься, – и он стал понемногу, медленно и тяжело, приходить в себя.

Раздался телефонный звонок, и глухой женский голос спросил про «оклад» и «социальный пакет».

Он озвучил «оклад», пропустив мимо ушей вопрос про «пакет», и голос захохотал раскатистым, почти мужским смехом:

– Вы это как – серьезно?

Он сурово кашлянул, спросив, что соискательницу так удивило.

– Да козел ты! – грустно ответила та и, тяжко вздохнув, бросила трубку.

Второй раз за сутки его припечатали этим «чудесным» словцом. Инна Ивановна и эта баба.

«Не многовато, любезный?» – спросил он себя и снова расстроился.

«Видимо, правы», – совсем взгрустнулось ему.

Но взял себя в руки и все-таки решил, что надо бороться. Для начала следовало поесть. Точнее, пожрать. Он заказал большую пиццу, самую острую, и перченые куриные крылья – чтобы взбодриться.

Потом достал из шкафчика свежую сорочку, носки и трусы. Переоделся, смочил водой волосы, сбрызнулся одеколоном и стал ждать свой ланч.

Плотно поев, он почти пришел в себя, снова сварил кофе и принялся разбираться в Полинкином хозяйстве.

Наведя кое-какой порядок, он подустал и решил устроить передых. Не стал ложиться на неудобный диван, а сел в кресло – намеренно, чтоб не уснуть. Вытянул ноги, откинул голову и закрыл глаза. «Релакс, – объявил он, – ну, или как ее... медитация!» Расслабон, короче, если не очень мудрить.

А перед глазами вдруг снова возникла Ольга и тихий и сонный Энск. Вот почему? От тоски? Словно по медленной, затянутой ряской реке в старой лодке без весел, чуть покачиваясь, несли его воспоминания – неспешно, растянуто, как при замедленной съемке.

И он вдруг подумал, что Ольга и те несколько месяцев полного покоя и отсутствие африканских страстей, возможно, были самыми счастливыми и беззаботными днями в его бурной жизни. Эта мысль потрясла его! Просто пробила до дрожи.

А Ольга – Ольга была лучшей женщиной в его жизни. Лучшей! Потому что ничего она от него не хотела. Ничего не просила – даже самой малости! Ничего не требовала. И всем была довольна и, кажется, счастлива. А он... Он ничего не заметил! Не оценил. Не прочувствовал и так и не понял. Что такая, как Ольга...

Что с такой вот, как Ольга, ну, или с такими, и надо проживать жизнь. И вообще... Там, в Энске, в старом, щелястом и холодном домике почтальонши Клавы, на узкой железной скрипучей кровати он был счастлив – воистину счастлив только тогда!

Так ему показалось.

Потому что его любили. И ничего не хотели взамен – ничего, кроме любви.

А он не заметил. Не разглядел и не понял, что жизнь надо тратить не на Инну Ивановну Евсюкову, которая часто, очень часто, когда была недовольна собственным мужем, называла его козлом, а на Ольгу.

Разве она бы осмелилась? На такое вот слово?

И сегодня, и в любое другое тяжелое время такая, как Ольга, не пеняла б ему, что главное для мужчины – чувство ответственности.

Потому что у мужчины очень много различных «чувств» кроме этой ответственности – обида, вина, боль, отчаянье. Слезы и жалость – пусть даже к себе. Слабости всякие.

Как и у всех прочих людей. В том числе у женщин.

Ему стало так горько, так обидно и так тоскливо, что разболелось сердце – правильно, справа.

И по всему выходило, что он – идиот. Законченный кретин и дурак.

А значит, и Евсюкова, и тетка, звонившая насчет «оклада», абсолютно правы: он – настоящий козел.

И Николай Куропаткин заплакал. Горько заплакал.

И сквозь слезы, без остановки катившиеся из глаз, он снова видел Ольгу – ее легкие светлые волосы, прозрачные, словно летнее небо, глаза, тонкую белую шею с голубой, еле заметно пульсирующей жилкой и ощущал – почти наяву – ее теплую, мягкую и нежную руку на своем плече, ну, или груди.

И ему стало так жалко ее, такую нежную, тихую и беззащитную... Такую наивную!

Но еще больше ему стало жалко себя.

Он то снова спал, словно в бреду или в мороке, то тяжело просыпался, пил воду из крана, до кофе и чая дело не доходило, и снова бухался в кресло, моля об одном – отключиться.

Чтобы не думать про свою прошлую жизнь, про потерянное счастье и про жизнь настоящую – вот про эту – паче всего!

И вдруг что-то пронзило его, проняло до костей, до жил так ярко, как вспышка зарницы – остро, внезапно, сиюминутно и так горячо и больно, что он подскочил, обливаясь обильным потом, и тут же открыл глаза – Ведяева Дарья! Эта белобрысая девочка! Эта маленькая, тихая, серая мышь! Она ведь... Она ведь вполне... Вполне могла быть!

Нет! Чушь и бред! Больные фантазии воспаленного и расшатанного алкоголем мозга. Такого не может быть! Потому... Да потому, что все это так отчаянно пахнет дешевой, леденцовой мелодрамой, которую приличный человек даже не будет смотреть.

Это такая чушь, подобные совпадения возможны только в малобюджетном кино.

Да нет. Невозможны вообще. Придумать такое под силу только такому писаке, которому просто совсем нечего выдумать.

Да чтобы так – в стольном городе, где количество жителей, как говорят, давно перевалило за двадцать миллионов. В его крошечный офис, в пустяковую, маленькую компанию приходит – случайно, заметьте! – его внебрачная дочь!

Или? О господи! Нет, никогда. Никогда его Ольга такого не сделала бы. Отправить их общую дочь вот так вот к нему? Конечно, предположить можно – имя, фамилия, возраст ей известны. И что получается? Она наказала дочурке приехать к папаше – ну, так, навестить. Сообщить о себе. Ну, а потом... Не зря говорят, что эти провинциалы совсем другие, чем раньше. Приперлась, чтобы отжать. Ну, что-нибудь – деньги хотя бы. Просто чтоб навредить. Отомстить. За себя и за мать. Влезть в его жизнь – сытую и налаженную. Ведь про все остальное ей неизвестно. Для них он – Крез, ну, или Роман Абрамович...

Нет, бред. Точно бред. Тогда бы эта Ведяева заявилась совсем по-другому. Пришла бы и объявила о том, кто она такая. Он бы, конечно же, сразу не повелся – нашли дурака! Да и время сейчас другое – есть экспертиза ДНК и так далее.

Он бы ее не выгнал, эту девицу. Сразу – не выгнал бы, нет. Но на отцовство бы не подписался. А если? И что тогда? Да представить себе это страшно. Зная Инну Ивановну, милую женушку. Ох, летела бы Ведяева Дарья с лестницы – да не дай бог ей такое. Вмиг бы забыла про все свои посягательства, встретившись с Инной Ивановной, женщиной строгой и очень конкретной.

«Постой-ка! – тут его словно подбросило. – А ведь эта девица сказала, что мать ее умерла. И из родни – никого. Та-ак. Остановка. Надо все вспомнить – весь разговор с ней, до мелочей. Так-так».

Он вспоминал. Из Энска, да, точно. Мать умерла. Отец неизвестен. Бабка и дед тоже там, далеко. В смысле – на небесах и на кладбище. Дом без удобств, печка, сортир во дворе. Все сходится. Все это – про Ольгу!

Ольга жила с родителями в деревянном бараке совсем без удобств. Он вспоминал, что она добивалась каких-то дров на зиму, бегала по инстанциям, подписывала кучу бумаг.

Так, выходит... Он уезжал, а она... она уже была в положении. И ничего ему не сказала! Милая Оля! Бедная девочка... Постой, Куропаткин! А арифметика? Ее пока что не отменили. Эта Дарья сказала, что ей почти двадцать. Так-так. Он принялся быстро считать. И снова окатило, да так! Ё-мое! Все сходится, все! И год, когда он был в Энске, и год рождения девочки. Блин. Ну, ни фига себе!

Куропаткин плюхнулся в кресло, и оно заскрипело, накренилось, и металлическая ножка мстительно и яростно хрустнула. И Николай Куропаткин упал.

Он сидел на полу, словно застывшая мумия, и не мог шелохнуться. Болела спина, да так сильно, что он стал подвывать, словно брошенный пес.

Потом приподнялся с карачек – кряхтя и постанывая, будто дряхлый старик.

С усилием сел на диван, потом осторожно прилег и замер – все сходится, блин! Эта девочка, Дарья, его родная дочурка. Его и Ольги. Такие дела.

«Что делать, Колян? – спросил он себя. – Что делать-то, Коля?»

Мысли неслись галопом, точно как в лихорадке, не поспевая одна за другой. Маме? Позвонить маме и все рассказать? Бедная мама, мамочка! Сколько горя я принес тебе, дорогая! А ты — ты спасала меня, как могла! Вытягивала из моих вонючих болот, из бесконечных передряг — тащила. Протягивала руку и снова молилась. Чтобы твой сын, кретин и дурак, наконец осознал. А я? Я женился на Евсюковой и снова тебя огорчил. Да какое там — огорчил! Я сломал твою жизнь. Не только свою, но и твою! Евсюкова тебя ненавидит. За что? Говорит, что ты, моя милая, вырастила урода. Хотя ты, дорогая, ни разу — повторяю, ни разу — не отказала снохе. Сидела с Ванькой, отпускала нас отдыхать. Продала свою трешку, переехала в однушку, чтоб мы внесли деньги за свое жилье, взяв ипотеку. Ты отдала ей свою единственную ценную вещь — золотое колечко с гранатом, то, что осталось от бабушки. А эта дрянь скорчила морду — она такое не носит! Не носишь — верни. Так нет, продала! Продала за копейки. Стерва какая!

А если бы я тогда привез Олю? Какой бы Оля была тебе невесткой! Ты бы ее полюбила. А уж она тебя — да что говорить! Вы бы пекли пироги, варили варенье и ворковали на кухне. Вы б ужились. Кто б сомневался! И ты бы осталась в своей любимой квартире. В нашей квартире!

Господи боже! Простите меня, мамочка, Оля и девочка Даша!

Простите, родные!

И Николай Куропаткин снова заплакал.

Постойте! А вдруг? Вдруг это все... бред воспаленной фантазии? В конце концов, Энск не такой уж и маленький город. Тысяч двадцать жителей — наверняка. Мало ли женщин, родивших без мужа? Мало ли женщин, живущих с родителями? Мало ли женщин, живущих с сортиром на улице? Да целая куча! И с чего это он все придумал? Дурак.

Он поднялся с дивана и заходил по комнате. Та-ак. Надо проверить! Как? Да проще простого. Элементарно, Ватсон! Сейчас он найдет телефон этой Дарьи, и все будет ясно!

Он выскочил в секретарский предбанник, бросился к столу и тут же нашел листочек с координатами Дарьи Ведяевой.

Дрожащей рукой набрал ее номер. Она взяла трубку тут же, со второго звонка.

– Слушайте, Дарья! – сумбурно и взволнованно начал он. – Это Николай Куропаткин. Вы ко мне приходили. Да-да, на «Спортивную», в офис. Наниматься на службу. Так вот что я, собственно, хотел вам сказать. Точнее, узнать, – тут он притормозил и, смущаясь, спросил: – А как ваше отчество, Дарья?

И замер.

– Отчество? – переспросила она удивленно. – Николаевна. Дарья Николаевна Ведяева – отчеканила она, и в ее голосе появилась надежда. – А что? Вы меня... нанимаете?

Все сходится. Это его дочь. И Ольга дала ей его отчество.

Куропаткин молчал. Молчал долго, минуты три. Потом наконец хрипло выдавил:

– А как вы про нас узнали?

– Обыкновенно, – спокойно ответила Дарья, – из газеты «Работа для всех». Есть такая газета. Ну, да вы же знаете. Сами давали туда объявление!

– Давал, – тупо повторил он, – и в Интернет – тоже давал.

– Ну, вот, – обрадовалась она, – значит, все правильно, да?

– Правильно, – так же тупо повторил он.

И снова возникла пауза.

– Так я вам... подхожу? – тихо и осторожно повторила она. – Ну, раз вы... звоните?

– Слушайте, Дарья, – вдруг быстро заговорил он, – я не об этом. А как, вы меня извините, звали вашу мать?

– Кого? – удивилась она. – Мою мать?

Он повторил резко:

– Да! Вашу мать!

Она тихо вздохнула и ответила:

– Света. Светлана. Светлана Николаевна Ведяева.

– Какая Светлана? – удивился он. – Такого не может быть! Почему вдруг Светлана?

– Ну, так ее звали, – осторожно сказала Дарья слегка испуганным голосом. – И почему так не может быть?

– Так, подождите! – грубо оборвал он ее. – А отчество? Ну, ваше отчество. Вы – Николаевна, да? Значит, ваш отец был Николай?

– Нет, – ответила она и громко всхлипнула. – Как звали отца, я не знаю. Мама не говорила. Она... вообще не хотела о нем говорить... А Николаем был дедушка. Мой дедушка Коля. Ну, и они решили, что отчество я буду носить его.

Она замолчала, не очень понимая, почему этого странного человека интересуют такие подробности.

– Дедушка? – озадаченно переспросил Куропаткин. – А мать – Светлана? – туповато повторил он. – Ну, все понятно, – как-то расстроенно произнес он и нехотя добавил: – Я перезвоню вам, Дарья. Надеюсь, не возражаете?

Она совсем раскисла, расстроилась и грустно сказала:

– Конечно. – И торопливо добавила вслед: – Я буду ждать. Очень-очень.

Куропаткин нажал отбой и плюхнулся в секретарское кресло. Покрутился немного – вправо и влево. Просвистел какую-то песенку. Включил кофеварку и снова крутанулся вокруг своей оси, подумав, что Полинкино кресло куда удобнее его и, судя по всему, намного дороже.

«Стерва! – в который раз подумал он. – Наглая стерва!»

Пока он пил кофе, раздумывая, стоит ли ехать домой или, может, остаться еще на одну ночь в офисе, чтобы Инна Ивановна слегка задумалась о своей личной и семейной жизни. Чтоб испугалась. В конце концов. Вспомнила, цаца, что ей уже сорок. И что целлюлит, и что ботокс.

И что... Да есть над чем задуматься, кстати. При всей ее прелести... А возраст-то виден. Не девочка, чай. А он, Куропаткин, еще о-го-го! Высокий и стройный, без всякого брюха. И волосы есть, и хорошие зубы. Смотри, Евсюкова! Ты, милая, с ярмарки. А мужик в сорок пять — завидный жених...

Настроение у него улучшилось, кофе он выпил с большим удовольствием и почувствовал, как хочется есть. Он пересчитал наличность и понял, что обед в ресторане ему по плечу. И черт с ней, с законной. Сейчас он умоется, побреется и — вперед! В «Джеральдино» или к Гураму. Италия — Грузия, а чего хочется больше? Он выглянул в окно и увидел свой припаркованный синий «Ниссан».

Неплохо. Вполне интересный, здоровый мужик. Уже — с легким сердцем. Уже полчаса с легким сердцем! И почти без проблем. Уф, пронесло. С этой Дарьей. Пронесло, что говорить! А если бы нет? Вот началось бы тогда... Подумать страшно! Внебрачная дочь — и все, что с этим связано. Ее надо было бы опекать, помогать материально, куда-то селить, трудоустраивать. И все это — под бдительным оком Инны Ивановны. Бр-рр! А уж ее-то реакция! Ну, здесь все понятно. Даже самая терпеливая, умная и хорошая женщина вряд ли обрадовалась бы такому сюжету. А что говорить про нее, Евсюкову?

А что трудности в бизнесе — так у кого их, собственно, нет? Он будет бороться, сражаться, стремиться. И — вырулит. Точно. Подумаешь — сложности! Впервые, что ли?

И все у него, Куропаткина, будет отлично. Он справится. Такое бывало не раз. И что? Проносило!

А вот по поводу Евсюковой... Здесь, конечно, сложнее. Любит он эту дуру и стерву. Любит. И Ваньку. Ну, ладно. Что делать? Не самое страшное — капризная и избалованная жена. К тому же — при всех своих недостатках Инна Ивановна верная. Налево не смотрит. Хозяйка хорошая. Ну... Неплохая. Не любит, когда в доме грязь. И кстати! Насчет готовки. Борщей, конечно, не варит и пирогов не печет, а вот фетуччини с грибами готовит! И лазанью, и киши там разные – с грибами и сыром. Не очень он, правда, любит все это, но... Ему бы котлеток с борщом. Но это не Иннина пища. Плебейская, в смысле. Зато это можно поесть у мамули. Кстати, всегда.

И еще фасолевый суп. Ум-мм!

Куропаткин вздохнул, надел пиджак, запер офис и спустился вниз. В ресторан идти расхотелось – захотелось домой. Так захотелось!

Он быстро доехал до дома, поднялся на свой этаж и, повертев в руках ключи, чуть подумав, нажал на звонок.

Жена открыла дверь и посмотрела на него так, словно раздумывая: пускать – не пускать?

Потом, однако, вздохнула и чуть отступила назад.

– Привет! – сказал Куропаткин и скинул ботинки.

– Поправь, – кивнула она на развалившуюся обувь. – У нищих слуг нет!

Куропаткин нагнулся и выровнял свои ботинки.

Она удовлетворенно кивнула, усмехнулась и молча ушла на кухню.

Он, не торопясь, вымыл руки и тоже пошел вслед за ней.

На кухне работал телевизор – какая-то чушь по «Домашнему» – что-то из жизни миллионеров: рублевские жены хвастались успехами маститых мужей и проводили экскурсии по дому.

Жена жадно всматривалась в экран, и на ее лице было растерянное и жалкое выражение.

Ванька ковырялся в тарелке с овсянкой и раскачивался на стуле.

– Не качайся! – резко бросила Инна. – Стул счас развалится!

— И спину сломаешь! — подхватил Куропаткин.

Жена бросила на него уничижающий взгляд и зло усмехнулась.

— Папа пришел! Воспитатель! — прокомментировала она мерзкеньким и елейным голоском.

Ванька испуганно переводил взгляд с одного родителя на другого.

Куропаткин сел за стол и посмотрел на сына:

— Ну, как успехи? В школе и в гольфе?

Ванька глянул на мать, словно спрашивая у той разрешения — а стоит ли вообще отвечать на вопросы этого человека?

Инна отвернулась к плите, но вся ее гордая и очень прямая спина кричала, вопила и негодовала в адрес *этого* человека.

Ванька пожал плечом:

— Да нормально! А ты, пап, где был?

— В командировке, — ответил Куропаткин, немного краснея.

Инна Ивановна фыркнула, но ничего не сказала.

— Инн, — наконец спросил муж, — а можно что-то поесть?

Она резко повернулась к нему, и он увидел, как на ее щеках запылали алые розы.

Молча и со стуком она поставила на стол сыр, масло и хлеб. Налила себе кофе и села за стол.

Куропаткин снова вздохнул и промямлил:

— А кофе?

Она ничего не ответила, дернулась и стала о чем-то расспрашивать сына.

Куропаткин встал, сварил себе кофе, взял два бутерброда и молча пошел к себе, чувствуя на своей спине ее очень пронзительный, просто испепеляющий взгляд.

«Хорошая получилась бы из нее актриса, — устало подумал он, — ну, в каких-нибудь сериалах. На НТВ».

Он сел за письменный стол, открыл ноутбук и принялся за бутерброды. Потом услышал, как хлопнула входная дверь – жена повезла сына на занятия.

Он расслабился, потянулся и встал. Прошелся по квартире – и с удовольствием отметил, как все красиво у них и со вкусом.

«Нет, молодец все-таки Инка, – подумал он. – Вот как все умеет! Тут вазочка, тут скатерка. Тут торшерчик затейливый. Зеркало, шторы. Здорово как. И как красиво. Женская рука, что говорить!»

Он принял душ уже совсем счастливый – дом свой он любил, – потом налил чаю и пошарил в холодильнике. Там обнаружился какой-то кусок пирога. Откусил – с творогом. Съел с удовольствием.

Потом пошел в гостиную, включил телевизор и на канале «Спорт» нашел биатлон.

В кресле было уютно, в доме тепло. И он в хорошем настроении совсем расслабился и задремал.

Перед этим подумав, какое же счастье, что его *пронесло*! А с Инкой – да все разрулится. Сколько раз ссорились, какие дела!

Разбудил его телефонный звонок. Приятный женский голос справлялся насчет работы.

Он все объяснил и, кашлянув для солидности, попросил соискательницу рассказать о себе.

Она представилась – Инна Фролова.

При слове Инна его слегка передернуло. Но дальше все было приятно – Инне Фроловой было под тридцать, разведена, имеет малолетнюю дочь. Дочь живет с мамой недалеко – в Балашихе. А она, Инна Фролова, имеет жилплощадь в Москве. На Комсомольском проспекте. Деньги большой роли для нее не играют – ну, такие обстоятельства, можно без подробностей?

Можно. Конечно.

А что волнует? Да неохота дома сидеть. Три года сидела, и так надоело, что... да что говорить. А ваш офис – ну прямо у дома. Пешком минут десять. С десяти и до шести, правильно? Вот! Два выходных – все прекрасно. Меня все устраивает. А вас? Да, опыт имею – ну, не такой уж большой, но...

И она назвала фирму-конкурента – Куропаткин чуть не присвистнул от неожиданности и удивления.

Завтра? Устраивает, а почему нет? Да нет, не то чтобы спешно, но очень хочется выйти.

Ну и договорились на завтра.

Инна пришла через пару часов – бросила презрительный взгляд на сидящего в кресле мужа и, ничего не сказав, только хмыкнув, ушла на кухню.

Он слышал, как она говорит по телефону – голос был приглушен телевизором, и разобрать ничего было нельзя. Наверное, с мамашей. Естественно, со своей. Его матери она никогда не звонит.

Тещу свою он... мягко говоря... Нет, не надо мягко – надо как есть. Тещу свою, Аделаиду Степановну, он ненавидел.

Жуткая тетка. Такая махина с пергидрольной башней на голове – с черными наведенными бровями, с ярко-алой помадой и бриллиантами с полкулака.

Аделаида Степановна всю жизнь прослужила в гостинице. Работала с *контингентом* – так она называла иностранных гостей. Стучала, наверное. Наверняка! Небось при погонах. Не меньше майорских. Такой, правда, и генеральские очень к лицу.

Хвасталась, что у нее в ушах «по коттеджу». Мужа своего, скромного и «никчемного» Ивана Ильича, всегда презирала. Но не разводилась. Сохраняла, так сказать, статус.

Иван Ильич был скромным бухгалтером в строительном тресте. Стырить там было нечего, вынести тоже. Ну, муж «ни о чем», что говорить. Аделаида любила со скорбным лицом рассказывать, что «дети и дом были на ней». Так оно, конечно, и было. Ее рассказы «про жизнь» были до противного однообразны – уважительно она говорила о знакомых, с которых что-то имела, – мясник Поливайко, маникюрша Светлана, зубница Клара Васильевна. Лида из «Арбатского», из гастрономического отдела. Скорняк Рабинович, ювелир Наум Маркович. Спекулянтка Зойка из магазина «Весна».

«В доме у нас было *все*!» – гордо заявляла она, предварив тем самым любые вопросы, – а может быть, чего-то и не было, а?

Да кто бы решился об этом спросить? Нет таких смелых. Зятя своего, Куропаткина, она, естественно, не любила и считала человеком никчемным. А мужа так и вовсе отправила в ссылку на дачу – чтоб не маячил перед глазами, ну и вообще – не портил настроения ей, королеве.

Дочку обожала и очень жалела – ну, не такая судьба же должна была быть у ее красавицы, не такая! Да где она, справедливость? Впрочем, кое-что понимала: Инка не девочка, есть ребенок – ну, встретит кого-нибудь поудачливей, и нечего думать! А не судьба – пусть живет с Куропаткиным. Черт с ним.

Слава богу, весь ее пыл был направлен на сына и на сноху. Вот уж несчастная женщина! Сын был тоже никчемным – отпрыск папашин, и она все про него понимала. Тухлая кровь. Но винила во всех бедах сноху. Ох, той доставалось!

А любимую дочь, как могла, утешала. Поддерживала, ну и, конечно, жалела.

Мать Куропаткина со сватьей не общалась – раз в году на дне рождения внука, и все, выше крыши. Ну и теща ее не жаловала – оно и понятно.

На свадьбе мать сказала ему:

– Колечка, я все... понимаю. Ну, или стараюсь понять. Но здесь – уволь. Никогда!

Куропаткин все понял и, разумеется, согласился.

Теща приезжала довольно часто. Сидела на кухне, трясла дорогими подарками Ваньке и с укором смотрела на зятя.

Инка с ней нежно ворковала, сплетничала, обсуждая родню и знакомых, вместе они поливали невестку Людмилу, допоздна пили чай, и она, слава богу, уезжала домой. После нее на кухне оставался тяжелый и терпкий запах цветочных духов и длинные белые волосы в раковине в ванной комнате.

Куропаткин подумал, что Аделаида сейчас поливает его помоями и плачет от жалости к дочке. «Ну и черт с вами, — подумал он. — Подумаешь, новость!»

Хотя, конечно, настроение подпортилось, что говорить.

Он ушел в спальню и долго не мог уснуть, ворочался, было душно, и ему казалось, что тянет тещиными духами.

Инна зашла в комнату, зажгла настольную лампу, села за туалетный столик и начала свои манипуляции, предшествующие приятному сну. У нее вообще была мания — высыпаться. Не менее девяти часов. Иначе — беда. Старение, блин, кожи лица. Трагедия жизни!

Раньше он любил подглядывать за ней — чуть приоткрыв глаза. Ему нравилась сосредоточенность, с которой она разглядывала себя, поворачивая голову. Как изящно открывала баночки с кремами, расчесывала волосы, заплетала «ночную прическу» — косу.

Потом, почему-то вздохнув, она гасила свет, стягивала кружевную сорочку и осторожно ложилась в постель.

А он, словно подросток, вдыхал ее запах, зажмуривал в блаженстве глаза и, чуть обождав, клал ей руку на грудь.

Тогда еще она отзывалась!

Сейчас все, разумеется, повторялось. Он видел, как она села на пуфик, как тяжело вздохнула, внимательно разглядывая себя, и увидела то, что скорее всего ее не утешило. Потом расчесала волосы, заплела косу, откинула ее за спину и стала мазать кремом лицо.

Потом выключила свет, снова вздохнула, стянула рубашку и легла на свое законное место.

Куропаткин осторожно повернулся к ней и, почти не дыша, положил руку ей на плечо.

Она резко скинула его ладонь и возмущенно сказала:

– Ну, ни стыда ни совести у человека! Совсем обнаглел!

И Куропаткин отвернулся к стене. Очень сильно обидевшись.

Утром он сам варил себе кофе и делал бутерброд. Жена его игнорировала. Ваньку отвез в школу он, болтая с ним по дороге о каких-то роботах – последнем увлечении сына.

А дальше поехал в офис, по дороге набрав телефон Инны Фроловой.

Та тут же откликнулась, весело и бодро сообщив, что будет ровно в одиннадцать. Это удобно?

В офисе было все так же неряшливо и пустынно. Он стал прибираться – помыл вчерашние чашки и блюдца, протер пыль со стола и даже полил цветок на подоконнике – последний привет от стервы Полины.

Потом он поправил галстук и воротник новой сорочки, сбрызнулся одеколоном и слегка намочил топорщившиеся волосы. Сел в свое кресло, поерзал, поднялся и поменял его на кресло Полины.

– Знай свое место! – проворчал он, примериваясь к новому креслу.

Ровно в одиннадцать: точность – вежливость королей, и это он очень любил, – раздался стук в дверь.

– Войдите! – отчего-то хрипло, будто волнуясь, крикнул он, и дверь растворилась.

На пороге стояла... красавица. Нет, не так. На пороге стояла красавица обалденная!

Он даже опешил.

– Вы ко мне? Не ошиблись?

– Да нет, это я! – рассмеялась Инна Фролова и села напротив.

Она, эта Инна, была из тех женщин, от которых он всегда терял голову. Да и не только он, несомненно! Она была довольно высокой, с прекрасной фигурой – не слишком худая, плотная, длинноногая. Пепельные волосы были затянуты в хвост, перехваченный синей бархатной лентой. Синий пиджак, серая юбка. Белая маечка под пиджаком. Пальто из плотного черного драпа она небрежно бросила на спинку стула в прихожей. Высокие, под колено, блестящие сапоги и маленькая сумочка в цвет. На пальцах пара колечек, в ушах скромные серьги. Косметики минимум и очень со вкусом.

Она, видя его растерянность, мягко улыбалась и слегка покачивала стройной ногой в высоком и, видимо, недешевом итальянском сапожке.

Он взял себя в руки, напустил строгий вид и повел разговор. Приврав, что прежняя секретарша ушла в декрет, работы – увы – не так много, ох, ох. Кризис, будь он неладен!

Она уже сняла улыбку с лица и кивала – в поддержку, что ли? Видя его смущение?

Потом, откашлявшись, он еще раз спросил насчет зарплаты. Осторожно и все же неловко.

– Вы правильно меня поняли, Инна? Увы, больше платить сейчас не смогу. Ну, дела не то чтобы плохи...

Ну, и дальше пошел всякий бред про коварных партнеров, про взлетевший евро, приплел туда же несчастную Грецию, зажатую Евросоюзом в тиски, основную поставщицу товара, – ну, вы понимаете! Потом неожиданно для себя вдруг рассказал – коротко, правда, – про «некорректное поведение» Полины.

Она мягко остановила его.

– Да вы не расстраивайтесь так, Николай Григорьевич! Беременная женщина, ну, вы понимаете… А контакты я восстановлю, не сомневайтесь.

И повторила, что зарплата ее не очень волнует. Главное – что удобно и близко от дома.

Работа. Дочка на бабушке, с мужем в разводе. В общем, тоска. Надо чем-то заняться.

Потом она прошлась по офису, оглядев все опытным глазом. Предложила сварить кофе, ну, или чай. Вы любите черный или зеленый?

Он, растерянный и ошарашенный внезапно привалившей удачей, даже счастьем, согласился на чай, и они выпили чаю. За которым она коротко, не вдаваясь в подробности, рассказала, что совсем недавно развелась с мужем, серьезным бизнесменом. Квартира, слава богу, осталась за ней, да и машина тоже. Деньги на дочь он дает, и достаточно. И вообще, как правильно, что они подписали брачный контракт.

Потом она вымыла чашки, сложила их аккуратно на чистой салфетке, сказала, что надо купить пару пачек хорошего кофе, итальянского. Не возражаете? Ну. И еще так, по мелочи – сушки, печенье, хороших конфет. Ну а дальше – там будет видно.

Он тупо кивал и со всем соглашался.

Они распрощались и договорились, что выходит она в понедельник. Так как сегодня пятница. Ну, все понятно.

Инна Фролова вышла, оставив шлейф легких и тонких духов, которые он с удовольствием громко втянул ноздрями.

После ее ухода он наконец словно очнулся, бодро заходил кругами по офису, почему-то приговаривая: «Ну, дорогая, посмотрим!»

Что это значило, он и сам точно не знал, знал только, что кому-то грозится. Наверное, Инне Ивановне и противной Полине.

В подробности он не вдавался. Был возбужден и полон надежд. Отчего возбужден? И какие питал надежды?

Да непонятно. Наверное, так окрыляет мужчину новая и незнакомая женщина, да?

Очень красивая женщина, надо сказать.

Он вернулся с работы рано, принялся читать с сыном книжки. Потом играли в «стрелялки». Недолго – долго не позволяла жена. Ну, права.

А назавтра договорились поехать в «Детский мир» – за этими роботами, о которых так мечтает Ванька.

На жену он почти не смотрел, словно ее и не было вовсе. А когда она позвала обедать, нехотя встал, словно делая ей огромное одолжение.

Увидев в тарелке кусок приготовленной на пару рыбы и отварную брокколи, скривился и уставился на жену.

– А нормальной еды у нас нет?

Она почему-то растерялась, опешила и не ответила хамством.

– Есть пельмени... готовые... хочешь? – перепуганно сказала она.

И он с тяжелым вздохом согласился на пельмени.

– Уж лучше готовые, чем эта бурда.

Ванька тоже закапризничал и стал отпихивать тарелку с рыбой, затребовав готовых пельменей.

И Инна, к удивлению сына и мужа, молча сварила пельмени.

Ночью она, как всегда, легла на свою половину и чуть – самую малость, но он заметил, – придвинулась к нему.

А он отвернулся и тут же уснул. Но перед сном ехидно подумал: «А-а, прочухалась! Значит, не дура. Хотя бабы и без мозгов все просекают – сердцем чуют, как в фильме сказано. Вот пусть и помучается. А то... совсем обнаглела. А ну как закручу роман с тезкой – вот тогда и посмотрим. Чего стоит твой безответственный муж Николай Куропаткин!»

Инна откинулась на спину и уставилась в потолок. «Странно все это, – думала она, – и что это значит?»

Расстроилась, долго не могла уснуть и решила, что с утра позвонит маме. Может, она все объяснит?

Утром она, нажарив оладий, бегала по кухне и заглядывала мужу в глаза. А Куропаткин был неприступен, болтал только с Ванькой, обсуждал с ним планы на день.

После завтрака они стали собираться, и Ванька спросил, берут ли они с собой маму.

Куропаткин ответил, что нет – выход у них чисто мужской, без, как говорится...

Ванька вздохнул и кивнул. И было неясно, расстроился он или не очень.

Инна задумчиво смотрела в окно, наблюдая, как муж и сын садятся в машину. Потом убрала посуду, села на стул, посидела немного и стала звонить матери.

А после – подружкам, Кристине и Яне. Перетереть. Ну и, конечно, все про них, про козлов. Про мужиков в смысле.

День прошел бодро и весело – купили игрушки, поели в «Макдоналдсе» запрещенную пищу и даже сходили в кино.

Инна позвонила всего пару раз, и то на телефон сына – мужа не беспокоила.

Придя домой, Куропаткин молча выпил чаю и так же молча лег спать.

Но сон почему-то не шел. Совсем. Он снова стал вспоминать Ольгу и Энск. Думал о Дарье Ведяевой и ее незавидной судьбе. Потом вдруг в голову пришла совсем нелепая и дикая мысль – а может быть, Ольга и родила? Не Дарью, понятно. Другую девочку, ну, или парня. И ходит та девочка или тот парень по шумному, дикому, страшному городу и ищет работу. А работу ему или ей не дают. Шугают провинциалов, обманывают. Такие, как он. Впрочем, он никого не обманывал, нет.

А может, не Ольга тогда родила. В смысле – от него, дурака. А какая-то другая женщина, с кем он когда-то... Во Владивостоке в командировке. Дежурная по этажу. Имени он ее, конечно, не помнит. Но ведь было! И кто там знает, чем дело кончилось? Или вот в Воронеже, например. Девочка Нина. Ее он запомнил. В Воронеж тогда он ездил довольно часто, три раза в год. И девочка Нина была. А вдруг... она? Вдруг?

Он встал с кровати, пошел на кухню, выпил воды, покурил. Снова выпил воды. И лег на диване в гостиной.

Рано утром в понедельник он позвонил Дарье Ведяевой.

– Вы еще в свободном полете? Да? Тогда выходите на службу. Сегодня. Сможете? Ну и отлично. Я жду вас. Пока!

А потом позвонил Инне Фроловой. Извинялся долго, сумбурно. Она, кажется, удивилась, но ничего не спросила. Вежливо попрощалась и пожелала удачи. «Чудесная женщина, – без сожаления подумал Куропаткин. – Чудесная. Умная, красивая, воспитанная. Как в песне поется: «Ах, какая женщина! Мне б такую!»

Но у него уже есть женщина – пусть не такая, но... тоже красивая. К тому же мать его сына.

А та, умная, красивая и очень воспитанная, – она не пропадет. Это точно. Потому что таких, как она... Раз, два и обчелся.

А Ведяевых Дарий много, конечно. Но ему важно, чтоб не пропала именно эта.

Раз уж случилась конкретно она. Раз уж пришла к нему, к Куропаткину Коле. Тому еще «деятелю», как говорится!

Хорошему «бедокурщику», – как говорила еще его бабушка.

В десять утра его новая секретарша робко вошла в офис.

На ее бледном лице блуждала растерянная и счастливая улыбка.

И было видно, что к подвигам она вполне готова.

Как впрочем, и он, Николай Куропаткин.

И правильно говорит любезная Инна Ивановна: мужчина – это ответственность. И, кстати, за свою бурную молодость тоже.

«Начинать надо, господа, с себя. Именно с себя. Тогда, возможно, все и наладится», – подумал Куропаткин и включил ноутбук.

И с этого дня он очень гордился собой.

Хозяйки судьбы, или Спутанные богом карты

Хозяйки судьбы...

Лильку Михайлову легко можно было бы возненавидеть. Было бы желание. За тонкую талию, стройные, загорелые и длинные ноги, за большие зеленые глаза. За рыжеватые пушистые волосы. За белые и ровные зубы – без всяких там дурацких пластинок. За школьную форму из магазина «Машенька», не такую, как у всех – прямую, с грубым фартуком с «крыльями». Магазин-ателье «Машенька» предлагал другую: платье с юбкой-гофре, шерсть тонкая и мягкая, а фартук – с узенькими лямочками и открытой грудкой. Если к советской школьной форме можно было притянуть слово «изящная», то это, несомненно, была она, форма из «Машеньки». Такие формы были у девочек из «хороших семей». С приличными зарплатами.

Да, еще Лильку можно было бы спокойненько возненавидеть за сиреневую дубленку. Вы вообще такое видели? Мало

того что дубленка, так еще и сиреневая. Просто извращение какое-то. В школе Лилькина бабка ее не оставляла – еще бы, сопрут. Провожала Лильку до школы, не ленилась, и упиралась домой с дубленкой. А потом с ней же и приходила Лильку встречать. И каждый раз громко и скрипуче спрашивала Лильку: «Сколько сегодня – пять или шесть?» В смысле, уроков. Когда назад с дубленкой тащиться.

Да, кстати, еще у Лильки было полно сказочных полупрозрачных ластиков всех цветов с картинками и запахом клубники, банана и еще какой-то неземной вкусноты. Один болван даже этот ластик стащил и попытался сожрать. Конечно, оказалась гадость.

Еще были ручки с перламутровым корпусом, пенал с веселыми мышами в платьях и шортах и многое другое, заманчивое и таинственное. Мелочи, в общем, но они почему-то очень волнуют в детстве.

Но больше всего хотелось ненавидеть Лильку за шарики и канатики. Канатики чередовались с шариками. День в косицы или хвосты вплетались цветные ленточки-канатики, день – так же ловко держались на густых рыжеватых волосах цветные, прозрачные, с искринками внутри, шарики. С орех или даже с небольшую сливу величиной. Невероятная красота. Всех расцветок. Хватило бы на весь класс, да что там – на всю школу, сколько бы девчонок были счастливы! А так это все было у одной-единственной Лильки. Дома девчонки распускали старые шарфы и шапки и из скрученных и застиранных ниток пытались сплести подобие этой красоты. Страхота и смехота.

Но Лилька ничего этого не замечала. Она была хорошей девочкой. Во всех смыслах. В учебе почти первая (самых первых, кстати, не любят). Первое место занимала важная и грудастая Андронова, похожая на женщину средних лет. Вот ту точно не любили. А Лилька и списывать давала, и подсказывала со своей первой парты. И не выскочка, и не общественница. Просто родилась с золотой ложкой во рту.

Где таких делают? Может, оттого, что предки не достают каждый день? Так как находятся эти предки в загранкомандировке. В Бразилии, между прочим.

На лето они не засылали Лильку в лагерь или в деревню комаров кормить. Летом она ездила в Рио. Вот так! Просто в Рио. Видали? Все обсуждают дурацкие лагеря с их «линейками» и холодными сортирами, несносных бабок с их огородами и опять же несносных младших братьев и сестер.

– А ты, Лилька?

– А я, девчонки, к родителям, очень соскучилась, – говорила она, слегка смутившись. – Целый год их не видела. Знаете, как плохо без родителей?

Девчонки вздыхали: не-а, не знаем, отдохнуть бы от них, родимых, месяц-другой – достали!

Конечно, учителя Лильку обожали. Мамаши тоже. Все мечтали, чтобы их дочурка с Лилькой поближе подружилась. А Лилька – со всеми одинаковая. Ровнее не бывает. Лучшие мальчишки (если такие бывают в школе) были, конечно, в Лильку влюблены. Все поголовно. Ну и как после этого Лильку не возненавидеть? А почему-то не получалось. Увы! Даже не хотелось.

В десятом, на выпускной приехала Лилькина мать. Точная копия Лильки, то есть наоборот. Только посмуглее (Бразилия!). С такими же зелеными глазами и стройными ногами. А вообще она была похожа на Кармен – цветастые шелковые юбки, огромные серьги в ушах, яркая помада и гладкая, блестящая голова. Она шла по улице, благоухая какими-то горьковатыми духами, и казалось, что сейчас на нее сядет бабочка – на такой яркий, ароматный и диковинный цветок.

На выпускном все смотрели не на сцену, а на Лилькину мать. Пялились мужики – они такого и не видали, пялились тетки – кто злобно, а кто с интересом, разглядывая ее всю – от ярких вишневых ногтей на руках, и далее, со всеми

остановками, до таких же вишневых ногтей на маленьких ножках в очень открытых босоножках.

Лилькина мать ни с кем не общалась, а смотрела без улыбки на сцену, где стояла ее дочь – тоже куколка, в голубой, крупными цветами, юбке, в голубых лаковых босоножках и карменистых серьгах, только поменьше размером. Вылитая мать! Клонированная Кармен. Даже сразу не скажешь, кто лучше. Лилька посвежее, а мать покарменистее.

На сцене Лилька что-то спела, ей вручили грамоту, До медали она чуть-чуть не дотянула. Казалось, и медалисткой ей было быть просто неудобно. Ведь она была скромница.

Медаль дали грудастой Андроновой. И когда она вышла на сцену, представитель роно растерялся и не понял, что это вышла десятиклассница. Андронова была в кримпленовом платье с маками и высокой «халой» на голове. На вид ей было около сорока. Только без морщин и отпечатка прожитых лет в глазах.

Верке Большовой было на все наплевать. Ну, почти на все. На школу уж точно. Ее даже к доске не вызвали – понимали, что ни черта не знает. На родителей, стыдно признаться, было тоже наплевать. Ну, почти. А что тут странного? Отец был хам и пьяница, торговал рядом в магазине. В мясном отделе. Морда злющая, особенно с похмелья, ручищи – не дай бог! Верка знает. Все к нему на поклон, заискивают. Всем жрать охота. А он над людьми глумится. Этому – дам, этому – не дам. Не мужик – сорока-ворона. А мать... мать Верка, конечно, жалела. Но не уважала. Мать была тихая и забитая – убирала аптеку в соседнем доме. Платок повяжет по глаза и машет тряпкой целый день, и в аптеке, и дома. Или котлеты тазами жарит. А летом в деревне в огороде раком целый день стоит, опять же в платке.

Кому такая жизнь нужна? С таким папашей-гамадрилом? Верка ее спрашивала, жалела, а она – «Ты, доча, его не знаешь, он хороший, а бывает и ласковый». Точно, видать, бывает. Иногда Верка слышала ночью (стены-то тонкие): папаша рычит, а мать тихо так постанывает. Ей было противно, и она быстро засыпала. А утром на мать смотреть почему-то не хотелось. «Ну живи, убогая, – вздыхала Верка. – У меня-то так не будет». А как будет?

Верка понимала, что надо учиться, чтобы не шваброй шкрябать, а в чистом месте сидеть с маникюром отращенным и бумажки перебирать. Где? Да где угодно. Лишь бы был стол с табличкой «Администратор», а за столом – она, Верка. Хотя чего учиться, если все в этой стране решают связи. А их у папаши – будьте любезны. Только бы не подох от пьянки раньше времени.

Но оказалось, что на администратора нигде не учат, да и вообще это не профессия, а должность. Вот где папаша и пригодится. И учиться на нее не обязательно. Ее надо получить. Если не через папашу, то есть еще пара способов. Но способы были все какие-то трудоемкие. Или быть чьей-то любовницей, или, на худой конец, просто красавицей. То есть администратор – лицо фирмы. Но красавицей быть непросто. Если не все как у Лильки. Так, бог не обидел, но и не одарил. Лицо – ничего особенного, нос, рот, глаза, волосы – все среднестатистическое. Фигура – без особых изъянов, но грозящая к тридцати годам сильно ухудшиться.

Всё среднее. Со всем надо работать. С лицом проще – косметики побольше. Можно, в конце концов, стать яркой блондинкой или брюнеткой. С фигурой – хуже. Вот пожрать Верка любила. А как удержаться? У всех ничего нет, колбасу режут на просвет, а у Верки на шестиметровой кухне два холодильника, и оба – еле дверцы закрываются. Тут тебе и колбаса трех сортов, и отбивные на косточке, и компоты персиковые – папаша старается. Как удержаться?! И грызет целый день Верка бутерброды, запивая дефицитным растворимым кофе, не котлеты же со щами есть, в конце концов. И увы, совсем не худеет.

Школу окончила так, на троечки. Сама никакая, и аттестат такой же. Правда, на выпускной пришла – свои не узнали. Постриглась накануне, причесочка «сэссон» называется, у нее, у первой. Платье джинсовое надела – папашина клиентка-мясоедка постаралась. Не бальное, конечно, но выглядит лучше всех. И босоножки джинсовые на платформе к платью прилагаются. Как Верка не хотела, чтобы папаша в школу тащился! Но он два дня не пил, костюм «с искрой» нацепил и приперся. Мать сидела счастливая (у самой семь классов образования), сняла свой дурацкий платок, сделала укладку – маленькие кудрявые букольки, и Верка увидела, что она еще совсем молодая и даже хорошенькая, и глаза у нее большие и серые. И сама она тоненькая и славная. Даже сердце сжалось.

Потом родители ушли, и детки зарезвились кто как смог. Пошли выпивать втихаря принесенную кем-то водку в физкультурную раздевалку. Кто целовался, кто пел, кто базарил. Словом, привет тебе, взрослая жизнь!

Лилька честно со всеми пила – отказываться и отставать было неудобно, но все это ей совсем не нравилось и хотелось скорее домой, выпить чаю и заснуть под родным и уютным клетчатым пледом. Завтра – завтра мечтать об институте, о новой жизни, конечно, такой долгой и, безусловно, счастливой. Это Лилька знала точно. А вот Верка сомневалась. У нее жизненный опыт был побогаче. Выпивала и курила она с удовольствием и еще громко орала матерные частушки. Домой точно не торопилась.

Под утро рванули в Кунцево, сели в электричку и поехали на дачу к Митьке Шаталину, на Николину Гору. Тогда еще про это место знали немногие. Но Верка, когда увидела прозрачную речку с мелким белым песочком и розовые на восходе сосны, сразу оценила красоту этих мест.

Купались, конечно, голые. Все, кроме Лильки. Ей было плохо от выпитого, болела голова, и она вынужденно улыбалась и проклинала про себя всю эту гулянку. Волосы у Лильки потускнели, под глазами были синячищи – ну, в общем, Кармен после тяжелой смены на табачной фабрике.

Вот тогда и увидели они Митькиного соседа, лучшего мальчика поселка, теннисиста и горнолыжника, синеглазого Андрюшу Лавренева. А он заметил Верку, совсем даже не потерявшую лицо после бессонной ночи и водки с шампанским. Верка хрипловато пела Окуджаву, красиво курила, и на ней обалденно сидело джинсовое платье, делая ее тоньше и стройнее. Роман их закрутился немедленно.

Верка теперь пропадала на Николиной Горе, а Лилька сдавала сложные экзамены в медицинский. Разве есть для женщины профессия лучше и интеллигентнее? Не считая учительницы музыки и английского. Но английский Лилька знала и так, а что до музыки – вполне хватило и музыкальной школы.

Веркина же жизнь на Николиной шла своим веселым чередом. Они с Андрюшей купались, жарились на солнце, ели бесконечные шашлыки. И любили друг друга. Везде. Под любым кустом. Какие экзамены?

Но в августе Верка спохватилась, правда, так, слегка. Мать переживала, что дочка болтается без дела, а отец гаркнул: работать пойдешь! Вот как раз работать-то Верке совсем не хотелось. В институтах экзамены кончились, и пошла Верка в медучилище – чтобы предки не доставали. Работать медсестрой она не собиралась. На ее языке это называлось «уродоваться». Администраторы тогда в больницах не предполагались, и Верка решила, вздохнув, жить как получится, надеясь на лучшее, а главное – получать от жизни удовольствие.

С Андреем осенью как-то все пошло на спад, но она не очень-то огорчилась. Завязался роман с доктором из второй хирургии, потом – с доктором из третьей. Дома было все по-прежнему. Отец пил, мать опускала глаза долу. Но за дочку радовались. Медсестра в их представлении – это почти врач, белый халат, который мать теперь крахмалила Верке, внушал почти благоговение.

А вот у Лильки, у той самой Лильки, у которой, казалось, впереди был виден весь ее радостный и светлый жизненный путь, такой ясный и предсказуемый... Вдруг что-то дало страшный сбой, и стали случаться ужасные и непоправимые вещи. Почти сразу. Да, сразу, без перерыва (а разве год – это перерыв в масштабах жизни?). Так вот, в течение трех лет у Лильки умерли все. Первой во сне умерла красавица Кармен, Лилькина мать. Пропылесосила квартиру, сварила суп, выпила чаю и прилегла днем отдохнуть. Заснула. И не проснулась Легкая смерть. Но не в сорок лет. В сорок она, по меньшей мере, нелепая. Через год вслед за дочкой умерла Лилькина бабка, та, что таскала дубленку к пятому уроку. Еще через год спился и умер Лилькин отец, за два года превратившийся в согбенного и трясущегося старика.

Лилька всех похоронила. Была семья из четырех человек, а стала из одного. Всем троим поставила памятник из белого мрамора. И продолжала учиться. Пыталась варить обед – для себя одной, хотя есть почти не могла. Но если в доме есть обед – значит, есть дом и семья. Так ей казалось. Этой семьей сейчас была одна Лилька. Ее жалели, а она пыталась улыбаться – получалось плохо, одними губами.

Верка теперь знала точно: будет она не администратором, а косметичкой. Это даже еще лучше. Хотя похоже на название большого кошелька для косметики, но не одно и то же. Уже профессия. Врач – косметолог, а медсестра – косметичка, ничего, переживем. Главное не название, а суть вопроса. Суть Верке нравилась. Суть была вот в чем: белый халат, свой личный кабинет плюс холеные клиентки. И та же схема. В смысле блата. В хорошей косметичке все заинтересованы. Так что папашина конструкция (ты - мне, я – тебе) сохранялась. Только все было более эстетично.

А еще можно было и кремы мешать. Ланолин, спермацет, масло какао, чуть-чуть французских духов для запаха – и баночка пять рублей. Вот и считайте. Но путь в косметички долог и труден. Сначала – уборщицей в салоне красоты (здравствуй, мама, где твоя косынка?) или, что лучше – кассиршей там же. Можно еще кастеляншей – белье грязное с пола собирать. Лет через пять – направление на вожделенные курсы этих самых косметичек. А вот уже потом...

Но этот сложный путь Верке пройти не пришлось. Сгодился папаша, вернее, его очередная клиентка, любительница парной вырезки, и ее муж, большая шишка в бытовых услугах.

Через год Верка приплясывала на каблуках вокруг клиенток в собственном кабинете, вбивая свой же крем в лица нужных и не очень дамочек. Жизнью была довольна вполне. В любовниках у нее теперь ходил заведующий парикмахерской – невысокий, сутулый и худосочный еврей Ефим Львович. Верку он обожал. Но и жену тоже, по-своему. Верке доставались яростные ласки в бельевой, а жене – все остальное. Остальное было: четырехкомнатная квартира в Сокольниках, «двадцать четвертая» «Волга», дача в Ильинке и неплохие фамильные цацки Фиминой мамы.

Верке, конечно, было обидно. Ведь это она такая молодая и стройная, а ей – только Фимины вздохи, признания в любви и полные слез глаза (Фима был сентиментален). Но еще Фима был покладист и совсем не скуп. Верка изменила свое представление о богоизбранном народе в корне – сколько бы папаша ни старался. Фима построил ей однокомнатный кооператив в Чертанове, в уши надел не фамильные, но вполне сносные бриллиантовые «малинки» и подарил открытку на третью модель «Жигулей».

Верка научилась делать фаршированную рыбу и рубленую селедку, а еще, полюбив всех евреев в Фимином лице, с участием спрашивала обо всех родственниках: что у тети Розы с почками, как отдохнул в Кисловодске дядя Веня и как назвали сына Фиминой племянницы Риточки? Словом, заботилась обо всей большой Фиминой мишпухе.

Фима влюбился в Верку не на шутку и даже пару раз испугался своих мыслей по поводу возможного устройства их совместной жизни. Но мысли эти тут же прогнал и страшно их устыдился.

Все ему нравилось в Верке — и красота (он обожал белокурых славянок), и здоровье (Фимина жена все время хоть чем-то, да болела), и хватка (все та же Фимина жена не умела даже заполнить квартирные счета). Не нравилось только одно. Видимо, это была наследственность, решил он: Верка любила выпить. К девяти вечера в пятницу двери парикмахерской закрывались, и девчонки накрывали стол. Доставалась немудреная закуска и водка. И так они могли просидеть до полуночи. Во главе с Веркой. Фима горестно смотрел на эту картину и, вздохнув, уезжал в Сокольники. Верка с горя напивалась и оставалась ночевать в бельевой на кушетке, Фима страдал у себя в Сокольниках на роскошной кровати из гарнитура «Рижане», а рядом спокойно похрапывала его жена, уставшая от житейских забот. У нее сегодня был трудный день — массаж и немного мигрень.

У Лильки все, слава богу, пошло на лад. В институте она была, как всегда, одна из лучших. Из страшного отчаяния и одиночества она постепенно стала выползать. Тяжело, урывками, но молодость брала свое. И еще помог Максим — почти сказочный принц. Мгимошник и красавец. Познакомились у кого-то на вечеринке, ей почему-то понравился его коротко стриженый ежик волос — захотелось немедленно провести по нему рукой. Это внезапное и странное чувство как-то смутило и взволновало неискушенную Лильку и вызвало смутное беспокойство. Наверное, дремавшее в ней слегка застоявшееся желание как-то сразу резким толчком поднялось из глубины, и его уже невозможно было остановить.

С вечеринки ушли вдвоем. И больше уже не расставались. Шатались по Замоскворечью, сидели на последних рядах в киношках, ездили гулять в Архангельское, до изнеможения целовались в подъездах. Потом поженились. У нее опять появилась семья — его родители сразу безоговорочно приняли и, конечно, полюбили Лильку. И опять, слава богу, у Лильки было все хорошо. И это было так естественно, как и должно было быть в ее, Лилькиной, судьбе. Как и должно быть у такой толковой, разумной, красивой и доброжелательной девочки. Только так — и не иначе. Если есть высшая справедливость, то Лилька свою страшную чашу уж точно выпила. До дна. Теперь все будет по-другому. Да так оно и было: «госы» она сдавала уже сильно беременная, а в августе родила красавицу дочку и, конечно, назвала в честь своей матери.

Свекровь девочку обожала — отпустила сразу Лильку на работу, полностью взяв ребенка на себя. Мужа Лилька любила неистово, свекровь уважала, над дочкой замирала, отдавая им всю нерастраченную любовь и преданность.

Через полтора года Лилька с мужем уехали в командировку, в маленькую азиатскую страну, немного разочарованные, но понимавшие, что для «взлета» это хорошо. И потом, страна интересная и дешевая — а в чопорной и дорогой Европе еще насидимся. Девочку уговорили оставить в Москве хотя бы на год — так советовали детские врачи, но и Лилька, сама врач, понимала, что везти в такой влажный климат ребенка опасно. Страдала ужасно. Утешала себя, что разлука только на год, — это помогало жить.

В маленьком посольстве их приняли настороженно — молодые, красивые, яркие — но быстро разобрались: славные ребята. Чтобы не сойти с ума, Лилька работала на полставки посольским врачом, целую не дали: жена консула тоже была врач. Но разве это работа? Кто-то чихнул, у кого-то чирей вскочил на заднице — спасибо и за это. Днем иногда моталась с тетками по магазинам, пили кофе в маленьких кофейнях, ели острую и безумно вкусную китайскую еду, сплетничали. Мужикам было легче — те работали целый день. Женщины сетовали, как портится в тропиках кожа, и завидовали молодой Лильке.

Вечером от тоски по дочке, Москве, от отчаяния и внутреннего недовольства собой и жизнью, которая, как ей ка-

залось, опять ее обманула, забиралась в кресло, под полотняную ткань легкого покрывала, тосковала, плакала, жалела себя. Муж приходил поздно. Конечно, много работы: его, молодого, загрузили по полной программе, потом расслаблялся — пил пиво, играл в преферанс. Видеть тоскующую Лильку было неохота. Начались разборки и недовольство друг другом. Соседка по дому посоветовала простой и легкий путь — полстакана джина, немного тоника, льда и еще выжать туда апельсин. Получалось так вкусно! Лилька выпивала свою нехитрую смесь — и вправду помогало. Становилось легче, отступала тяжесть, давящая на грудь, и потом Лилька быстро и легко засыпала. И спала до утра. Это точно было счастьем!

Муж, поняв, в чем дело, пытался разобраться с Лилькой, скандалил, а потом увидел, что ей так легче, и махнул рукой. В конце концов, ерунда, а ему-то точно стало жить спокойнее. Дома ждет веселая и румяная Лилька, не угрюмая и вечно недовольная, а то, что чуть под хмельком, — на это мы закроем глаза. Перемелется, устаканится. Точно — устаканилось. Лучше не скажешь. И хуже тоже. И вечером както попросил: «Лиль, намешай мне свою болтанку!» — у него, в конце концов, был трудный день.

Через месяц они за вечер выпивали бутылку джина. На двоих.

Фима с семьей засобирался в Америку. Длинный и чуткий Фимин нос почувствовал грядущие перемены, понимая, что хорошего от них ждать нечего, — история это подтверждала. Собрал все свое многочисленное семейство, мучаясь и страдая от чувства вины перед Веркой. Но загладил вину наследным браслетом с аметистом, а главное — правдами и неправдами посадил Верку на должность заведующей парикмахерской.

Это была головокружительная карьера. Верка стала администратором с большой буквы и к тому же строгой начальницей. Она считала, что это главный выигрыш в ее жизни,

фантастическая удача. Вот теперь-то можно было отрастить длинные ногти и сделать маникюр. Каждый день, сидя у себя в кабинете, она холила и красила свои ногти – от бледного перламутра до темно-фиолетового.

Кончились танцы вокруг капризных матрон. Фиму она поминала только добрым словом. Спасибо тебе, Фима, спасибо за твое острое чутье, за твои спешные ласки, за отцовскую опеку, за деловую заботу. За то, что твои предки научили тебя отвечать за своих женщин и немножечко просчитывать наперед. Вот так, с годами, у Верки появилось все то, о чем она мечтала: квартира, машина, престижная должность, связи. И оставались красота и молодость. И еще тоска – тягучая, давящая, наваливающаяся на нее тяжелой и сырой медвежьей шкурой по вечерам. По ее одиноким вечерам. Как странно! Если раньше она считала Фиму немного обузой, с его распорядками и ревностью, то теперь сильно по нему тосковала. Так и коротала вечера с сигаретой и бутылкой хорошего армянского коньяка. По чуть-чуть, слегка, а к ночи – бутылка почти пустая. Почти. Утром болела голова и припухали веки. Она долго стояла под контрастным душем и запивала мочегонное крепким кофе. К рабочему дню она была вполне готова.

Ветреный Фима черканул пару строк из Италии, немножко – о красотах, но больше – о ценах. На базаре он торговал фотоаппаратами и янтарем.

Фима улетел в январе, а в июле Верка познакомилась с грузином. Сломалась машина, она голосовала. Грузина звали Зурик, он был длинный, худой, с вечной щетиной на синеватых щеках. Одевался элегантно – черные джинсы, черные свитера и изысканные пиджаки из кожи и замши.

Был Зурик каталой. Верке нравились мужчины с деньгами, но все же... Все же хотелось, чтобы он слегка работал. Что поделаешь, советское воспитание. Ну, скажем, директором магазина или завскладом. Или что-то в этом роде. Чтобы солидно и при деле. Пусть с долей риска. То, чем

занимался Зурик, было еще рискованнее. Сначала Верка страшно нервничала, потом ничего, привыкла.

Зурик был щедрый, грустный и вечно простуженный (Вайме! Климат шени, дедо!). Она уже жалела его, научилась ждать до утра и еще научилась печь хачапури «лодочкой», с яйцом внутри, делать сациви из индейки и горячее лобио из красной фасоли. И уже знала все про его грузинских родственников. Тете Манане доставала дефицитный церебролизин для «работы головы», дяде Гиви высылала теплые югославские свитера.

Зурик привязался к Верке, ценил ее независимость и ненавязчивость, и даже та малая доля презрения и недоверия, которую он испытывал в разной степени к каждой русской женщине, куда-то отступала, когда он думал о Верке. И он, такой беззаботный и молодой разгильдяй, порой стал подумывать о женитьбе, но как-то сразу начинал нервничать, вспоминать о своей непримиримой родне, даже немного потел и гнал от себя эти внезапные мысли. Вспоминая только тогда, в тот момент, что в Кутаиси уже с тринадцати лет ждет его возвращения просватанная невеста Натэлла. Зурик плохо помнил ее лицо, вспоминались только потупленные глаза и заусенцы на пухлых и коротких пальцах. Но до Натэллы и Кутаиси было далеко, а Верка была здесь – прекрасная, белокожая, светловолосая, в легком шелковом халатике с драконами.

Зурик денег не жалел – когда они у него были. Но деньги имели свойство быстро кончаться – кабаки, тряпки, цацки для Верки, – а потом Зурик сидел неделями дома, пил, кряхтел и ждал своего часа. В эти дни он был совершенно невыносим. Злился, придирался к Верке, изнурял ее мелочами, занудствовал. Нервничал. И когда вечером уставшая после работы и бесконечных Зуриковых придирок Верка выпивала пару рюмочек «мартеля», с удовольствием думал, что все же он прав. Если жена – то уж точно Натэлла. Пусть и с заусенцами. В этом он был уже уверен.

Исчез он года через полтора, сразу и без всяких намеков и возможностей его найти. Верка в меру убивалась, но не заявила, конечно, понимая, что с его «делами» лучше туда не соваться. И понимала и то, что с Зуриком могло случиться всякое. Даже самое худшее. И где он сейчас – на дне Москвы-реки, в мерзлой подмосковной земле или в теплом родном Кутаиси с молодой и покорной грузинской женой – Верка не ведала. А просто тосковала и выла от одиночества, завернувшись в старый теплый клетчатый плед, с рюмкой и сигаретой, думая про то, как несправедливо с ней обходится судьба. И почему такая тоска?

Лильку с мужем отправили в Москву чуть раньше окончания командировки, попросив замену. Разговоры по душам ни к чему не привели. Все понимали, чем это кончится. Было жаль этих красивых и умных ребят. Но... Когда не борется ни один из двоих, а оба катятся вниз плавно и равномерно, не сопротивляясь, оба идут ко дну.

В Москве Лилька работу не искала, просто пошла в поликлинику рядом с домом. Ходила по вызовам, сидела на приеме. На утреннем – еще нормальная, а к вечернему приходила уже с блестящими глазами и без конца жевала кофейные зерна. Больные смущались, жалели ее, но «наверху», конечно, быстро обо всем узнали и по-хорошему попросили уйти. А муж ее на работу уже не вышел, да и куда? Анкета перспективного мгимошника была безнадежно испорчена. Он теперь сидел дома и пил, пил, пил.

Девочку, красивую, складненькую, похожую на Лильку и очень пугающуюся своих странных родителей, свекровь им уже не отдала. Привезет на час, а девочка плачет и рвется обратно. Свекровь ее от Лильки отдирает, и все втроем ревут. Лилька звонила, кричала, требовала вернуть девочку. Но свекровь однажды тихо и внятно ей пообещала, что вообще лишит родительских прав. Лилька испугалась.

Пока свекровь разрывалась между разбитым инсультом мужем и маленькой внучкой и собиралась лечить сына, спасти хотя бы его, уговаривая себя, что женский алкоголизм не побороть, сын, когда-то умница и красавец, умер в одночасье от инфаркта дома, сидя с Лилькой за столом, покрытым липкой клеенкой. У него оказалось слабое сердце. Лильку на похороны свекровь не пустила, считая ее виноватой во всем. И видеть ее не хотела, и слышать о ней больше не пожелала. Над девочкой оформила опекунство.

Как-то под Новый год Верка покупала что-то на Черемушкинском рынке. Ее окликнули – оказался Митька Шаталин, бывший одноклассник. Как всегда, веселый, с наглой «котярской» улыбочкой на круглом усатом лице. В огромной енотовой шапке с хвостом и расстегнутой дубленке до пят. Они болтали долго обо всем и обо всех, охали, вздыхали, смеялись, вспоминая. Митька рассказал, что живет теперь круглый год на Николиной, что, как всегда, ни черта не делает. Дед, известный советский драматург, оставил наследство, еще он сдает двухсотметровую квартиру на Горького кому-то из посольства и имеет за это огромные деньги – на них дурью и мается, ни в чем себе не отказывая.

Веркой, уже шикарной женщиной, он восхитился. Она рассказала, что у нее свой салон в приличном месте, старом, тихом центре – залог успеха. Верка успешно вела дела – опыт и все же немного удача. Шаталин со смехом рассказал ей, что тогда, в школе, он был влюблен в нее, а она рассмеялась: все это враки, иначе она бы уж точно заметила. Выяснили, что предложений встречать Новый год много, но как-то ни с кем не хочется, и, решив, что это судьба, поехали на Николину встречать Новый год вместе.

Весь день тридцать первого Верка лепила хачапури, делала сациви и фаршировала рыбу. Искренне удивленный и пораженный Митя наблюдал за этим действием, сидя в кресле с трубкой у камина, сравнивая ее со своими бесчисленными пустыми и длинноногими девицами. Наблюдал. И увидел в Верке сразу и жену, и хозяйку, и мать своих детей – в перспективе, конечно. И в ту же новогоднюю ночь (боже, как романтично!) при свечах сделал ей предложение.

Они не открыли двери на стук и вопли соседей – просто задули свечи и, обнявшись, заснули. В доме пахло камином, корицей и плавленым воском. Так за одну ночь у Верки появились муж, дом на Николиной Горе – теперь об этом месте знали все – и прозрачная речка с мелким, светлым песком, и розовые сосны на закате. Да и еще, кстати, неплохая квартира на теперь уже Тверской, временно оккупированная кем-то важным из израильского посольства. «Ну, с этим я быстро разберусь», – подумала Верка.

Немного угнетало ее все же, что Митя – только богатый наследник, а вообще, положа руку на сердце... Все-таки она уважала мужчин при должности. Но и на нем еще рано ставить крест. Зато Митя был веселым и не занудным – легкий человек. И Верка (торопилась, слишком долго она этого ждала) родила подряд двух парней. Оба – вылитый Митька, с котячьими хитрыми физиономиями. Жили они на Николиной круглый год – воздух! – с тихой сероглазой бабушкой, Веркиной матерью, похоронившей пять лет назад своего пьющего и грубого, но любимого мужа.

Тем временем Верка развернулась на Тверской. Все как положено. Поставила тройные деревянные стеклопакеты – шумно, кондиционеры – центр! Ванна под римские термы. Евро!

О том, какого числа и во сколько хоронят Лильку, Верке сообщила та самая Андронова, разыскав ее чудным образом, через Митю. На похоронах Верка с трудом узнавала своих одноклассников: на улице прошла бы – не узнала. Все негромко пересказывали друг другу страшную историю о том, что в последний год жизни Лильку видели у магазина с алкашами, в резиновых сапогах на худых и голых ногах, с вечным фингалом под глазом и разбитой губой. С бомжатником в ее квартире бедные соседи ничего поделать не могли и бедную Лильку уже не жалели, а ненавидели. И их можно было понять. Еще говорили страшные вещи: что пролежала она, мертвая, почти неделю и все, что было когда-то зеленоглазой и смуглой Лилькой, собирали пластмассовой лопатой в большой черный пластиковый мешок. И закрыли крышкой. Свекрови и Лилькиной дочери, уже взрослой девочки, на похоронах не было.

Верка видела, как всех потрепала жизнь, как все постарели и изменились, за исключением, пожалуй, Андроновой, та выглядела так же, как и двадцать лет назад — в костюме с бортами и «халой» на голове. И ей все так же можно было дать сорок лет. Впрочем, теперь ей почти столько и было. Андронова говорила какую-то речь, и было видно, что для нее это дело привычное. Она организовала похороны и прибытие одноклассников, а также скромные поминки в кафе у метро, на которые сразу же принялась собирать деньги.

Верка дала двести долларов (Андронова присвистнула), но на поминки не пошла. Задержалась у могилы, положив на свежий холмик белые лилии с нестерпимым ароматом, и, медленно уходя с кладбища, думала про Лильку, самую красивую и благополучную девочку их класса, с такой, казалось бы, ясной и предсказуемой судьбой, такой надежной, как когда-то была сама Лилька. «Это ведь именно ей должен был выпасть счастливый билет», — почему-то с испугом подумала Верка. Ну по всем законам логики, если, конечно, логика была в этой жизни. И еще она подумала, что же такое страшное сотворил кто-то в их роду, какой смертный грех совершил их далекий или близкий предок, за что в течение двух десятилетий была так трагически истреблена эта большая и красивая семья?

В машине Верка покурила, посидела с полчаса, а потом, стряхнув с себя воспоминания, поспешила в центр, на Тверскую. Там все еще шел ремонт, и рабочих без присмотра, конечно, нельзя было оставить ни на день.

Здравствуй, Париж!

Он позвонил ей по дороге из офиса. Как всегда: «Привет, как дела?»

«Нормально», – ответила она.

– Любимое слово – «нормально», – усмехнулся он и осторожно спросил: – Я заеду?

Вопрос человека, не уверенного в том, что его хотят видеть.

Она ответила, вздохнув, через пару секунд:

– Заезжай. Только у меня из съестного – предпенсионного возраста рокфор и остатки кофе.

По дороге он заехал в магазин, купил продукты и через час уже стоял на пороге ее квартиры. Она открыла дверь, и он увидел, какое у нее бледное и замученное лицо.

– Опять не спала? – спросил он, вешая на вешалку пальто.

– Спала, – ответила она. – Я теперь все время сплю.

– Это хорошо, – кивнул он.

Она посмотрела на пакеты из супермаркета.

– Ты сумасшедший, – сказала она.

– Тебе надо есть.

– Ну, тебе виднее. – Она усмехнулась. – Ты всегда точно знаешь, что мне необходимо. Даже если я в этом сильно сомневаюсь.

Он предпочел не ответить. По бесконечно длинному коридору они прошли на кухню.

«Какая все-таки идиотская квартира, – в который раз подумал он. – Комнаты крошечные, кухня с гулькин нос, а ванная и туалет – огромные. Проектировал, определенно, маньяк. Или кретин».

Они вошли на кухню, и он сел на табуретку. Она достала из шкафа турку.

– Ты голодный? – спросила она.

Он мотнул головой.

– Нет, на работе обедал. Спасибо.

Она разлила кофе по чашкам и села напротив него.

– Какая за день? – он кивнул на чашку.

Она махнула рукой – мол, какая разница.

– Счастье, что этот бред наконец закончился. Девять дней, сорок дней. Кому это надо? Никому это не надо, – упрямо сказала она. – Ни мне, ни всем остальным. Ни тем более ему. Ты же знаешь, как все эти примочки ему были до фонаря. А мне выслушивать все эти «милые» речи? Эти соболезнования, сожаления и сочувствие? Полный бред. Все лгут, его никто не любил. Ни его маман, ни его сестрички полоумные. Ни эта Эмма, мать его ребенка. Никто. Все только пользовались. Впрочем, я их понимаю. И даже не осуждаю. Любить его было сложно. Вот ты, например. Лучший, так сказать, друг. – Она прикурила сигарету и посмотрела ему в глаза.

– Ну, ты же знаешь, – ответил он. – У нас были сложные отношения.

Она встала и подошла к окну.

– Знаю, Лень. У сложных людей всегда сложные отношения.

– Ну я-то прост, как пятак, – улыбнулся он.

Она обернулась и посмотрела на него.

– Ага, простачок. Всю жизнь прикидываешься.

– Я не прикидываюсь, Ань, – почти обиделся он. – Просто в силу обстоятельств я многое не мог обнародовать.

Он встал и кивнул на пакеты:

– Разбери, не забудь.

В коридоре он долго надевал пальто, шнуровал ботинки и смотрел на себя в зеркало.

– Давай уже, – улыбнулась она. – Твоя Пенелопа уже небось заждалась.

– Подождет, – ответил он. – На то она и Пенелопа. Завтра позвоню, – добавил он.

– Кто же сомневается? – усмехнулась она.

Она закрыла за ним дверь. Потом зашла в комнату и, не зажигая света, села в кресло. Она сидела так долго, час или два. Просто смотрела в одну точку, перед собой. «Путь к безумию», – подумала она.

Встала, зажгла торшер и подошла к комоду. На комоде в траурной черной рамке стояла фотография ее мужа. Рядом стояла стопка водки, накрытая уже подсохшей горбушкой черного хлеба. Она провела рукой по фотографии – брови, нос, губы – и сказала:

– Привет. Ну, как ты там? – Потом усмехнулась: – Думаю, ты не в раю. Туда тебе пропуск не получить. А ты ведь привык, что за все можно заплатить. Но тут точно не выйдет. Черти, наверное, готовят сковородки и длинный перечень твоих деяний. Но ты и там разберешься, – опять усмехнулась она. – Тебе и там все сойдет с рук, если включишь личное обаяние. Кто ж устоит? И там пристроишься. Тебе повезло, ты еще красиво ушел – в офисе, за рабочим столом, за разборкой ценных бумаг. Хорошо, что не в постели очередной подружки, а то было бы совсем неловко. Мне бы досталось еще больше «сочувствия». Просто бы захлебнулась в нем. Но ничего, я бы и это пережила. Кто говорит обо мне?

Она замолчала, подошла к окну и уткнулась лбом в прохладное стекло. В коридоре зазвонил телефон.

– А пошли бы вы все! – громко сказала она и не тронулась с места.

«Все эти сопли, охи и вздохи. Посмотрю на вас через полгода – когда вскроется завещание. Когда будете дербанить фирму, квартиру и дачу. Сразу увидим, кто из вас чего стоит, дорогие партнеры и родственники. – Она села в кресло и опять посмотрела на фотографию мужа. – А как ты любил жизнь! Немного я встречала людей с таким аппетитом. Как жадно хватал – сколько мог ухватить. Рвал кусками. Боялся что-то пропустить, не успеть. Боялся, что вдруг, не дай бог, что-то пронесут мимо. Или что ты чего-то не успеешь. Был уверен, что проживешь до ста лет – здоровье богатырское, денег полно, планов громадье. А тут вон как получилось, никто не ожидал. Никто. Даже я думала, что ты бессмертен и уж наверняка переживешь меня. Ну, это-то сто процентов. С моей апатией, безразличием и, как ты говорил, «неумением получать от жизни удовольствия».

Не раздеваясь, она легла на диван и укрылась шалью.

«Только бы уснуть. Единственное спасение – сон». И, конечно, поняла, что без снотворного ей не справиться.

Проснулась от звонка мобильного. Глянула на часы – без четверти одиннадцать. «Ничего себе!» – подумала она и взяла трубку.

Это был, конечно же, он. Общий разговор: как спала, как дела. Она промямлила:

– Слушай, а это и вправду тебе так интересно?

– Не сомневайся, – ответил он. А потом строго спросил: – Ты что-нибудь ела?

– Отстань, – отмахнулась она.

Потом она долго стояла под душем, варила кофе, долго его пила и смотрела в окно, размышляя о том, что пришла весна и скоро станет совсем тепло.

Она набрала его номер.

— Знаешь, я решила съездить на дачу.

— Я тебя отвезу? — предложил он.

— Не лишай меня удовольствия побыть одной, — взмолилась она.

Он вздохнул:

— Звони, если что.

— Если что, — усмехнулась она.

Она бросила в сумку пачку сыра, хлеб и банку с кофе. Достала из шкафа старые джинсы и кроссовки, накинула легкую куртку и вышла из квартиры.

Во дворе подошла к машине мужа — большой, черной и грозной, — обошла ее со всех сторон, вздохнула и завела свою «букашку». Маленькая красная «Тойота» легко взяла с места. Машин было немного — полдень и будний день, и она довольно быстро выехала на Можайку. Открыла окно, и в салон влетел свежий и теплый, уже пахнущий весной ветерок.

Через полчаса она уже подъезжала к поселку. Ей вежливо поклонился охранник, и она въехала под шлагбаум.

«Райское место», — подумала она. Сосны, елки, березы. Ровный, без единого бугорка, асфальт. Высокие, добротные заборы. Черепичные крыши домов, стоящих в глубине участков. Тишина и покой. Чистый воздух. Приличные, солидные соседи. Было бы жалко со всем этим расстаться.

Дачу она любила, всю стройку, все три года, ездила сюда через день, говорила, что теперь может получать диплом строителя. В доме сделала все так, как хотела: никакой современности, все — и мебель, и светильники, и ковры — покупала в комиссионках или по объявлению. Хотелось создать атмосферу «старой дачи», такой, какая была у деда в Хотькове. Получилось все именно так, как она мечтала. Буфеты, комоды, абажуры. Перевезла туда старые, любимые книги, старые, еще дедовские, чашки и тарелки, повесила на стены фотографии — черно-белые, уже слегка пожелтев-

шие – молодая мама, отец, любимые дед и бабуля. На столы постелила скатерти с бахромой. В доме было уютно, уютней, чем в московской квартире, где дизайном и ремонтом распоряжался муж, который любил помпезность – завитки на мебели, позолоту, лепнину на потолке. Ее это ужасно раздражало, а он радовался, как ребенок, компенсировал свое нищее и голодное детство. А вот дачу не полюбил, называл ее уголком старой девственницы. Да он туда практически и не ездил – построил охотничий домик где-то под Рузой и отдыхал там. Разумеется, со своей компанией.

Она достала пульт, нажала кнопку – ворота медленно, со скрипом открылись, и она въехала на участок и вышла из машины.

На земле еще лежали темные проплешины снега, но перед домом, на лужайке, уже пробивалась еле-еле светло-зеленая первая свежая травка. Она глубоко вздохнула, сняла очки, закрыла глаза и запрокинула лицо к солнцу.

В доме было тепло. Она раскрыла окна, разделась и принялась растапливать камин. Вкусно запахло деревом и смолой. Она включила музыку (Первый концерт Брамса), сняла куртку и кроссовки и принялась за уборку. Потом налила себе большую кружку чая, села у камина, укуталась в плед и стала смотреть на огонь.

К вечеру он, конечно, позвонил.

– Как ты там, не скучаешь?

Она хмыкнула: человек, привыкший к одиночеству, не очень понимает этот вопрос.

– Я приеду? – осторожно спросил он.

– Не сегодня, ладно? Не обижайся, о'кей? – попросила она.

Он не обиделся: ему ли привыкать?

Вечером она оделась и пошла гулять. Долго ходила по поселку и удивлялась тишине, вспоминая, как шумно и суетливо было на даче у деда. Днем дети гоняли по просеке на велосипедах, вечером ходили друг к другу в гости, пили чай, играли в лото или в карты. Поселок замирал только к самой ночи. А здесь на улице ни детей, ни собак, будто все вымерло, но почти в каждом доме горит свет, каждый в своей норе. Каждый ребенок на своем участке. Не с бабушкой — с няней. Родители отдыхают после тяжелого рабочего дня. Никому ни до кого нет дела. Будешь звать на помощь — оборешься. Что случись — только звонить на охрану. Частное, тщательно охраняемое пространство.

«И что мы от этого выиграли?» — загрустила она.

И подумала, что ей, в принципе, тоже никто не нужен. Никого у нее нет. Подруг растеряла, родные давно ушли. Остался один Леня. Верный паж и верный друг. На все времена. Только что ей до этого?

Она часто думала, как бы сложилась ее жизнь, выйди она замуж за Леню. Если бы тогда, в девятнадцать лет, она бы не влюбилась в своего будущего мужа. Хотя все это смешно. Конечно, она предпочла его — сильного, умного, красивого, самого успешного на всем курсе. Лучший баскетболист, черный пояс по модному тогда карате. А как он пел и играл на гитаре! Как замирали и обрывались неискушенные девичьи сердца! Синеглазый красавец под два метра ростом. Ему все давалось легко — спорт, учеба. Счастливчик, везунчик. На втором курсе подкатил к институту на новеньких «Жигулях». Все обомлели — ну, ты, Андрюшка, даешь! А он так легко, между прочим сказал, что на тачку заработал летом на шабашке. Врал, конечно. Машину ему купили родители, но так было романтичней, и он по-прежнему оставался героем.

А Леня — что, собственно, Леня? Обычный тихий мальчик. Ничего примечательного. Только смотрит неотрывно глазами, полными любви и тоски. Конечно, она досталась не ему. Лучшая девочка курса, умница-красавица, комсомолка, спортсменка — что еще там из старого фильма? Конечно, она стала встречаться с Андреем. А как можно было устоять? Однажды, чуть припоздав (лекция уже началась), он вошел в аудиторию и на глазах у всех положил к ее ногам

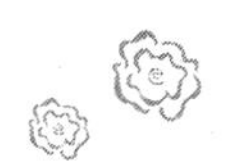

огромный букет ромашек. Девчонки от зависти побелели. А в другой раз привел пьяненького баяниста, прихватив его у метро. Тот вошел в аудиторию, раздувая мехи старого баяна, подошел к ней и запел чуть осипшим, но довольно сильным голосом «Бе са мэ мучо». Все, конечно, рухнули, даже преподаватель. Потом его вызвали в деканат, дали по шапке – так, слегка. А он, делая наивные глаза, объяснял замдекана, что завоевывал сердце любимой девушки. Его, конечно, простили.

Она сопротивлялась недолго, месяца три. Потом закружилось, завертелось. Они словно сошли с ума – не могли прожить друг без друга и полдня. На третьем курсе она залетела. Сказала ему. Он благородно ответил, что примет любое ее решение. Свадьба – значит, свадьба. Она оценила, но сделала аборт. Ей тогда казалось, что они все еще успеют. Впереди целая жизнь.

Но жизнь оказалась короче, чем она предполагала. Забеременеть больше не получилось, как ни старалась. Лет через восемь она ему предложила: уходи, ты молодой и здоровый мужик, у тебя все еще сложится.

Он отмахнулся: какая разница? Ему тогда было все равно, он начал создавать свою империю. Был так увлечен, что всех остальных проблем, кажется, не замечал. Предпочитал не замечать и ее слез и тоски, предлагал заняться чем-нибудь полезным – например, открыть свой магазин или турбюро. Она попробовала. Сначала вроде увлеклась, но очень быстро надоело. Он ее свободу не ограничивал. Хочешь – сиди дома, хочешь – работай, хочешь – путешествуй. Весь мир как на ладони. В деньгах проблем нет. Загородный дом, квартира в центре, машина, прислуга. Спа-салоны, маникюр, педикюр. Тренеры, массажисты. Тысячи женщин, бьющихся за кусок хлеба, позавидовали бы ей. Она это понимала, но все равно казалось, что проживает не свою жизнь. И ведь даже пожаловаться было стыдно. Да и кому? Кто бы ее понял и не осудил? От тоски и отчаяния позвонила своей школьной подружке. Встретились. Посидели в кафе. Та торопилась и смотрела на часы. Объяснила: муж, дети, ужин, уроки. Посетовала, что совсем нет времени. На прощанье положила свою руку на ее и, вздохнув, сказала: «Мне бы твои заботы!» С осуждением сказала, не по-доброму. Но она ее поняла и не осудила. Понимала, что все ее проблемы обычной работающей семейной женщине кажутся незначительными и надуманными. Вспомнила, как подруга мечтала: «Мне бы полгодика пожить твоей жизнью!» Что после этого скажешь? Что ни скажи, будешь выглядеть наглой и зажравшейся дурой. В общем, с подругой этой она больше не встречалась – оно и понятно.

Иногда она созванивалась с Леней. Встречались где-нибудь в центре, обедали, гуляли. Она его тревожно спрашивала:

– Ты думаешь, это у меня с жиру?

Он качал головой и грустно улыбался:

– Нет, просто ты не очень счастлива.

Она начинала кипятиться:

– А где ты видел счастливых людей? Абсолютно счастливых? У всех проблемы, да почище моих!

– Я не о том, – отвечал он. – Ты же все понимаешь!

Дела у мужа шли прекрасно. Лучше не бывает. Он оказался на своем месте и жил в свое время. Да, это точно было его время – время жестких, деловых людей, без всяких сантиментов. Только так можно было состояться и не сгинуть. Андрей оказался талантливым бизнесменом – за что ни брался, все у него получалось. В общем, деньги к деньгам, царь Мидас.

Леня тогда почти бедствовал – его небольшой бизнес практически загибался. Она попросила Андрея взять Леню к себе. Тот ответил жестко: по протекции не беру, пройдет собеседование – тогда пожалуйста. Леня прошел. Стал сначала ведущим специалистом, потом топ-менеджером, потом дорос до директора одного из питерских филиалов. Когда

Леня уехал в Питер, ей стало совсем грустно и одиноко. Но, конечно, она была за него искренне рада.

А через два года Андрей его уволил. Грубо и некрасиво – без выходного пособия. Ей объяснил, что тот завалил шикарный контракт. В общем, не справился, не оправдал, так сказать, высокого доверия. Она тогда ругалась с ним до хрипоты. Говорила, что нужно простить и дать человеку шанс. Но муж твердо стоял на своем: если бы я вел дела так, как ты мне предлагаешь, то меня как бизнесмена давно бы уже не было.

– Лучше бы не было! – бросила она тогда в сердцах.

А он спокойненько так ответил:

– Не лезь не в свои дела.

И тему прикрыл.

Отношения с Андреем у нее тогда совсем разладились. Каждый жил своей жизнью, теперь почти официально. Отдыхать ездили порознь. Она, конечно, понимала, что баб у него вагон и маленькая тележка, но ей было почти все равно. Почти. Так, иногда скребло по самолюбию. Но с этим она научилась справляться.

Тогда она и узнала, что какая-то девица родила ему ребенка. Позвонили доброжелатели – такие анонимы всегда находятся. Она восприняла это почти спокойно, а он и не думал отрицать. Хозяин жизни. Сказал, что ребенка признал, но это никак не отразится на их совместной жизни. Она тогда спросила:

– А у нас есть эта самая «совместная жизнь»?

– Считай как хочешь, – бросил он. – Как тебе больше нравится.

Она тогда уехала на дачу. Жила там безвылазно полгода. Они почти не созванивались – если только по делу. Муж каждую неделю присылал водителя с продуктами, а Леня приезжал к ней часто, почти каждые выходные. Они ходили в лес за грибами, разводили костер и пекли в золе картошку. Вечером сидели у камина и трепались обо всем на свете.

— Почему ты от него не уйдешь? — спросил он однажды.

— А что изменится? — пожала она плечами.

— Все, — сказал он. — Ты проживешь вторую жизнь.

Она усмехнулась:

— Ну, знаешь, что-то я не заметила очереди под своим окном.

— А меня ты совершенно в расчет не берешь? — спросил он серьезно.

Она улыбнулась:

— Я против инцеста, Леня. Ты мне почти что брат.

— В этом-то весь и ужас, — усмехнулся он.

Она погладила его по руке и чмокнула в нос.

Как-то зимой она свалилась с радикулитом. Леня был в командировке. Срочно было нужно обезболивающее и растирка для спины. Она позвонила Андрею. Была уверена, что он пришлет водителя, но муж приехал сам. Был сама любезность — заварил свежего чаю, сделал бутерброды. Почему-то сильно смущаясь, она попросила его натереть спину вольтареном. Он кивнул: ну, разумеется. Растер мазью, сделал легкий массаж и укутал спину теплым шарфом.

Она сразу вспомнила его руки, сильные и надежные, и от заботы и почти ласки вдруг разревелась. Он удивился, сел рядом на диван и погладил ее по голове. Господи! Как ей хотелось обнять его, уткнуться ему в грудь, выплакаться ему до донышка. Еще минута — и не сдержалась бы. Потом, конечно, проклинала бы себя до конца дней. Но он пересел в кресло и включил телевизор. Обоим почему-то стало неловко.

— Зачем ты живешь со мной? — почти выкрикнула она.

Он медленно повернул голову и усмехнулся.

— Не преувеличивай!

— Вот именно! — Ее била сильная дрожь. — Вот именно, — повторила она. — Зачем тогда все это? Может, честнее было бы развестись? Или ты остерегаешься, что я буду претендовать на твое имущество?

– Ты моя охранная грамота. Пока я женат, ко мне нет никаких вопросов. И потом, я доверяю тебе, я абсолютно в тебе уверен. А это самое главное.

– Господи, какой же ты циник! И самое страшное, что ты даже не понимаешь, как ужасно все то, о чем ты так спокойно говоришь.

– Не преувеличивай! – откликнулся он, не поворачивая головы от телевизора. – Просто ты не умеешь жить и списываешь всю вину на меня. Ты ни от чего не получаешь радости – ни от тряпок, ни от вкусной еды, ни от путешествий. Ты не хочешь заниматься делом – тебя все раздражает и ничего не интересно. Ты определила себя в страдалицы и самозабвенно упиваешься этим. У тебя абсолютно потерян вкус и интерес к жизни, и ты не можешь мне простить, что я живу с точностью до наоборот. Тебя терзает то, что мне вкусно и интересно жить. И дружка ты себе нашла под стать – вместе страдаете и жуете сопли. У тебя даже подруг нет, потому что ни одна нормальная баба тебя бы не поняла и не пожалела. – Он встал, закурил и подошел к окну.

Она тяжело, опираясь на руки, присела на кровати.

– Я разведусь с тобой, – тихо сказала она.

– Бога ради, – раздраженно бросил он. Подошел к бару, налил полный стакан коньяка и залпом его выпил.

– Какой же ты жестокий! – качая головой, сказала она.

– Называй как хочешь. Просто ты никогда не умела выслушать и принять правду. В этом твоя главная ошибка.

Он поднялся наверх, в кабинет, и громко хлопнул дверью.

Ночью она не спала ни минуты – бил сильный озноб и болела спина. Она думала о нем, о своем все еще муже, человеке, которого она отказывалась понимать и принимать таким, каким он стал. А может, он таким и был всегда – жестким, даже жестоким, бескомпромиссным, циничным. Готовым перейти через всех и через вся. Этого человека она все еще не переставала любить, и это было страшнее всего. Нет, она понимала, что он, безусловно, во многом прав –

в том, что касается ее. Ее и саму такая жизнь не устраивала. Конечно, надо было идти работать, например, преподавать в школе французский – она обожала Францию и язык знала почти в совершенстве. Или давать уроки музыки – у нее был диплом об окончании музыкального училища. Или закончить курсы ландшафтных дизайнеров – у нее хороший вкус. Но для этого надо изменить свою жизнь. Всю – от корки до корки. И попытаться начать все заново, с чистого листа. Чтобы доказать прежде всего себе, и ему, между прочим, тоже. И все же ей до дрожи, до зубовного скрежета захотелось подняться, доползти по лестнице вверх, открыть дверь его кабинета, подойти к кровати, откинуть одеяло, лечь с краю, рядом с ним, прижаться к его спине и обнять его за шею. Но она тут же представила его лицо и передернулась.

«Души прекрасные порывы!» – горько усмехнулась она.

Заснула она под утро, когда совсем рассвело. И сквозь сон услышала звук мотора и скрип раздвигающихся ворот.

«Решено, – мелькнуло у нее в голове. – Все, хватит. Ничего к лучшему не изменится. Дальше – больше. И страшнее. Разведусь».

Она вздохнула, и ей стало легче. Или так показалось. Но, по крайней мере, стало ясно одно: жизнь наверняка не кончается. И она, измученная, наконец крепко уснула.

А через пять дней он умер.

Леня поднимался после той истории тяжело. Денег совсем не было. Все, что когда-то было, весь капитал, прогорел в том бизнесе, у Андрея – по крайней мере, так объяснил ему бывший друг. Он, конечно, сначала не сдавался, пытался что-то оспорить, но силы были явно неравны – у Андрея имелся целый штат высококлассных юристов и аналитиков, Лене быстро и доходчиво все объяснили. В общем, бороться было глупо и бессмысленно.

Год он «бомбил» на машине. Начал поддавать – было очень тошно. Противнее всего оказалось то, как легко бывший друг переступил через него. Хотя понятно – в бизнесе

выживает только тот, у кого волчья хватка. Не нужен человек – за борт. Дело важнее. Все ясно, но жить с этим омерзительно.

Через полтора года он окончательно пришел в себя – понял, что дальше так, по наклонной, катиться его жизнь не может. Продал свою хорошую машину, пересел на старенькую «реношку», обменял «трешку» на Фрунзенской на «однушку» в Беляеве и начал новое дело. Занялся торговлей медтехникой – оснащением стоматологических клиник. Дело пошло довольно бойко – частные стоматологии росли как грибы. Через три года снова переехал в хорошую квартиру ближе к центру и сел за руль новенькой «Вольво». Миллионером, конечно, не стал, но превратился во вполне состоятельного человека.

Тогда он сошелся с молодой женщиной, бухгалтером своей фирмы. Жила она с мамой и двумя детьми – двойняшками Кешей и Стешей. Он смеялся и называл их «попугаичья семья». Общим домом они не жили – она приезжала к нему на выходные, да и то не на каждые. Когда он ей звонил, она брала трубку сразу, с первого звонка. Было такое ощущение, что она днями сидит у телефона.

– Ждешь? – удивлялся он.

– Жду, – вздыхала она.

Тогда Леня и прозвал ее Пенелопой. Впрочем, был предельно честен, сразу расставил все точки над «i»: жениться не собирался. Она слушала его молча, наклоня голову, глядя в пол, и кивала.

Он позвонил Ане к вечеру, под конец рабочего дня.

– Ну как ты там, небось совсем одичала? – попробовал пошутить он.

Она засмеялась.

– Ну, к одиночеству мне не привыкать, ты же знаешь. А вообще, конечно, тоскливо: дождь целый день, на улицу выйти противно.

Он тут же поймал мяч:

– Ну может быть, я заеду. Пустишь? – Гулко забухало сердце – он всегда боялся ее твердого «нет».

– А заезжай! – Ему показалась, что она даже обрадовалась. – Слушай, привези шашлыка! Так хочется жареного мяса!

Он вздохнул и засмеялся.

– Ну вот, слава богу, ты проголодалась!

Он рванул на рынок, купил парной телятины, овощей, соленостей, всяких понемногу, свежего, еще теплого лаваша, потом заехал в супермаркет и взял две бутылки французского «Валандро», ее любимого красного, к мясу, и полетел на дачу.

Она стояла у открытых ворот в курточке, джинсах и кроссовках.

«Совсем девочка, – подумал он. – Ничего ее не берет – ни годы, ни невзгоды. Худенькая, девчачий хвостик на макушке. Ни грамма косметики».

Он вышел из машины, подошел к ней, чмокнул в щеку и понял, как по ней соскучился.

Потом он разводил огонь в мангале, а она резала мясо, раскладывала на тарелки овощи, ломала рукой лаваш, что-то хватала со стола и жевала, и говорила, что страшно проголодалась, а он посмеивался и все никак не мог на нее наглядеться.

Внезапно кончился дождь, от земли и молодой травы пошел теплый и свежий дух, и вкусно пахло костром и свежим мясом. Они решили не ходить в дом и сели на террасе. Он принес из дома плед, укрыл ей ноги. Она зажгла свечи, и он разлил в бокалы вина. Она довольно быстро опьянела – ей всегда было нужно совсем немного алкоголя, и он видел, что она устала и начала дремать. Он взял ее на руки и отнес в дом.

Снял с нее кроссовки и джинсы, уложил в кровать и накрыл одеялом. Она пробормотала «спасибо» и отвернулась к стене. Он вышел на улицу, долго курил, потом убирал со

стола, тушил остатки тлеющих поленьев, опять долго сидел в кресле и смотрел на густой и темнеющий лес. Стало совсем прохладно, и он наконец пошел в дом. Она сидела на кровати, обхватив колени руками.

– Выспалась? – удивился он.

Она кивнула:

– Ты же знаешь, как я сплю. Разожги камин. По-моему, как-то зябко.

Он стал разводить огонь. Сухие поленья занялись быстро и весело. Он сел в кресло возле камина. Оба молчали.

– Посиди со мной, – тихо попросила она.

Он помедлил пару минут и потом подошел и сел на край кровати. Она обняла его рукой за шею.

Заснули они под утро. От камина в доме стало душно и даже жарко. Он встал и открыл окно. В комнату ворвался свежий влажный ветерок. Она крепко спала, а он лежал без сна и смотрел на нее.

В шесть утра он встал, умылся, сварил кофе, нарезал бутерброды, прикрыл их салфеткой и вышел во двор. Небо было чистым и ясным – ни единого облачка. Трава и деревья блестели от вчерашнего дождя. Он сел в машину, закурил и подумал о том, что совершенно не знает, как жить дальше. Утро вечера оказалось совсем не мудренее. Он завел мотор, и машина плавно взяла с места.

Она проснулась поздно, ближе к полудню, и удивилась, что так долго и крепко спала, впервые за последние несколько месяцев. Пошла на кухню и увидела оставленный им завтрак, улыбнулась, налила кофе и съела бутерброд.

«Вкусно! – удивилась она. – Обычный бутерброд с сыром, а как вкусно!»

Потом собрала остатки шашлыка, положила их в миску и пошла к будке охраны. Там прижились две дворняги – Бимка и Демьян, ее вечные спутники во время вечерних прогулок. Собаки подбежали к ней и радостно залаяли. Она погладила их и поставила миску с мясом. Бимка и Демьян дружно и яростно набросились на угощение, и через минуту миска стала стерильно чистой.

Она прошла быстрым шагом по опушке леса, увидела первые желтые цветочки мать-и-мачехи, совсем невзрачные, но почему-то очень им обрадовалась. Собрала маленький букет и подумала, что поставит цветы в невысокий стакан на обеденный стол.

«Первая примета весны!» – подумала она.

Потом вернулась домой, вытащила из сарая плетеное кресло, поставила его на освещенную солнцем лужайку, села, сняла темные очки и подставила лицо уже изрядно припекающему солнцу. Она блаженно прикрыла глаза и даже задремала, но проснулась оттого что набежали тучи, солнце спряталось и опять стало довольно прохладно.

«Все-таки апрель в России – неустойчивый и обманный месяц, – подумала она. – А в Европе уже наверняка совсем тепло!»

Вдруг ей в голову пришла простая и гениальная мысль. Она резко встала и почти вбежала в дом, достала из комода заграничный паспорт, открыла его и облегченно вздохнула – шенгенская виза действовала еще четыре месяца. Потом набрала номер агента из турбюро и попросила заказать билет на Париж и забронировать отель – желательно на завтра.

Она быстро собралась, закрыла дом, завела машину и двинулась в сторону Москвы. Дома распахнула настежь окна, взяла тряпку, протерла толстый слой пыли, накопившейся за много дней, помыла полы и пропылесосила ковер.

«Всегда приятнее возвращаться в чистую квартиру!» – подумала она.

Потом побросала в дорожную сумку вещи – совсем немного, решила, что остальное купит на месте. Через пару часов ей позвонил агент и отчитался, что отель забронирован, как обычно, ее любимый.

Она поехала за билетом, а вечером позвонила Лене.

– Я улетаю в Париж, – сказала она.

– А что ты там будешь делать? – удивился он.

– Буду спать, гулять, пить кофе с пирожными и шататься по магазинам. В Париже всегда есть чем заняться! – рассмеялась она.

– Я рад за тебя, – сказал он. И добавил: – Я правда очень за тебя рад. В Париже уже, наверное, совсем тепло и зацвели каштаны. Только не пропадай, пожалуйста, если можешь!

Она засмеялась и нажала на отбой. Потом подошла к комоду, на котором стояла фотография мужа.

– Ну что? – обратилась она к портрету. – Как же ты меня пытался раздавить, уничтожить, переломить через колено! Заставить жить по-твоему. Принять твою мораль. Оправдывать – всегда – твои действия и поступки. А когда я сопротивлялась, ты объявлял меня почти сумасшедшей, потому что я не хотела жить по-твоему. – Она горько усмехнулась. – А я, представь себе, оказывается, все еще хочу жить. Даже сама себе удивляюсь. Но это так. Пора, в конце концов, разрешить себе жить. Так что не стоит за меня волноваться, ей-богу, не стоит. И не сомневайся, у меня будет все хо-ро-шо! – по складам произнесла она и улыбнулась.

Через два дня, по дороге на работу, он вдруг понял, что надо делать. Паспорт с визой лежал у него в борсетке. Он заехал в кассу и взял билет на завтрашний рейс – самый ранний, вылет в шесть утра.

В аэропорту Орли взял машину и поехал на рю Мартир. Он зашел в отель – на рецепции стоял хозяин, мсье Доминик. Они радостно приветствовали друг друга и обнялись, как старые знакомые. Впрочем, так оно и было.

– Мадам, как всегда, пьет кофе у мсье Жан-Пьера, за углом. Там всегда самые свежие круассаны.

Он кивнул – ее любимое кафе. Оставил вещи у стойки, повесил на вешалку плащ и вышел на улицу. Он сразу увидел ее: она сидела к нему вполоборота и пила кофе. Подошел к ее столику и сел в кресло.

— Не возражаете, мадам? — спросил он.

Она сняла очки и посмотрела на него долгим внимательным взглядом. Подошел официант.

— Капучино, пожалуйста, — попросил он.

— Возьми круассан с шоколадом, здесь они великолепны, — посоветовала она.

Они пили кофе и молчали. Мимо них спешили парижане, каждый по своим делам. «Это счастье, когда не надо никуда спешить», — подумала она. А он понял, что давно не был так безмятежно спокоен.

— Знаешь, мне надо обязательно купить какие-нибудь удобные туфли. Ну, что-нибудь типа балеток, что ли, чтобы было удобно ходить. Ты же знаешь, у меня такие капризные ноги!

Он кивнул.

— И еще какой-нибудь дождевик: вечером обещали дождь, а зонты, ты знаешь, я ненавижу.

Он кивнул.

— Знаю. Я все про тебя знаю.

Она улыбнулась и покачала головой.

— Заблуждаешься, ты знаешь про меня совсем даже не все. И вообще, ты слишком самоуверен! — рассмеялась она.

Он усмехнулся и кивнул.

— Ну что, встали? — спросил он. — У нас с тобой куча всяких разных и важных дел. И потом, как ты говоришь, в Париже всегда есть чем заняться. Да и вообще не будем терять времени.

Она кивнула: они и так были слишком расточительны. Они вышли из кафе, и он взял ее за руку. Перед ними раскинулся самый прекрасный город на свете. И, между прочим, еще вполне длинная жизнь.

Бедный, бедный Лева

Санаторий в Прибалтике – воздух, сосновый бор, озеро с дикими лебедями, красные шляпки сыроежек на зеленом мху. Чистые и уютные номера, шведский стол, ненавязчивый, вышколенный и очень профессиональный персонал. Прибалтика – это Запад. Так было всегда, даже в застойные советские времена. Тихий и уютный городок. Машин немного, людей в магазинах почти нет. Много интересного – вязаные авторские вещи, стильная керамика, красивая посуда. Вкуснейший хлеб с тмином и замечательные молочные продукты.

Прекрасно все, кроме здоровья. Его-то мы и поехали поправлять с подругой Иришей. И еще – отдохнуть от своих семейств. Двадцать дней тишины, покоя, отсутствия привычных забот и хлопот. Мобильный выключен – пошли все на фиг. Процедуры утром. Любимые – массаж и релаксация под пледом, в глубоком кресле, под музыку. На экране – рыбки Красного моря. Удивляемся фантазии природы и невозможности такой красоты. Впрочем, удивляемся минут пять — на шестой засыпаем.

Просыпаемся свеженькие и бодрые. После обеда гуляем в лесу, любуемся на лебедей. И — болтаем, болтаем. Обо всем на свете. Темы неисчерпаемы. Мы вместе всю жизнь, с одиннадцати лет. Все друг про друга знаем, и нам все равно интересно друг с другом — всегда.

А вечерами шатаемся по городу. Сидим в кофейнях. Хулиганим — чизкейк с малиной, тирамису, кофейный крем. Наплевать. Главное — восстановить здоровье, потерянное в тяжелой борьбе за жизнь, которая продолжает безжалостно и методично нас проверять на прочность. Неужели ей непонятно, что мы со всем справимся и все переживем?

В магазинчиках покупаем керамику, яркие вязаные рукавицы (Ириша уже бабушка). Носки для мужей, серебро для невесток и родни. Да! И еще — грибы! Сухие белые на крепкой суровой нитке. Грибы лежат в чемодане и все равно — пахнут, пахнут... Крепкий и сладкий их дух пробирается сквозь бумагу, пакеты и пластик чемоданов.

Засыпаем под собственную нескончаемую болтовню, абсолютно счастливые. Нам так хорошо друг с другом! Вот ведь счастье — никто не зудит, не жалуется, не просит совета или поддержки. Короче — никто не напрягает и не достает.

Все обитатели санатория уже давно друг другу примелькались. Раскланиваемся на прогулке. Дороги в лесу ровные, асфальтированные, называются терренкуры. Вот мы и «терренкуем» днем и вечером с большим удовольствием. А еще с бóльшим замечаем, что слегка схуднули, несмотря на шалости в кофейнях. Видим реальную пользу от наших прогулок по лесу.

В основном отдыхают семейные пары. Есть подружки — вроде нас. Встречаются и одиночки — их тоже предостаточно.

Знакомимся с москвичкой Людмилой. Она наша ровесница — очень грузная, болезненно грузная. Ходит медленно и тяжело. Видно, что каждый шаг ей дается с большим трудом. Все

Людмилины проблемы налицо. А она смеется над ними и над собой, не теряя бодрости духа. Острит, хохмит и рассказывает про свою жизнь. Ненавязчиво, но очень поучительно для нас. Заболела в детстве – у матери были тяжелые роды. Проблем – не разгребешь обеими руками. Отец умер рано, они выживали вдвоем. Мама работала в билетной кассе, а это – связи и неплохой заработок. Маленькая Люда не пропускала ни одной премьеры, много читала, запоем. Игры во дворе были не для нее. Окончила техникум – на институт хватало знаний, но не хватало сил и здоровья. Работала методистом в детском саду. Родила сына – вопреки здравому смыслу и причитаниям врачей. Вдвоем с мамой тянули парня, и он оказался замечательным. Изменились времена, и мамин бизнес канул в Лету. Экономили на всем, чтобы посмотреть разные страны. Объездили полмира по самым дешевым турам. Но это никак не портило впечатлений. Даже побывали в круизе.

– Да, приходилось тяжело, – соглашалась Людмила. – Но что может быть прекрасней впечатлений и познания? Красивые тряпки мне недоступны, на нас шьют мало и неинтересно. Обувь делаю на заказ – удобную, но ужасную на вид. Ем мало, и все вкусное мне категорически противопоказано. Сын, слава богу, учится на бюджетном и на свои нужды зарабатывает. А в поездках бывают интересные встречи и даже романы, – смеется Людмила.

Мы с Иришей переглядываемся. Не то чтобы не верим... Нет, мы восхищаемся этой женщиной – остроумной, веселой, образованной. Не жалующейся на болячки и жизнь. Понятно, что очень непростую.

В санаториях принято обсуждать здоровье. А Людмила смеется:

– Что про него говорить? Говорить можно о том, что есть. А его нет.

И мы сникаем. Нам стыдно за свое нытье. Наши гастриты, головные боли и расшатанные нервы – просто мелочь, чепуха по сравнению с проблемами многих.

Мы проводим вместе пару дней. Людмила собирается домой – ее срок подходит к концу. Мы прощаемся и, естественно, обмениваемся телефонами.

Наблюдаем одинокого мужчину средних лет. Интереса женского он у нас не вызывает. Да и вообще, нам, честно говоря, не до подобных интересов – этот вопрос для нас давно закрыт. Откипели наши страсти, все в прошлом. Конечно, «никогда не говори никогда» – это истина, но очень хочется покоя, стабильности и размеренности. Каждому возрасту свои развлечения. Увы!

Итак, мужчина. Импозантен, фактурен. Немного мелковат и суховат, но довольно интересный. Эспаньолка, модные очки, волосы с сединой на висках. Одет стильно и аккуратно – джинсы, яркая куртка, клетчатый шарф. Хорошо пахнет, даже издали. Грустен и задумчив.

На ужине – в брюках и шейном платке. Человек от искусства – видно невооруженным глазом.

Сидит за соседним столом и грустит. Очень аккуратен и разборчив в еде. Видя, как он берет свежий салат и кефир, испытываем глубокий стыд и оглядываем наш стол, плотно уставленный тарелками с закуской и горячим.

Называем его искусствоведом. «Искусствовед» медленно выпивает свой кефир, тщательно вытирает салфеткой рот, после чего удаляется.

Мы тяжело вздыхаем и с неловкостью, которая, впрочем, скоро проходит, активно принимаемся за обильную трапезу. Совесть нас уже не мучает.

Назавтра вместе с «искусствоведом» плаваем в бассейне. Видно, что мужчина озверел от скуки, и вполне понятно, что он заговаривает первым.

За обедом галантно приглашает нас за занятый им стол. Все остальные столы заняты, и мы принимаем приглашение. Надо сказать, с некоторой неохотой, вспоминая его вечерний кефир.

Мы не ошиблись: на его подносе тушеная свекла и паровая рыбная котлета. Мы тоже сдержанны – неловко как-то.

Он представляется – Лев Каминский, литературный критик. Мы почти не ошиблись.

Рассказывает, что очень скучает и ждет жену, любимую жену. Это видно – говорит он о ней с пиететом, придыханием, теплотой, плохо скрываемым восторгом и тоской. Ну очень скучает. Жена задержалась на неделю – домашние заботы. Он говорит о ней беспрестанно. Называет нежно – Риммуля. Это довольно трогательно, но слегка раздражает.

Может, так он ограждает себя от наших посягательств? Собственно, посягать на святое и не входит в наши планы.

Теперь Лева повсюду с нами. Такая вот образовалась неразлучная троица. Мы вместе пьем из бювета полезную и довольно мерзкую водицу, вместе плаваем в бассейне, спим рядом под музыку Брамса на релаксации, вместе мотаемся на терренкуре. Даже в город он увязывается с нами. С интересом щупает тряпки, посуду, серебро. Щупает, но не покупает. Говорит, что Риммуля все должна одобрить. Сидит с нами в кафе, пьет много кофе. В антикварном дает консультации – во всем разбирается, с видом знатока разглядывает клейма на фарфоре и серебре.

Вечерами гуляем в лесу и опять слушаем песнь песней – «Риммуля, с Риммулей, о Риммуле». Испытываем легкое чувство зависти, смешанное с раздражением и подступающей злостью.

Потом наш новообретенный товарищ бежит к телефону в холле. Висит чуть ли не часами, заплетя худые ноги в косу. Что-то жарко шепчет, прикрывая трубку рукой с изящным агатовым перстнем.

Однажды он сообщает нам – улыбка счастья на лице, – что Риммуля наконец выехала. Советуется, когда купить цветы: вечером или с утра.

В этот день он рассеян и явно встревожен. Совсем не ест и пьет третий стакан ряженки.

Коллегиально решаем, что цветы покупаем завтра поутру. Мы советуем добавить к этому конфеты или пирожные. Риммуле будет приятно.

После ужина Лева оживляется не на шутку – видимо, в предвкушении встречи. Увязывается за нами на прогулку и без умолку трындит. Разумеется, о Риммуле, о редком счастье, данном только избранным. Рассказывает про упоительные, полные счастья дни – спасибо, не ночи, было бы совсем пошло. Про уникальные, удивительные Риммулины способности и человеческие качества.

Нас уже тошнит. Мы на пределе человеческих возможностей. Прервать пылкого влюбленного как-то неловко, но что нас точно покинуло, так это чувство зависти.

Мы желаем Леве сладких снов и почти бежим в номер. Нам не до смеха. И все-таки жутко интересно. Просто распирает от любопытства – завтра мы увидим уникальную, божественную Риммулю. Женщину, достойную такого восхищения, неземного обожания и пламенного восторга.

Лично я, как мне кажется, ни у кого не вызывала таких чувств. Ириша вздыхает и сознается, что и у нее подобного не было. Мы перебираем всех своих поклонников, значительных и не очень, и грустно соглашаемся: да, такого у нас не было. Впору возненавидеть таинственную Риммулю – от женской вредности. Но мы выше этого. А любопытство выше нас.

Утром по дороге на завтрак мы увидели Леву, который нервно топтался возле автобусной остановки. Разумеется, с букетом. Мы помахали ему, а он нам кивнул. В объятия, как прежде, не упал. Ладно, нервничает наш пылко влюбленный.

День в санатории расписан до обеда. Очень плотно расписан, не для ленивых. Бегаешь с процедуры на процедуру, высунув язык. Передых только после обеда, и то не всегда. На обеде мы наконец получили возможность лицезреть Риммулю. Ох... И ах. И даже ух и ой-ой-ой.

Мы остановились как вкопанные, чуть подносы из рук не полетели.

Риммуля оказалась зрелой теткой, лет на пятнадцать с виду старше Левушки. И то, если быть крайне доброже-

лательной. Крупная, не худая и не полная, а какая-то костистая, жилистая, квадратная. Широченная спина и длинные руки. При этом маленькая голова и большой размер ноги. Плохо прокрашенные волосы, собранные в пучок. Широкие брови, сросшиеся на переносице. Маленькие и цепкие глаза. Рот в недовольной гримасе. Узкая полоска темных усов. Серая юбка, серая кофта. На шее крупные бусы из самоцветов.

– Ой, – сказала моя наивная Ириша. – К Леве мама приехала.

– Не думаю, – ответила я.

– Риммуля? – У моей подруги расширились глаза.

Я со вздохом кивнула.

Нет, конечно, ничего особенного. Я знаю вполне счастливые браки, где жена прилично старше мужа. Разве дело в возрасте? Риммуля нас просто обескуражила и разочаровала. Мы ожидали увидеть прелестницу, зрелую симпатичную женщину, милую, с улыбкой на лице, нежно воркующую с любимым мужем.

А Риммуля сидела с кислой мордой, недовольно ковыряла в тарелке и что-то выговаривала своему муженьку. Лева, нервно подпрыгивая, побежал к раздаче. Подтащил новые блюда, с тихим ужасом ожидая Риммулину реакцию. Супруга опять поковыряла в тарелках, нервно и резко встала и пошла к выходу. Лева – естественно – бросился за ней.

Мы вздохнули. Были повержены наши иллюзии о красивой любви, оскорблены эстетические чувства. Мы задумались о несправедливости жизни. Сколько наших знакомых, умниц и красавиц, тосковало в одиночестве! Сколько маялось с неверными мужьями! Сколько мечтало о близком человеке – пусть немолодом, небогатом, некрасивом, с тяжелым рюкзаком проблем за спиной. Только чтобы был! Свой, родной, понятливый и верный.

А тут... Ириша начала рассуждать: ну, может, умная. Образованная. Хозяйка-умелица. Или – пылкая любовница.

Нет. Ничего не срасталось. И даже не хотелось предполагать. Крыса она и есть крыса. Просто потому, что противная. И это видно невооруженным глазом. А уж нашим-то вооруженным – и говорить нечего.

Наверное, он извращенец, заключили мы. Или в детстве ему недодали материнской любви. Нет, опять не срасталось. Левчик рассказывал нам о прелестной маме-искусствоведе, о папе-балетмейстере и бабуле – профессоре медицины.

Так что опять не то. Значит – любовь. Больше ничего мы придумать не могли. Фантазии не хватало.

На следующий день мы повстречались на терренкуре. Лева нежно вел свою крысулю под руку. С нами он не раскланялся – незаметно кивнул и отвел глаза. От Риммули сей жест скрыть не удалось, и она громко и грозно спросила:

– Кто это? Что еще за бабы?

Лева жарко оправдывался. Вот гад, возмутились мы. Терся возле нас целую неделю. Рассказал про себя все, до точки. Даже то, что и говорить не следовало. Про семью, работу и, конечно, про свою неземную любовь к Риммуле. И надо нам было выслушивать все эти бредни! Терять время! А ведь покоя не давал! И в город за нами, и в кафе, и в магазины. И на завтраке, на обеде и ужине. И спал с нами вместе! В смысле – рядом, на релаксации, под Брамса и глубоководных рыбок!

Ладно, черт с ним. Пусть пресмыкается перед своей цацей. Его воля. А мы-то точно переживем!

Теперь при встрече с нами Лева просто отводил глаза. Наказали, наверно. А может, она его бьет? Крупная ведь, жилистая. Руки, как у мясника. Двинет нашему худосочному бывшему другу, и запутается Лева в своих тонких ногах.

А Риммуля уже вовсю скандалила с официантками, горничными, медперсоналом, тренерами в бассейне и методистами на лечебной физкультуре.

Про нее говорили весь «контингент» и вся обслуга. Ее тихо ненавидели, но предпочитали не связываться – себе дороже. Правда, нашлась одна смелая медсестра. Она и посоветовала Риммуле сделать полное очищение кишечника. А вдруг поможет?

В ювелирном через окно мы увидели, как Риммуля скупает самоцветные бусы и стучит ребром ладони по прилавку. Видимо, настаивает на скидке. Продавщица бледнела и закатывала глаза. Вышел директор. Скидку, судя по всему, Риммуле сделали. Думаю, еще полчаса – и началась бы тотальная распродажа. Со скидкой до семидесяти процентов. Или – «Скорая» для директора и продавщицы.

Риммуля вышла из магазина с гордо поднятой головой, сильно хлопнув дверью.

За скандальной дамой, путаясь в ногах, плелся наш незадачливый знакомец.

Риммуля любила пить минералку из источника. Хлебала стаканами. Но, похоже, желчь все равно застаивалась и транспортировалась плохо.

Лева по-прежнему избегал нашего общества. Просто драпал со всех ног, завидев нас, ни в чем не повинных. А мы его уже только жалели. По-матерински – вот ведь влип, дурачок. Оставалось лишь наблюдать, как он надевает ботинки на корявые ножки любимой и ждет ее с полотенцем у бассейна.

А через неделю Риммуля, недовольная всем и вся, решила ехать на родину. Но! Оплаченный срок еще не вышел, и она начала требовать возврата денег. На путевке было написано крупными буквами: «Деньги не возвращаются». Всем не возвращаются, а вот Риммуле возвратились. После суточного пребывания у кабинета директора. Думаю, что вернул он из своих, оставив себе шанс не рухнуть с инфарктом и не сесть за убийство. Хотя, думаю, его бы оправдали – слишком много народу пошло бы в свидетели.

Риммуля гордо уселась в такси. На переднее сиденье, разумеется. Лева загружал чемоданы в багажник, пыхтел и потел. По-моему, ему тоже хотелось в багажник, рядом с чемоданами. До города все-таки почти три часа езды.

И наступил рай. Все, свободно вздохнув, расправили плечи. Даже сдержанный и холодноватый прибалтийский персонал горячо полюбил нас, оставшихся.

Мы проводили последние светлые денечки. Впереди – дом, работа, мужья, родители и дети. А еще кастрюли, сковородки, пылесос, швабра, унитазы, раковины, гладильная доска и далее – по списку. В общем, впереди – жизнь. А значит – заботы, хлопоты, переживания. Что поделаешь! Праздники реже, чем будни.

Мы бегали по магазинам и докупали подарки. Сыр, соленая и копченая рыба, хлеб (такого у нас точно нет), домашние колбасы. Пусть порадуются наши любимые! А вместе с ними и мы – отдохнувшие и довольные. Жалко, конечно, быстро пролетело времечко. Но не надо наглеть – спасибо и за это. В поезде мы настроились на встречу с родней и поняли, как соскучились по своим кровососущим.

Хорошего понемножку. Жизнь не праздник, но труд.

Про Левушку и его Риммулю мы больше не вспоминали. Много чести!

Но это не конец истории о слабом, подневольном подкаблучнике, тряпке и размазне, позволяющем противной хамской тетке сесть себе на шею.

Прошло года четыре. Москва, как известно, город маленький. Точнее – не мир тесен, а круг тонок.

День рождения моей подруги. Она – человек кинематографический, известный сценарист. Бытописатель наших дней – сериалов «за жизнь». Правда, довольно приличных, серий максимум на десять, а не на триста пятьдесят.

Публика в основном киношная – режиссеры, актеры, художники и операторы.

Огромная квартира на Страстном, доставшаяся от дедушки-дирижера. За столом не сидят – фуршет. Замечаю: едят мало, пьют куда усердней. Все беспорядочно перемещаются из комнаты в комнату – этакое броуновское движение. Разговоры на профессиональные темы и сплетни, сплетни,

сплетни. Кто-то уходит, но появляются новые, только пришедшие люди.

И вот – в комнату вплывает пара. Он снимает запотевшие очки, протирает их, близоруко оглядывает гостей.

Левушка! Несомненно – он. Впрочем, изменился мой знакомец мало: та же бородка, беспомощные голубые растерянные глаза. Джинсы, яркий свитер, пестрый шарф. Но! Рядом с ним не Риммуля, а совсем другая спутница: молодая, стройная и очень симпатичная женщина примерно тридцати пяти лет. Она заботливо снимает с Левушки шарф, нежно гладит мужчину по руке и заглядывает в глаза. Тот, складывая губы в скобочку, со вздохом кивает. Спутница делает рывок к столу, хватает тарелку и начинает накладывать на нее закуску: бутерброды-канапе, тарталетки с салатом. Потом оглядывает комнату орлиным взором и замечает пустое кресло. В секунду она почти прыжком бросается туда и занимает место. Левушка неспешно к ней подходит. Она вскакивает и усаживает его. Сама устраивается на подлокотнике и принимается кормить своего приятеля. Еще один забег к столу, почти прыжок, за салфеткой, а дальше – продолжение кормления из нежных рук.

Она сосредоточенна, брови сведены: крошки смахнуть, одну салфетку постелить на брюки, другая для рук. Ну просто мадонна с младенцем. Заботливая и трепетная мать.

Она наклоняется над ним и что-то шепчет. Левушка опять вздыхает и мотает головой. Видимо, наелся. Она приносит кусок торта и бокал вина. При этом сама – ни крошки, ни глотка.

Потом она устремляется на кухню и возвращается с чашкой кофе. Левушка морщится и нюхает. Она нервничает. Левушка делает глоток и кивает. Вижу улыбку счастья на ее лице. Взгляд затуманенный и умиротворенный. Мальчик покушал и попил. Ура!

Левушка меня не узнает. А точнее – не видит. Народу тьма, дымно, шумно и громко.

Сквозь людские дебри я продираюсь на кухню. Моя подруга заваривает чай. Ее постоянно дергают, и видно, что она притомилась.

– Сделала бы в кабаке, – сетую я. – Деньги те же, а хлопот ноль. Теперь вот жди, пока все пожрут, напьются и кто-нибудь уляжется спать. Завтрашний день тоже обещает быть веселым – всех и сразу не выпрешь.

Подруга вздыхает и говорит, что в принципе я права. Но ресторан – это пошло. Там не будет прелести общения, близости и домашнего уюта. Камерности – вот чего не будет.

Ладно, вольному воля. Но подругу мне искренне жаль, и я помогаю ей накрыть сладкий стол.

– С кем-нибудь познакомилась? – интересуется она.

Отвечаю, что нет. Суетливо, да и вообще – чужая свадьба. Но в целом – богемно и очень мило.

В комнате киваю на Левушку, дремлющего в кресле.

– Вот его знаю, – замечаю я.

Подруга не удивляется – мало ли кто кого знает.

Бросает небрежно:

– А, Каминский...

– А где его чудище? – интересуюсь я.

– Кто? Риммка, что ли? – уточняет подруга. – Так она его бросила. Года два назад. Объяснила, что ей нужен мужчина обстоятельный, а не этот лютик. И такой нашелся. Старый пень, генетик какой-то. Не бедный – своя лаборатория, кафедра, производят что-то. Со стволовыми клетками связано. Дача – гектар земли. Квартира на Тверской, прислуга, водитель. И зачем ей наш хмырь Левка? Его тогда из петли вынули. А он всех обнадежил, что жить все равно не будет. Сидит на антидепрессантах.

– А девица его? Не спасает от прошлой любви? – уточнила я.

– Кобенится он, – вздохнула подруга. – Девка хорошая, звуковик. Ушла от мужа, ребенка отправила к маме. Порхает над ним, как бабочка над цветком. Супчики варит, рубашки

гладит. А этот примороженный нос воротит. На ночь ее не оставляет – любит спать один. Девка мается, рыдает, хочет от него ребенка. А какой ему ребенок? Сам с собой не справляется. Вот и отыгрывает он на ней свои старые комплексы. Знаешь, мужики сейчас... Говорить не о чем. Вот половина присутствующих, – она оглядела комнату, – ноют, скулят, живут за счет баб и этих же баб гнобят и изменяют им.

– Ну, это у вас так, – возразила я. – Богема, артисты, творцы. Есть же люди реальные, без тараканов.

– Где? – подруга бросила на меня грустный взгляд. – Покажи место!

Ответить было нечего. Увы! «Бедный, бедный Лева, – подумала я. – Дурак, конечно, но все равно жалко. Человек образованный, способный и невредный».

Я заторопилась домой. Захотелось на воздух, в тишину и покой. К телевизору, где, возможно, идет очередной сериал по сценарию моей подруги, в котором непременно есть сильные мужчины, готовые за все отвечать, брать на себя решение любых проблем, дарящие своим женщинам цветы и билеты на круизы по теплым морям, бросающие легким и красивым жестом на кровать блестящие шубы. Таинственно достающие из карманов итальянских пиджаков бархатные футляры с браслетами и колье. Отрезающие изящной гильотиной кончик кубинской сигары со сладким запахом. Где в конце концов достается все Золушке-горничной, поначалу блеклой и незаметной, но к концу фильма золотоволосой, яркоглазой, доброй и бескорыстной. А гадина жена, алчная и неверная, переходит в разряд бывшей. Где все – справедливо и по-честному. Плохому человеку станет обязательно плохо, очень показательно и наглядно, а уж хороший получит все и по заслугам – тоже показательно и очень наглядно.

В общем, как в кино.

И совсем не так, как в жизни. К большому нашему сожалению.

Слабак

Человек, который презирает себя, всегда презираем другими. Так что все правильно. По заслугам. Сам выстроил свою жизнь и судьбу. Судьба – это характер, характер – это судьба. У Алексея ничего в жизни не получилось. Ни-че-го! А ведь какие надежды подавал! Правда, давно – в детстве и ранней юности. Говорили – талант. Правда, так считала лишь родня – мама, отец. И конечно же, Тёпа. Разумеется, никакой он не талант. Но способности были. Надежды, способности... И где это все? Вот где? В какие бездны кануло? Куда? Неизвестно...

Пыль, туман – испарились. Нужен характер – вот это и есть главная правда.

Не зря говорят: характер – это судьба.

А характера не было... Совсем. Слабак, он и есть слабак, таким и останется.

По счастью, Надежда, жена, ни разу не видела, как он плачет. Сядет на бортик в ванной, воду посильнее и – ревет. Мужчины не плачут, мужчины огорчаются. А он – ревел.

А что обижаться на правду? Жена не должна говорить такие слова?

Не должна, правильно. Но и мужик не должен быть слабаком! Так получается?

Ну, и все остальное: не оправдал ее надежд, нечем гордиться, а вот у других... и т. д. и т. п.

И снова права! Умная баба, в этом ей не откажешь. Умная, сильная.

А что правду-матку лепит в глаза – так она всегда ее лепит! Всем и всегда. Характер такой. Нрав крутой, это да.

Алексей однажды слышал, как она дочери говорит: «Все в жизни уравновешено. Рядом с сильными – слабые. Так и у нас. Да и потом, – тут она рассмеялась, – будь на месте твоего отца настоящий мужик... Да разве бы мы ужились? Лбами бы бились не на жизнь, а на смерть».

Всю жизнь Алексея мучил вопрос: почему она не ушла? Красивая, умная, смелая? Мужики, глядя на нее, шеи себе сворачивали – даже когда ей было уже хорошо за сорок.

Высокая, крепконогая, широкобедрая. Волосы русые – косу на затылке закручивала, а та все равно распадалась – тяжелые волосы.

И брови вразлет – широкие, длинные, к вискам. Глаза серые и очень серьезные, но смешливая – рассмеется, и из глаз словно брызги.

Вернее, когда-то была смешливой.

Учились они в параллельных группах. Он помнил ее пышную юбку в синих цветах – шла она по коридору, и юбка закручивалась вокруг сильных ног. Она злилась, одергивала. А потом вдруг рассмеялась и глянула на него: «Что, может, снять? Ткань дурацкая – липнет и липнет! Дурацкая – потому что дешевая!»

В голосе ее были злость и раздражение.

И посмотрела на него вопросительно, словно ожидая совета.

Он растерялся, почувствовал, что залился свекольным соком, выдохнул и вдруг, неожиданно для себя самого, произнес: «Если вы ее снимете, будете еще прекрасней! Я убежден!»

От удивления она широко распахнула глаза, растерялась и хмыкнула: «Смело!» Потом рассмеялась: «Думаю, это не всем понравится! Так что буду мучиться дальше!..»

Не кивнув на прощание, она снова раздраженно одернула юбку и, чертыхаясь, быстрым шагом пошла по коридору к аудитории.

...Очнулся Алексей от тычка в спину.

— Что застыл? — заржал одногруппник Валька Петров. — Понравилась цаца? Ничего бабец, а?

— Да ладно тебе, — смутился он. — Цаца... как цаца. Кстати, а кто она? — Алексей изо всех сил пытался скрыть волнение в голосе.

— Надька Смирнова. Не баба — огонь! Огнемет просто. Не дай бог попасть под струю! Спалит без остатка! — И Валька громко заржал. — Сибирь, батенька! Там они все такие, — тихо продолжил он и почему-то вздохнул.

Так и расстались. Только с тех пор не выходила Надя Смирнова из его головы. В коридорах всматривался, башкой вертел по сторонам — вдруг снова увидит?

Встречались, конечно, сталкивались — то в столовой, то в гардеробной, то в холле, то на объединенных лекциях.

Она как будто его не узнавала. Впрочем, кого узнавать-то? Ну перебросились фразами в коридоре, и забыла, наверное. Тоже мне — повод!

Нет, было однажды — он осмелел! Сам удивился своей прыти.

В столовой встал прямо за ней. Подвинулся — так близко, что услышал запах ее волос — едва уловимый аромат сладкого шампуня.

Надя, наверное, почувствовала его близкое присутствие и дыхание, резко обернулась и чуть покраснела.

– С юбкой порядок? – От смущения и страха он совсем «распоясался».

Она чуть сдвинула брови, словно вспоминая, и через минуту кивнула:

– Да, на помойке она! Нервомотка моя!

Но тут же отвернулась и заговорила с подругой, обсуждая, что брать на обед – щи или лапшу.

Алексей завороженно смотрел, как она шла с подносом, выискивая свободное место. Статная, гордая. Взгляд – мимо всех.

На него Надя больше не посмотрела.

«Безнадежно, – подумал Алексей. – Где она и где я?»

На ее орбите никогда не будет таких... Робких, трусоватых, нескладных, неловких.

Да и быть не должно. У таких женщин – свои герои. Куда уж ему?..

* * *

Дом свой он любил. И семью свою тоже. Жили они в старой, даже древней, квартире – дому было под сотню лет – девятнадцатый век.

Построен он был как доходный – квартиры всегда сдавались внаем.

Квартиры были разные – большие и не очень. После экспроприации дом был поделен на коммуналки, а квартиры – на крошечные клетушки.

А им повезло – дали отдельную. Ну понятно что по «заслугам» – дед был известным физиологом, учеником Павлова.

В тридцатые деда «сохранили» – ограничились только «шарашкой».

Бабка, вторая дедова жена (первая, мать его сына, скончалась при родах), была тоже не «фунт изюму» – писала детские книжки про беспризорников, взращенных в детских домах и попавших в «большие люди».

Власть она не славила – искренне в нее верила, была коммунисткой ярой и убежденной.

К тому же и сама детдомовка, у которой «все получилось».

Деда Алексей не застал, а вот бабка Анна Васильевна жила долго, до конца шестидесятых. На стене в ее комнате висели в ряд Ленин, Сталин и почему-то маршал Жуков – любимый герой. И ни одного портрета писателя у нее, собственно тоже писателя, не было.

Видимо, не нашла она среди собратьев героев.

К неродному сыну, отцу Алексея, она относилась неплохо – ну, как могла. Нежности презирала, ласки и поцелуи были запрещены, баловство, разумеется, тоже. Но относилась к пасынку ровно и заботилась о нем от всего своего неласкового и строгого сердца.

Квартира была трехкомнатной плюс темная комната, как ее называли. Подростком он узнал, что это была комната прислуги. Темной, кстати, она не была – высоко под потолком находилось окошко – узкое и длинное, нестандартное, выходящее на внутренний двор.

Поначалу там хранился всякий хлам, который бабка Анна не давала снести на помойку. А после ее смерти «темная» была очищена и разобрана – и в четырнадцать лет на законном основании там поселился Алексей.

Встали в «темную» только узкая «мальчиковая» кровать, тумбочка и венский стул. Книжные полки он прикрутил сам – что еще нужно?

Бабка Анна занимала среднюю комнату – полукруглую, окнами во двор, – самую уютную и самую теплую. После ее смерти она и стала родительской спальней.

В большой была столовая, как говорила о комнате бабка. Но функций своих она не выполняла – ели по привычке на кухне, так что столовая почти всегда пустовала – мать не любила бабку Анну, побаивалась ее и старалась без дела с ней не контачить.

Собирались на кухне, широкой, квадратной, с окном во всю стену и огромным овальным столом. Бабка сидела во главе, всегда на своем месте – попробуй займи! Даже в ее отсутствие это в голову бы никому не пришло.

На кухне стоял темный буфет с резными дверцами и толстенными мутными стеклами, в нем держали посуду и сладости: конфеты, печенье, фрукты. Сладости контролировала бабка Анна.

Готовила мать – бабка к хозяйству отношения не имела. Сидела она в своей комнате, читала газеты, что-то записывала в свои многочисленные рыхлые блокноты и слушала радио.

В третьей комнате, самой маленькой, жили родители.

А потом появилась Тёпа.

Позже он понял: бабка Анна Васильевна была аскетом – истинной дочерью своего времени. После ее смерти, разбирая ее барахло, были обнаружены две суконные юбки – коричневая и черная. Две блузки – белая, в желтизну от стирок и старости, и темная, из серой фланели, с катышками на рукавах и воротнике. Две пары ботинок – разношенных, со сбитыми каблуками и ветхими, растрепанными шнурками. Двое нижних панталон из бязи и байки и один бюстгальтер с поломанными крючками. Пальто из коричневого драпа висело в прихожей, рядом с «пыльником» из серого сукна на пластмассовых «обкусанных» пуговицах. Там же, в прихожей, торчал вечный зонт – черный, с потертостями на спицах и деревянной ручкой с облезлым лаком.

На комоде в бабкиной комнате не было ни пузырька с одеколоном или духами, ни коробочки с пудрой, ни самой скромной брошечки, ни сережек, ни колечка.

Только дешевые часы на дерматиновом ремешке. И всё!

Столешница старого тяжелого комода была накрыта не салфеткой, не скатеркой, а куском старого и мутного плестигласа, под которым хранились пожелтевшие газетные вырезки – то, что бабка считала особенно важным.

— Ничем себя не порадовала, — тихо сказала мать, складывая в мешки бабкины вещи. — Словно и не женщина жила, а что-то непонятное, природе неизвестное, что-то среднего рода.

В комнате бабки еще долго стоял запах валерьянки, затхлости и чернил — писала она только старой перьевой ручкой.

После похорон и уборки в комнату бабки Анны переехали родители. В столовой была теперь гостиная — с телевизором «Рекорд», проигрывателем «Ригонда» и горкой с гостевой посудой — вот тогда и зажили, принимая гостей почти каждые выходные — мамину многочисленную родню, отцовских сотрудников и сотрудников матери.

Но продолжалось это недолго — только до рождения Тёпы.

Тот короткий отрезок жизни семьи — между смертью бабки и рождением Тёпы — был самым счастливым.

Мать расцвела, помолодела, со лба исчезла вечная суровая складка — бабкино присутствие довлело во всем, не давая ей, молодой женщине, почувствовать себя хозяйкой.

Из дома исчезли запахи лекарств, старой одежды и обуви. Окна теперь распахивались настежь (мать обожала свежий воздух, а бабка вечно боялась сквозняков). Засверкали натертые мастикой полы, заиграли хрусталики на новой люстре — материной гордости, доставшейся с неимоверным трудом и за немалые деньги.

Теперь в доме пахло пирогами, цветочными духами и жизнью. Все наконец начали *жить*.

Мать с какой-то одержимостью принялась готовить праздничные блюда — истосковалась по гостям, по общению, по веселому смеху.

Друзья родителей были людьми шумными, горластыми, вечно спорящими и с удовольствием выпивающими.

Спорили о международной политике и автопроме. Говорили о книгах, спектаклях – здесь подключались, конечно же, женщины.

Потом они уходили на кухню, махнув рукой на мужей – что с них взять, опять о политике, – и там продолжали свои бесконечные разговоры: дети, свекрови, наряды...

Отец приходил с работы и с удовольствием заваливался на новый диван в бывшей столовой. «Ох, красота!» – приговаривал он, листая газету и включая на громкий звук телевизор.

«Красота, и никаких нареканий!» – повторял он, поглядывая на мать. И они как-то загадочно переглядывались и почему-то смущались.

Больше всего Алексей любил понедельник. Придя из школы, в полном одиночестве, он с удовольствием прохаживался по квартире, врубал отцовский магнитофон и вместо супа доедал остатки с «барского стола» – чуть зачерствевшие пирожки, квадратики студня, селедку «под шубой» и одиноко плавающие на дне трехлитровой банки маринованные помидоры.

Жизнь была прекрасна – что и говорить!

После такого сказочного обеда Алексей заваливался на отцовский диван и быстро засыпал. Проснувшись, бежал во двор, к мальчишкам. Погонять мяч. За уроки садился только к вечеру, к приходу родителей.

Летом иногда ездили на дачу в Валентиновку. Дача тоже была деда и бабки Анны. Стояла она запущенная, одряхлевшая – никто особенно ею и не пользовался. Большой участок густо зарос бузиной и осокой, яблони переродились, и толку от них было мало – одна только тень и прохлада.

Родители были людьми не дачными: мать говорила, что мыть посуду в тазике – морока и унижение. Дом был сырой, с продувными, щелястыми окнами. Печка давно осыпалась и рассохлась – ее требовалось подлатать, замазать

щели и побелить. Но... Заниматься всем этим «хозяйством», как раздраженно называл дачу отец, никому не хотелось.

Приезжали в субботу, а уже в воскресенье утром родители начинали торопливо и нервно собираться в Москву.

А ему – ему хотелось остаться! За участком было огромное футбольное поле и большое костровище – там собиралась дачная молодежь. Гоняли в футбол, разжигали огромный костер, пекли картошку, пели песни, гомонили, смеялись – до рассвета, до самого утра. Расходились по домам только часам к пяти.

Алексей тоскливо поглядывал на честную компанию и тяжело и обреченно вздыхал – он не был ни с кем знаком, так получилось.

А подойти к ребятам смелости не хватало – робел.

С дачи Алексей всегда уезжал с сожалением и какой-то легкой и непонятной ему грустью. Словно опять не оправдались надежды – какие, правда, он не совсем понимал.

Так продолжалось три года. До самого рождения Тёпы.

Пока мать ходила беременная, Алексей нервничал. Конечно, ему хотелось брата.

Алексей рисовал себе мысленно, как он защищает его во дворе и в школе, как учит собирать металлический конструктор – грузовики и подъемный кран.

Как читает брату книжки – свои любимые, разумеется.

Про рождение девчонки, сестры, Алексей и не думал. С девчонками ему было все непонятно. Совсем непонятно. Да и несолидно как-то – сестра!

Нет, «брат» звучит лучше! Да и что делать с девчонками? Он решительно этого не понимал. Глупость какая-то: куклы, пластмассовая посудка, бантики, рюшечки...

Алексей наблюдал за девчонками во дворе: сидят, дурочки, крошат в кастрюльки подорожник, помешивают ложечкой, а потом суют пластмассовой уродице в рот и еще приговаривают: «Кушай, Ира! А то отлуплю!»

Или на нитку нанизывают ягоды рябины, а потом хвалятся, чьи бусы лучше. Чушь какая!

Сплетничают, хихикают, хвастаются и вечно чего-то придумывают! Интриганки!

Всякие глупости, честное слово!

Что ему делать с сестрой? Нет, ерунда получается! Пусть будет брат!

Отец отвез маму в роддом в самом начале марта. Она почему-то странно прощалась с ним, будто уезжала навсегда. Плакала, прижимала его к себе и все время повторяла, чтобы он «был человеком».

Она часто шутила: «Баранкин, будь человеком!»

Был такой мультик. Но тогда она говорила серьезно, безо всяких шуток – так ему показалось.

Наконец отец оторвал ее от сына и, обняв за плечи, осторожно и нежно вывел за дверь.

У двери мать снова метнулась к сыну:

– Лешечка! – закричала она. – Суп в холодильнике, а тушеное мясо на балконе!

– Знаю, мам! – буркнул Алексей. – Ты мне уж сто раз говорила!

Мать разрыдалась, и отец даже прикрикнул на нее, что случалось совсем редко.

Мать положили, отец уехал на службу и каждый час звонил ему: «Лешка, ты как?»

Вечером, после работы, отец пришел хмурый и раздраженный. Ужинать отказался – не хочу.

Курил у окна и беспрестанно названивал в справочную родилки.

Сын ничего не спрашивал, помалкивал. Лишний раз раздражать отца не хотелось.

Гулять он не отпрашивался, сидел у себя и делал уроки.

Наконец услышал радостный вопль отца и выбежал из комнаты. У двери они столкнулись, и отец, счастливый, с трясущимися руками, крепко сжал его плечи и без конца повторял: «Слава богу, Лешка! Все окончилось, слава богу! И теперь, брат, у тебя есть сестра!»

Он отодвинулся от растерянного сына и внимательно посмотрел на него: «Слышишь, сестра! Девулька у нас родилась, Алексей!»

А он только мотнул головой – дескать, «понимаю, да... Ну, что делать – значит, сестра».

Разочарованию Алексея не было предела. Расстроился он до слез – ну, или почти до слез.

Отец удивился и даже растерялся:

– Ну что ты, Лешка?! Это ты из-за того, что не пацан, а девчонка?.. Ну и дурачок ты у меня! Из-за девчонки расстроился! Дурачок, честное слово! Это ж так здорово – ты что, не понял? Еще одна красавица в нашем доме прибавилась! Дееевочка! – распевно произнес отец. – Лапочка, красавица! Как мама наша, уверяю тебя! А ты – ты защищать ее будешь! От всех невзгод. Так брату положено, ты понимаешь?

Алексей вздохнул и согласно кивнул: «А куда ж ее теперь? Не выкинешь же. Только защищать и осталось».

И отец, вытерев ладонью влажные глаза, счастливо и громко расхохотался.

Из роддома мать и сестру забирали через пять дней.

Мать была бледная, похудевшая и снова горячо обнимала Алексея и вглядывалась в его лицо, словно видела его впервые.

Девочку, его новоявленную сестру, положили на обеденный стол и распеленали.

И тут она совсем разочаровала Алексея: ножки и ручки тонюсенькие, хлипенькие. Личико сморщенное и ярко-красное. Глаза прищурены и бессмысленны. И волосики, очень темные и густые, были влажными, словно примазаны маслом.

Ему стало неприятно смотреть на младенца, и Алексей вышел из комнаты.

В комнату к нему зашел отец, сел на стул, вздохнул и сказал:

– Сын! Мы очень любим тебя! Очень, слышишь? Но... Девочку эту, твою сестру, мы тоже уже очень любим! Потому что... Нормальные родители любят своих детей! Одинаково любят – ты меня слышишь? И доченька наша еще будет красавицей! Все грудничка, знаешь ли, выглядят сначала как-то... не очень. Ты тоже, брат, Аполлоном не был – ты уж прости! В общем... – отец встал и хлопнул себя по коленям. – В общем, еще как будешь ею гордиться! Помяни мое слово! Больше всех любить будешь эту... малявку!

«Ага, как же, – подумал Алексей, – больше всех! Ну, уж не больше мамы, наверняка!»

И он уверенно усмехнулся.

Сестру назвали Наташей. Спрашивали и его, Алексея, мнение, но он невежливо отмахнулся: «Мне все равно! И вообще, в женских именах я ничего не понимаю. Наташа – значит Наташа!»

Она, конечно, ему мешала – громко орала по ночам, например. Он даже удивлялся: как из такого крошечного тельца вырываются такие отчаянные децибелы?

В ванной теперь всегда стоял в ожидании отца большой старый таз с замоченными пеленками.

Пеленки, конечно... воняли. А когда Алексей увидел на ползунках ярко-желтые, похожие на горчицу следы, его вообще чуть не вырвало.

Теперь у сестры глаза были открыты. Они оказались темно-синими, в обрамлении длинных черных ресниц.

Смотрела Наташка на все внимательно, изучающе – на люстру, потолок, подвешенные к кроватке погремушки.

Близко он не подходил, изучал сестренку со стороны, поодаль.

А как-то все же пришлось подойти. Мама выскочила «на минутку» за хлебом и строго наказала: «Если Наташка начнет выступать – подойди и дай соску! Только руки помой, слышишь?»

Ну и, конечно, как назло, как только за матерью закрылась дверь, сестра развопилась.

Алексей нехотя подошел к кроватке сестры, увидел ее сморщенное личико, искаженное гримасой рыданий, и грубо спросил: «Ну, что там у тебя случилось?»

Вдруг малышка замолчала, удивленно уставилась на него, и пару минут рассматривала его с интересом. А потом вдруг улыбнулась.

Улыбнулась широко, обнажив блестящие голые десны, и радостно задрыгала ножками.

Брат тоже посмотрел на нее с удивлением – с большим удивлением, надо сказать. И увидел, что она очень хорошенькая – синеглазая, чуть курносая, с забавными ямочками на щеках.

Наташка и вправду была похожа на маму... Получается, отец его не обманул.

Считалось, что Алексей тоже похож на мать. Он подскочил к зеркалу и стал внимательно разглядывать себя.

Дааа... Похож. В смысле, он – на маму, и сестра – на нее же. Получается, что они с сестрой тоже похожи?..

Ну, совсем интересно!

Алексей снова подошел к кроватке, и Наташка опять заулыбалась ему.

– Ну, – все так же грубовато произнес он. – Чего лыбишься?

И, взяв погремушку, погремел ею перед носом малышки.

В этот день все и переменилось. Теперь, возвращаясь из школы, Алексей торопливо мыл руки и бежал к ней, к своей сестренке. А она, едва увидев его, тут же прекращала любые свои притязания, и даже самый громкий плач внезапно прерывался.

Слезинки дрожали и блестели на круто загнутых густых ресничках, и снова улыбка «до ушей», как говорил он.

Слабак

Когда Наташе исполнилось шесть месяцев, мать разрешила брать сестру на руки.

– Только осторожно! – каждый раз повторяла она. – Маленькие дети – они такие верткие! Не успеешь и охнуть, как она уже на полу окажется!

Но сестра не была верткой – на его неловко сложенных руках она сидела спокойно. А однажды положила головку на плечо брата, и Алексей почти задохнулся от внезапно накатившей нежности. И тогда впервые почувствовал и любовь, и ответственность за нее. И еще – какую-то смутную и тягучую, непонятную тревогу...

...Счастливая жизнь их семьи закончилась, когда Наташе исполнилось три года. Она заболела. Вначале это был обычный грипп. Переболели и отец, и мать. Держался только он, Алексей. Почему-то болезнь его пощадила.

И тут заболела сестра. Казалось бы, все прошло, как проходят простуды, всякие вирусы и даже противный и опасный грипп. Но через пару месяцев Наташка вдруг перестала вставать на ножки. Потом из ее ладони выпала чайная ложка, которой она ела кашу. Потом рука не удержала маленького пластмассового пупса. Дальше – зубную щетку... Мышцы маленькой девочки вдруг потеряли всякую силу – словно выключились из жизненного процесса.

И началось... Больницы, институты, всевозможные светила, предложенные знакомыми. Диагноз поставили почти сразу, но... Родители верить отказывались и продолжали свои бесконечные и изматывающие походы по врачам. А дальше – по знахаркам и даже колдуньям.

Мать и отец сдали резко: мама перестала закрашивать появившуюся седину, делать завивку и маникюр. Она вообще махнула на себя рукой – по дому ходила в старом халате с проплешинами на локтях и карманах.

Отец тоже здорово сдал. Нещадно смолил на балконе, молчал и часто смотрел в одну точку.

В дом пришла беда. И самое страшное, что эта беда не имела конца – прогнозы на болезнь девочки были неутешительны. Навсегда... Какое страшное слово!..

Ходить не будет, держать ложку – вряд ли. Да, мозг не затронут. И речь в порядке, но... В доме появился тяжелобольной человек, беспомощный инвалид – это надо понять и принять.

Но принять такое было сложно. Порой казалось, что жизнь закончилась. Нет, конечно, она продолжалась. Казалось бы...

Но, это была совсем не та жизнь, которой они жили прежде. Смех из дома исчез – как не было. Поездки и отпуска не планировались. Теперь говорилось только о санаториях для Наташи. Окна не распахивались, как раньше. И в них не врывались свежий ветерок, запах весны, гомон улицы, перезвоны трамваев и пение птиц.

Мать стала всего бояться: свежего воздуха – не дай бог, Наташа простудится! Гостей – они потревожат покой дочери, да и вообще... Разве им сейчас до гостей?..

Теперь их гости – массажистка из поликлиники, медсестра, делающая Наташе уколы, и пожилой профессор-невролог, которому мать «доверяла».

Алексей тоже страдал. Вместе с родными. Конечно, ему было жалко мать и отца. Разумеется, он жалел эту девочку, свою сестру, которую уже успел полюбить. Ну, или почти полюбить. По крайней мере, он к ней привык.

Но еще больше он ее... стеснялся! В доме все, разумеется, знали: у Сосновских несчастье, дочь – инвалид. И за что им такое? Приличные люди, хорошая семья. Конечно, беда. И девочка славная – хорошенькая такая, синеглазая, улыбчивая. Ресницы стрелами, ямочки на щеках. Чудо, а не девочка! А такая беда...

«Нет в жизни справедливости, нет, – причитали старушки на лавочке у подъезда. – Какая была семья...»

Молодые молча отводили глаза. Пацанва во дворе и девчонки смотрели на него, Лешку, с сочувствием – вот ведь не

повезло!.. Но молчали. Никто никогда ничего не спросил – за это спасибо.

Позже, когда Алексею исполнилось лет четырнадцать, стыд и неловкость отошли – наверное, повзрослел. Теперь он был готов защищать, оберегать, обороняться ото всех, кто может обидеть, затронуть его женщин – маму и Тёпу, его сестру.

Кстати, Тёпой назвал ее Алексей, когда она как-то не удержала в руке легкую пластмассовую кружечку с киселем. К тому времени они уже многого добились: сестренка самостоятельно ела, держала вилку и ложку, могла отломить кусочек хлеба и удерживать чашку с холодным (горячий чай давать ей пока боялись – вдруг разольет, обожжется?).

Алексей вздохнул, взял тряпку и стал подтирать, приговаривая: «Эх ты, Тёпа-растепа! Ну, не реви! Это всего лишь кисель!..»

И она улыбнулась: «Вот точно – Тёпа-растепа! И как вы меня еще терпите?..»

Алексей поднял глаза и увидел слезы, которые катились по ее щеке:

– Да ладно тебе, Наташка! Делов-то – с копейку!

Она кивнула и отвернулась.

И в этот момент у Алексея впервые в жизни заболело сердце. И еще он понял, что девочку эту, свою сестру, свою Тёпу-растепу, он никогда не оставит. Никогда и ни за что! Потому что...

Да что говорить...

Человек ко всему привыкает. Даже к самому сложному положению дел. Приспосабливается. Конечно, вся жизнь их семьи была по-прежнему завязана на Тёпе и ее болезни. И прежней жизни, как оказалось – совершенно беззаботной и радостной, – у них уже больше не будет никогда. Но... жили. Жили в новых обстоятельствах, приноровились, как говорится.

Мать боролась с болезнью дочери самоотверженно, как любая хорошая мать. На себя она давно махнула рукой. Теперь быт, удобства, распорядок – весь хронометраж их жизни подчинялся только болезни.

Летом мать и сестра уезжали в санаторий – на грязи. Наташка и вправду приезжала окрепшая, порозовевшая. Хвасталась своими успехами: как ловко она держит ложку, как сама надевает футболку, как расчесывает волосы.

Наташа много читала. И Алексей таскал ей книжки из школьной и районной библиотек.

Когда ей исполнилось двенадцать, купили коляску – выносить девочку на руках стало уже тяжело.

Алексей спускал коляску по лестнице – в лифт она не входила, – а сестру сажал на спину и таким образом они заходили в лифт.

Наташка дула ему в ухо, а он кричал на нее и грозил уронить.

Им было смешно. На улице брат аккуратно усаживал сестренку на ее «трон» и вез по улицам. Они любили ездить к метро – за мороженым и пирожками.

Уезжали далеко от дома, и мать про это не знала.

Потом это стало привычным. Алексей возил сестру в центр – на Арбат и на улицу Горького. Наташа любила поглазеть на людей и витрины. Это называлось у них выходом в свет.

Алексей видел, как она рассматривает молодых девчонок, своих ровесниц, пробегающих мимо. Громко смеющихся, нарядных и ярко накрашенных. И видел, как грустнеют ее глаза.

И у него опять начинало щемить сердце. От жалости и от любви.

Они делали передышку в каком-нибудь сквере, ели мороженое, крошили голубям белую булку, разглядывали прохожих и болтали о жизни.

Им было хорошо друг с другом. И никогда не бывало скучно.

Учителя приходили на дом. Наташка училась самоотверженно: старательно делала домашние задания, сама билась над сложными задачками.

Все в голос твердили: девочка повышенных способностей! Просто талант, да и только! Ну, почти во всех областях. И горестно вздыхали: поистине, бодливой корове бог рога не дает!..

В десятом классе Алексей твердо решил поступать в медицинский. Конечно, из-за сестры. Ну, или частично из-за сестры. Обосновал свое решение так: в доме всегда будет медик, знающий человек. Ну, и если что...

Мать грустно усмехнулась:

– Лешка! Ты что, собираешься с нами всю жизнь колупаться? Ну, ты дурачок!.. Какой врач в доме? Ты же женишься, у тебя будет семья! И врачевать ты будешь уже в своем доме. Впрочем, если решил – тогда действуй! Сыном-врачом я буду только гордиться!

А однажды Тёпа горячо прошептала ему в ухо: «Становись скорее доктором, Лешка! Может, хоть ты меня вылечишь!..»

Он чуть не заплакал тогда! И как только сдержался?.. Как сумел проглотить тугой комок в горле – не понял и сам.

Ну, и за дело! Алексей начал готовиться. К тому же химия и биология были его любимыми предметами.

...Во второй мед он поступил – правда, с натяжечкой: не знали до последнего – пройдет или нет. Не хватало полбалла. Но в последний момент все благополучно разрешилось.

Именно там, в институте, Алексей встретил Надю – в ее дурацкой и неудобной юбке. Влюбился сразу и насмерть – больше ни на кого смотреть не хотел. Учился хорошо, но звезд с неба не хватал, честно говоря. Да и в какой-то момент понял: хирургия – в любом ее проявлении – точно не для него. Не то чтобы он падал в обморок при виде крови или

задыхался в анатомичке – нет, этого не было. А просто... Ну, как объяснить? Просто не для него была хирургия. А он – не для нее.

Уже на третьем курсе решил, что профессию выберет спокойную и бескровную – терапию или, допустим, неврологию.

А еще лучше – сидеть бы где-нибудь в научном институте и заниматься наукой...

Все парни, разумеется, стремились именно в хирургию. На крайний случай – в урологию или гинекологию. Девчонки хотели попасть в ларингологи, дерматологи или окулисты.

Андрей же мечтал о Наде. Она была для него звездой недосягаемой, невозможной. Он даже и думать о ней не смел. «Да чтобы она! Да с ним! С эдаким середняком, незаметным и серым, ничем не выделяющимся... Хлипким и неспортивным...»

На четвертом курсе – точнее, первого сентября, после каникул – Алексей увидел Надю после долгой разлуки и вконец ошалел. Хороша она была пуще прежнего: загорелая дочерна, похудевшая. С какими-то шальными и тревожными глазами, словно узнавшая какую-то тайну, которая переполняла ее и от которой она задыхалась.

А в октябре Надя пропала. Пропала надолго, недели на две. Он подошел к ее подружке Мироновой и, краснея и бледнея, спросил, где, собственно, Надя.

Миронова посмотрела на него с усмешкой:

– Интересуешься?

Алексей пожал плечами:

– А что тут такого?

– В больнице была, – коротко бросила Миронова.

– А что с ней? Что-то серьезное? – испуганно спросил Алексей.

Миронова крепко затянулась сигаретой, посмотрела на него внимательно, словно изучая, и нехотя процедила:

– Ага, серьезное! – криво усмехнулась она. – Да такое «серьезное» для баб – как два пальца!..

Алексей стоял растерянный и ошарашенный.

– Не понял? – уточнила Миронова. – Ну, ты пентюх, Сосновский! А еще в докторишки стремишься!

Миронова бросила в урну окурок, развернулась и пошла прочь.

– Лен! Подожди! – крикнул Алексей и бросился вслед.

– А ей ничего не надо? Ну, в смысле, привезти там... Помощь, может, какая...

– Не надо, – отрезала Миронова. – Она уже дома. Почти оклемалась. Дня через три придет в институт.

Лена почему-то хихикнула и покачала головой, явно насмехаясь над ним.

А Надя и вправду появилась через три дня – еще больше похудевшая, бледная и замученная. На лекции Алексей искоса смотрел на нее, и она, заметив его взгляд, обернулась и как-то зло, раздраженно глянула на него, а потом резко отвернулась.

На улице, у урны, где собирались курящие, Алексей увидел Надю. Она тоже затягивалась сигаретой, но ни с кем не общалась – стояла чуть поодаль.

А потом быстрым шагом пошла к метро. Алексей догнал ее, тронул за плечо.

Надя обернулась резко:

– Чего тебе надо?

Алексей растерялся, неловко помолчал, а потом спросил:

– Может, помощь какая? А, Надь? Может, что-нибудь надо?..

Теперь Надежда внимательно, изучающе посмотрела на него – так, словно увидела впервые.

– Надо? – недобро переспросила она и задумалась.

Потом нервно рассмеялась и сама себе ответила:

– Да! Надо! И очень! Может, хочешь узнать что? В смысле – чего мне не хватает?

Алексей туповато кивнул.

– Уверен? – с такой же лихостью повторила она. – Не пожалеешь?

В ответ Алексей неуверенно мотнул головой.

– Ну, тогда слушай! – решительно начала Надежда.

Отца свалил тяжелый инфаркт. К счастью, удалось выкарабкаться, но работать ему категорически запретили. Инвалидность... Копеечная пенсия по той же инвалидности... Давно не работающая мать и инвалид Тёпа... Как жить? И на что? Нет, конечно, у Тёпы тоже была пенсия. Но все равно этого катастрофически не хватало.

Выручила смекалка: купили в долг вязальную машину, и мать начала вязать.

Вязала все: свитера мужские и женские, юбки, костюмы, рейтузы, шапки, варежки, шарфы. Но надо было еще доставать пряжу – вот в чем основная проблема!

Через знакомых нашли какого-то выездного мужичка, дипкурьера, и тот начал таскать из-за границы мохер. Для него это дело было очень выгодным – мотки были почти невесомыми, а стоили прилично.

Словом, процесс был налажен. Тёпа тоже пыталась помочь – придумывала фасоны и рисунки, и в этом, как и во всем остальном, преуспела.

Страдал только отец. Для него, работающего и абсолютно советского человека, подобная история была оскорбительна дважды: во-первых, он перестал быть добытчиком и кормильцем, к тому же оказался дополнительной обузой для семьи. А во-вторых, этот практически подпольный бизнес вызывал у отца брезгливость и страх.

В доме теперь пахло шерстью: она была разложена, размотана по стульям и дивану. Шерсть стала хозяйкой в доме. К матери приходили заказчицы – осторожно, оглядываясь. Вот чего боялись они? – Непонятно. Остерегаться должна была только мать.

Сварливой и вредной соседке по лестничной клетке бесплатно, в подарок, мать связала две кофты – чтобы просто закрыть ей рот, когда та намекнула на фининспекцию.

Денег в семье реально прибавилось. Уже не экономили так, как прежде. Правда, мать совсем падала с ног – Тёпа, отец и еще вязание...

Алексей тоже попытался помочь – устроился ночным грузчиком в булочную. Но от вечного недосыпа завалил пару зачетов, и родители настояли, чтобы с работы он ушел.

– Ты, главное, учись! – убеждали его родные. – Ты должен крепко стоять на ногах. Мы же не вечные, Лешка!

С Тёпой они по-прежнему были лучшими друзьями. Приходя из института или с больничной практики, Алексей первым делом заходил к сестре.

Присаживался напротив и начинал рассказывать, как прошел день.

Тёпа слушала его очень внимательно, не пропускала ни единого слова.

Комментировала, давала советы, высказывала свое мнение.

Иногда он просил у сестры совета. И снова, в который раз, удивлялся ее житейской мудрости и здравому смыслу.

А однажды рассказал ей про Надю.

– Она хорошая! – уверенно резюмировала Тёпа. – Думаю, мы с ней станем большими друзьями! Нет, я уверена: она – замечательная! Потому что мой прекрасный брат мог полюбить только самую лучшую!

И тут Алексей неожиданно для себя растерялся, и от неловкости только пожал плечами.

Тот разговор у метро потряс Алексея до глубины души. Горящие глаза Надежды, ее перекошенный рот, сведенные брови словно фотография запечатлелись в его памяти.

– Рассказать? – полушепотом кричала она. – Все тебе рассказать или не все? Может, пожалеть тебя, бедного? – Тихого московского мальчика. Маменькиного сыночка.

Благополучного, удачливого, хорошо одетого и накормленного...

Алексей слушал молча, с опущенными глазами.

– Ну тогда слушай! Внимай! – выкрикнула она.

Говорила Надя минут десять без перерыва. Говорила быстро и страстно, выплескивая свой гнев и обиду – на жизнь, на судьбу. На родителей.

Говорила, что не чаяла вырваться из своего поселка, из глухомани, из вечного холода и страшной тоски.

Говорила, что отец сильно пил, а мать боялась его как огня и все терпела, терпела... Пока от сердца не умерла – совсем молодой, в сорок лет. «Забитая дура», – вдруг тихо, после небольшой паузы заключила Надя.

Рассказала, как ходила с утра в школу – по обледеневшей дороге, скользя и падая, разбивая колени, в глухой темноте деревенского, хмурого, стылого утра.

Как холодно было в бревенчатой школе, когда среди дня приходилось подтапливать печь – по очереди, по дежурству.

И как больше всего на свете ей хотелось вырваться из этого ада, из этой нищеты и убогости. Вот поэтому она и поставила цель – уехать! Уехать и никогда больше не возвращаться! Никогда! Забыть все это как страшный сон!

– А в городе приходится жить на одну стипендию, между прочим! – уже не так горячо продолжала Надя. – Ты знаешь, что это значит – прожить месяц на сорок рублей? Нет, ты ответь! – требовала она. – Пропитаться, кое-как одеться – пусть не модно, но хотя бы так, чтобы было тепло и сухо! Понимаешь, тепло? И чтобы сапоги не протекали! Купить учебники – не все есть в библиотеке. Колготки, косметика – ты понимаешь?..

Я жить хочу, понимаешь? Жить! Я ведь еще не жила...

Алексей, не поднимая глаз, молча кивал.

Наконец Надежда замолчала и презрительно выдохнула:

– Ну да! Понимаешь!.. Да что ты можешь понять? Ты ведь благополучный, счастливый! И папа у тебя есть, и мама!

И квартира на Чистых прудах! Наверное, и машина у вас имеется?

Он кивнул:

– Да, имеется...

Сказал, как извинился.

Надя криво усмехнулась:

– Ну да, разумеется. И дача, поди, есть?

– И дача. – Алексей тяжело вздохнул. – Вот только...

Он замолчал, передумав рассказывать об их семейной беде.

Надя махнула рукой – пренебрежительно, высокомерно:

– Ладно, живи...

И она быстрыми шагами пошла прочь. Потом резко обернулась и жестко бросила:

– И перестань ходить за мной! И пялиться перестань! И жалеть меня не надо!

С вызовом вскинув голову, Надя поспешила к метро.

Дней через пять, в случайном разговоре с приятелем, он услышал, что Надя сделала аборт.

Он вздрогнул, почувствовал, как кровь отлила от лица, и хрипло переспросил:

– Аборт? Надя? А тебе откуда известно?

Дружок хохотнул:

– Да это всем известно! Ты что, не слышал? С осложнениями какими-то... Чуть коньки не отбросила! Надеялась, наверное, что папаша ребеночка вдруг одумается и под венец позовет! Вот и дотянула, дурища!..

– А кто... папаша? – осторожно спросил Алексей.

Приятель пожал плечами:

– Да точно не знаю... Говорят, какой-то хрен с пятого курса. Красавчик какой-то, богатый чувак. И чей-то наглый сынок...

– А... – приятель прищурил глаза и внимательно посмотрел на Алексея, – ты и вправду Надькой интересуешься? В смысле, на полном серьезе?

Алексей покраснел, замялся:

– Ну... одногруппница все-таки... Живой человек. Не подойдешь ведь и не спросишь... Неудобно как-то. А вижу, что с ней что-то не так...

Приятель снова хохотнул:

– Ага, неудобно! Да весь институт знает, по какому поводу Надька в больничке была! Ты один у нас непросвещенный!

Дома было невесело: у Тёпы обнаружилась аллергия на шерсть, и «бизнес» пришлось прекратить. Кто был искренне рад, так это отец. Говорил, что надоело ему не спать по ночам и думать, что их «заметут». «Теперь вздохнем спокойно!» – радостно заключил он, потирая руки.

А как было жить? Как?! Две инвалидные пенсии – жалкие крохи, даже для скромного, почти нищенского существования. А курорты для Тёпы? А массажисты, врачи? Наконец, новое кресло-каталка?

Страдала Тёпа, считая, что по ее вине все «накрылось». Страдала и сходила с ума мать, не спал по ночам Алексей.

А к лету, сдав сессию, объявил, что уезжает на шабашку – строить коровники в Нижегородской области. Шабашку предложил дворовый приятель, дружок детских лет.

Рвануть решили в июле. А перед отъездом Алексей увидел Надю. Она уже почти пришла в себя, чуть поправилась, порозовела и снова стала звонко смеяться.

Алексей подошел к ней проститься перед каникулами и невзначай сказал, что едет на стройку – про коровники говорить было неловко.

– А повариха вам не нужна? – подколола его Надя. – А то я с радостью!

– Ты это... серьезно? – смутился Алексей.

Надя вздохнула:

– Ну и дурачок ты, Сосновский! Принял всерьез!.. Нет уж, я лучше на море! В Сочи рвану. Ну, или в Гагры. Говорят, там неплохо. Весело!

Стоявшая рядом подружка, Миронова, посмотрела на Надю строго и осуждающе:

– Не навеселилась, Надежда? Требуешь продолжения? Да и деньги... Откуда?

Надя покраснела и, махнув рукой, быстро вышла из аудитории.

Закинули их в глухое село. В пяти километрах от села располагался совхоз. Коровник надлежало построить именно там. Расселили по домам – точнее, по домикам. Домики в деревне были старые, довольно ветхие, некрашеные, с коричневыми от ржавчины крышами. В селе оставались старики и публика после сорока: женщины работали на ферме, а мужики – кто как устроится. Мужиков было мало, да и те в основном были пьющие и никудышные. Молодежь разлеталась по городам – делать в селе нечего, да и скука была невероятная. Старый клуб заброшен, со стен свисали клочья облупившейся штукатурки. Внутри сыро, деревянные полы прогнили, из окон дуло. Кинофильмы старые, шестидесятых годов, привозили по большим праздникам – перед ноябрьскими и майскими.

Был магазинчик, но там продавались только хлеб, маргарин, толстенные серые макароны и килька в томате.

Но они не голодали: с собой навезли тушенки, крупы разные, плоские жестяные банки селедки, большой мешок чая и разных сладостей – печенья, сушек, конфет.

Готовили по очереди, варили бадью супа, а макароны и перловку заправляли тушенкой. Картошку брали у местных.

Работали с семи утра до восьми вечера, с перерывами на обед и чай.

Чтобы неплохо заработать, требовалось отстроить коровников пять. Но в августе зарядили дожди, и работа затормозилась. Почти десять дней валялись на сеновале и отсыпались.

Пришло два письма из дома. Мать писала подробно. Про Тёпу, отца и дачу. Про то, сколько она сварила варенья: «Это

такое подспорье, сынок! – писала мать. – Нет, ты подумай: на хлеб у нас будет всегда, а хлеб с повидлом – и сытно, и вкусно!» И перечисляла: сливового – шесть банок, вишневого – семь. Клубники и крыжовника – по пять. Потом она писала, как скучает и как волнуется за него: сыт ли, обут? Здоров ли?

Алексей отвечал коротко и бодро: «Все замечательно и просто прекрасно! Сыт, обут и здоров! Ну, и скучаю, конечно».

После пятнадцатого дожди наконец прекратились, и они с удвоенной силой взялись за работу. За это лето Алексей похудел на пять килограммов. Но поздоровел. На руках появились бугры окрепших мышц. Загорел почти дочерна. И без того светлые волосы выгорели до цвета соломы. Алексей смотрелся в осколок зеркала в хозяйских сенях и не узнавал самого себя.

Подельники бегали в большое село за двенадцать километров – оно было еще «живое». В селе еще действовал клуб и даже проводились дискотеки по выходным.

Алексей не пошел ни разу, продолжая думать о Наде.

Он жалел ее... Так жалел, что сердце болело. «Глупая моя, бедная, обманутая провинциалка, – так он думал о Наде. – Одинокая, нищая и красивая... И вот нашелся подонок... Теперь она наверняка перестала верить в людей – вот что ужасно! Возможно, не дай бог, больше не сможет родить... После такого-то... А если не сможет – поломанная и переломанная женская судьба ей гарантирована...»

Ночью, лежа без сна на скрипучем пружинном матрасе, Алексей размышлял о нелегкой деревенской жизни. А ведь такая жизнь была и у нее, его Нади! Колодец, ведра, печь, огород, поля картошки, скотина, размокшие, непроходимые улицы после дождя...

А если бы такое случилось с Тёпой? Если бы ей попался такой мерзавец?!

В эти моменты Алексей покрывался холодным потом. Он забывал, что с его сестрой никак не могло произойти что-то подобное.

Потом доходило: с Тёпой такое случиться не может!

А потом становилось страшно еще и от мысли, что никогда с его Тёпой подобное не случится...

Ребята крутили романы с деревенскими девчонками, шумно обсуждали свои подвиги на сексуальном фронте, посмеивались над наивными аборигенами. Алексею все это было противно – и этот фарс, и хвастовство, и удалая лихость, и пошлость.

В конце августа «бугор» рассчитался с бригадой. Деньги, по непреложному закону шабашки, поделили поровну. Вышло по две тысячи на брата. Кто-то остался недовольным и пытался поспорить с бригадиром. А Алексей был отчаянно счастлив: две тысячи сулили вполне безбедную жизнь их семьи практически на целый год!

«Ну, и плюс мамино варенье, – улыбнулся он про себя, пересчитывая заработанное. – Проживем!»

В Нижнем рванули в центральный универмаг, и там повезло: в конце месяца, для плана, иногда выбрасывался дефицит.

Тетки в очереди за польскими блузками недовольно шипели на заезжих гастролеров – шумных и наглых молодых москвичей. Но те их разжалобили: дескать, подарки покупают матерям и любимым!

Тетки принялись бурно советовать: цвет, размер и так далее.

Уже у прилавка Алексея вдруг осенило: Надя! Но брать ей кофточку было как-то неловко...

Ладно, проехали! Кто он ей, собственно, чтобы подарки дарить?

Зашел в отдел ювелирных украшений. А если?.. Замер, ничего не понимая в этом вопросе. Мать давно украшения не носила и, разумеется, не покупала. Про Тёпу нечего и говорить.

Продавщица, молодая и симпатичная, приветливо улыбнулась и предложила помочь.

– Невесте? – лукаво спросила она.

Алексей растерялся, залился пунцовой краской и буркнул:

– Почему сразу невесте? Сестре!

Ну и выбрали: тоненькую золотую цепочку с кулончиком – листик клевера, три лепестка и прозрачный камешек посередине. Алексей представил цепочку на загорелой Надиной шее и как дурак заулыбался. Как счастливый дурак!

Очень хотелось в Москву! Нестерпимо! Домой – под горячий душ, к маминому борщу, семейным разговорам. К бурчанию отца, торопливым маминым докладам про дачу и заготовки. К Тёпе... К их разговорам за полночь, к родному шепоту, родным запахам. Дом!..

От вокзала взял такси. Во-первых, хотелось шикануть, а во-вторых – поскорее очутиться дома.

Таксист резко и громко, с таксистским шиком, затормозил у подъезда, и Алексей, едва выскочив из машины, закинул голову вверх: из окна на него смотрели Тёпа и мама.

Он помахал им рукой и бросился в подъезд. Не дожидаясь лифта, бегом рванул по лестнице – так будет быстрее!

Дома пахло... домом.

После душа, где Алексей долго полоскался, пофыркивая от удовольствия, соскучившись по беспрерывно льющейся тугой струе горячей воды, наконец сели за стол.

Он ел некрасиво, торопливо. Но всем было весело. «Оголодал парень!» – смеялся отец. А мать грустно качала головой: «Лешка! Ну ты не спеши, поросенок!»

Тёпа счастливо смеялась и гладила его по руке: «Ешь, Лешечка, ешь! Свинячь в свое удовольствие!»

– Да! – Алексей резко вскочил с места, роняя вилку на пол. – Какой же я болван!

Он хлопнул себя по лбу и бросился за рюкзаком.

Торжественно вытащил оттуда пакет с маминой блузкой, бутылку армянского для отца: «Пять звезд, пап! Ты не думай!» А потом торжественно протянул матери пачку денег, схваченную аптечной резинкой.

Пачка была увесистой. Мать качнула головой, расплакалась и села на табуретку:

– А себе хоть оставил, сыночек?

– Мне? Для чего? – удивился Алексей.

– Для удовольствий, – ответила мать. – В кафе там сходить или девушке купить что-нибудь...

Алексей махнул рукой и посмотрел на Тёпу. Она, казалось, напряженно чего-то ждала. Или нет? Ему показалось? Сестра смотрела на Алексея во все глаза, словно спрашивая: «А мне? Мне – ничего? А я так ждала, Лешка!..»

И тот, хлопнув себя по лбу и заметно покраснев, снова сунулся в рюкзак. И вытащил оттуда коробочку с цепочкой и трилистником:

– А это тебе, Тёпка! Носи на здоровье!

Сестра вспыхнула лицом, открыла коробочку, и все дружно ахнули.

Какая красота!.. Лешка, балуешь ты нас!

А он отмахивался, продолжая хлебать уже остывший борщ, и смущенно просил прекратить «прения по теме».

С Тёпой они болтали до двух ночи, пока он, широко зевая, не сказал:

– Все, Тёпка! Остальное – завтра!

Тёпа кивнула и чуть задержала его руку в своей:

– Спасибо тебе, Лешик! Я о таком и не мечтала!..

– Да ладно тебе, – небрежно отмахнулся брат. – Сколько еще впереди!

Первого сентября было почти жарко – градусов двадцать шесть, не меньше.

Алексей надел новую голубую рубашку, купленную «по случаю» матерью. «К твоему загару и твоим глазам – самое то», – заверила она.

Во дворе института было шумно и весело. Все изучающе оглядывали друг друга, похлопывали по плечу, обнимались, наперебой рассказывали последние новости и делились впечатлениями от прошедших каникул.

Алексей вглядывался в толпу, пытаясь найти Надю.

Наконец увидел. Она шла от ворот – медленно, чуть покачиваясь на высоких каблуках. Еще издали Алексей заметил, что она совершенно не загорела, скорее наоборот – бледная, со впавшими глазами и темными подглазьями, похудевшая и словно усталая. Ее прекрасные пшеничные волосы словно поблекли и выглядели неживыми, постаревшими, что ли.

Алексей, замирая от любви и страха, подошел к группке девчонок, к которой прибилась Надя.

Надя молчала, чуть усмехаясь, сосредоточенно курила длинную сигарету, услужливо предложенную каким-то тощим лохматым парнем.

Они поздоровались.

– Ну, как провела? – тихо спросил Алексей.

– Кого? – переспросила Надя с лукавой улыбкой.

Алексей смутился, заговорил что-то быстро, торопливо – про Сочи и Гагры... А она резко оборвала его и сухо ответила:

– Я в деревне была. В отчем доме. Папаша изволили приболеть. Вот и пропахала там все два месяца! Ну красота, как ты понимаешь!.. – Лицо ее зло искривилось, и в глазах появились слезы. Надя отвернулась, устыдившись, и бросила сигарету в урну: – Сочи! – повторила она. – Там были такие Сочи, что хотелось сдохнуть!

– Да ладно, не переживай! Сколько еще будет всего в этой жизни! И Сочи, и Гагры! Да все впереди!

– Утешитель! – зло бросила Надя. – Тебя бы туда! А загар, я смотрю, у тебя приморский! Не подмосковный загар! Хорошо небось время провел? Море, солнце, вино, шашлыки!..

Алексей растерялся, не зная, что ответить.

А она, махнув рукой, быстро пошла прочь – словно обидевшись не только на жизнь, но и на него.

«Эх... – подумал Алексей. – Сейчас бы ту цепочку с трилистником! Вот бы она обрадовалась!»

И тут же, вспомнив глаза сестры, почувствовал, как жар стыда окатил его. «Нет, сволочь я все-таки!»

После защиты диплома и госэкзаменов началась интернатура – распределение по специализациям. В институте было шумно и тревожно. Все горячо спорили, гомонили, давали друг другу советы.

– А ты? – спросила как-то Надя. – Какие у тебя планы?

– Терапия... – почему-то вдруг смутился Алексей. Но тут же уверенным голосом добавил: – Основа наук!

Надя презрительно фыркнула:

– Основа! И что? Будешь в поликлиничке сидеть за сто пять рублей? И по участку чапать? К убогим старушкам? Папаверин выписывать и давление измерять?

– Ну, кто-то же должен, – ответил Алексей, – и к старушкам чапать в том числе.

Она снова усмехнулась:

– Ну да... К старушкам! Только к старушкам пусть тетеньки чапают. Те, кому за пятьдесят! А молодому, здоровому мужику... Ну не знаю!.. Мне кажется, глупо это! И еще, по-моему... очень смешно!

Сказала как пригвоздила.

– А ты? – как-то робко спросил Алексей, поняв, что незримая битва его проиграна вчистую.

– Я? В хирургию! – с вызовом ответила Надя. – Там хоть... работа!

На последнем курсе, в мае, отмечали день рождения одногруппника. Все были приглашены на дачу. Точнее – в загородный дом именинника. Все знали, что он был но-

менклатурным внучком – к институту подъезжал на своих «Жигулях».

Встретились на Белорусском вокзале и рванули все вместе.

На участке – огромном, густом, заросшем вековым лесом – принялись разводить костер для шашлыков. Выпивки и закуски было море. Молодые и голодные набросились на еду и спиртное. Алексей тоже здорово выпил – от отчаяния, что теперь уже точно ничего не случится. Надя не замечала Алексея, словно его и не было рядом. Наверняка презирала.

А когда вытащили на улицу магнитофон и начались танцы-обжиманцы, Алексей, будучи крепко под градусом, осмелел и пригласил ее.

Ему показалось, что она тяжело вздохнула. Или только показалось?

Они медленно двигались, и Алексей, прикрыв от восторга глаза, вдыхал дымный аромат ее волос, щекотавших ему нос и щеку.

Музыка закончилась, а он рук не разжал. Она выпросталалась из его объятий, подняла глаза и, усмехнувшись, сказала:

– Ну, и чего так вцепился? Лучше бы женился, что ли!

И приглушенно рассмеялась, проведя пальцем по его щеке.

– Когда? – спросил Алексей, не узнавая своего голоса.

– Что «когда»? – не поняла она и чуть сдвинула брови.

– Жениться – когда? – повторил Алексей, чувствуя, что сейчас от страха разорвется его заячье сердце.

– А что, ты готов? – усмехнулась Надя. – Прямо сейчас?

Он решительно кивнул:

– Ага, прямо! Только... сегодня вряд ли получится! А вот в понедельник!..

– В понедельник в загсе выходной, – сурово ответила Надя и быстро, не обернувшись, направилась в дом.

А он так и остался стоять на месте... И глупее ситуации в его жизни еще не было.

На ночлег он приткнулся на террасе первого этажа на каком-то старом кожаном диванчике с очень жесткими кожаными валиками. Диванчик был явно мал, и Алексей, свернувшись неудобным клубком, чувствовал, как затекают ноги и шея.

Вырубился почти сразу, но и проснулся вскоре – за окном уже белел молочный густой рассвет, и в раскрытое окно вливались бодрящие садовые запахи.

Алексей поежился от холода, свесил ноги, растер затекшую шею и глянул на старые ходики. На часах было половина третьего.

Пить хотелось невыносимо. На полу на ковре спала какая-то парочка. Лежали, тесно переплетясь телами, и Алексей даже не мог разглядеть, кто это был так ласков друг к другу.

Осторожно, чтобы не разбудить соседей, он стал пробираться в глубь дома. Цель была одна: найти кухню и, как следствие, – воду.

Кухня обнаружилась не скоро. Алексей прошел сквозь анфиладу маленьких комнатушек, затем попал в большой зал с камином, а уж за ним оказалась кухня.

В холодильнике – вот спасение! – обнаружилась трехлитровая банка с чем-то желтоватым и пузырчатым. Алексей сделал осторожный глоток – жидкость оказалась с кислинкой, явно перебродившая, но вполне удобоваримая.

– Гриб! – вспомнил Алексей. – Эта фигня называется «гриб»!

Такой напиток делала бабка Анна Васильевна, и в ее бытность банка с грибом, накрытая марлей, всегда стояла на подоконнике.

В детстве Алексей побаивался этого гриба – лохматого, страшного, похожего на дохлую медузу. А сейчас это было самое то!

Напившись, он пару минут постоял у окна и вдруг рванул на улицу – очень быстро, почти бегом.

По улице дачного поселка Алексей шел быстрым шагом примерно с полчаса, пока не нашел то, что искал: перед ним расстилался небольшой луг, за которым начинался светлый березовый лес.

Луговая трава была высокой и влажной. Ботинки, джинсы моментально промокли – почти до колен. Но Алексей не обращал на это внимания – он рвал цветы.

Цветы были невзрачные, самые расхожие, рядовые – ярко-желтые лютики, прозванные в народе «куриная слепота», полевые ромашки с небольшими головками и густой «укропной» зеленью и редкие, совсем редкие васильки. Но на краю поля он увидел иван-чай – высокий, розово-сиреневый, на сильных стеблях. Нарвал и его.

Наконец Алексей остановился и оглядел свой букет: он был огромным, пышным, разлапистым, разноцветным и, как ему показалось, ужасно милым.

Алексей улыбнулся, стряхнул с цветов росу и бодро зашагал обратно.

Дом, как ни странно, нашел он тут же, хотя старые дачи были похожи как близнецы – все из крепких посеревших бревен, с шиферными крышами и крепкими, добротными заборами.

Алексей вошел на участок, прикрыл калитку и стал обходить дом со стороны улицы. Привстав на цыпочки, он заглянул в открытые окна. Наконец нужное окно отыскалось – он увидел Надю, спящую на железной кровати. Лицо ее было спокойно и безмятежно. Волосы разметались по подушке из темного, цветастого, совсем деревенского ситца.

Алексей улыбнулся и положил свой букет на подоконник. Соцветья свешивались в комнату, а длинные, неровные стебли торчали наружу.

Потом, продолжая совершенно по-дурацки улыбаться, он вернулся на терраску, нашел какую-то тряпку – то ли старую скатерть, то ли покрывало – и, закутавшись в него, блаженно закрыл глаза и тут же уснул.

Проснулся от шума: где-то гремели посудой, слышалась вялая перебранка, и осторожно пробирался запах какой-то подгорелой еды – то ли яичницы, то ли жареного мяса.

Алексей открыл глаза и увидел, что его соседей уже нет рядом, дверь на террасу и окна прикрыты. Но все равно было зябко, и он медленно встал с диванчика, потянулся и вышел на крыльцо. На часах было девять утра.

В кресле-качалке – соломенном, темном и очень скрипучем – спала девушка, почти с головой укрывшись старым габардиновым плащом.

Алексей вернулся в дом, прошел по коридору и наконец нашел дверь комнатки, где спала Надя.

Он осторожно постучался – в комнате было тихо. Алексей замер, приложив ухо к двери.

– Входи, – услышал он голос Нади.

Он вошел и увидел, что она сидит на кровати и у нее на коленях поверх старенького, ветхого одеяла лежит его пышный букет.

– Спасибо... – тихо сказала она и подняла на него глаза. – Большое спасибо!

Алексей в ответ кивнул и громко сглотнул слюну:

– Осторожно, он мокрый!

– А пахнет как!.. Полем после дождя...

Алексей снова кивнул.

– Ну-у... – медленно протянула Надя. – Ты иди! Я буду подниматься.

Алексей молча покачал головой и плотнее прикрыл за собой дверь.

– Спасибо! – хрипло сказала Надя.

Ехать в Москву они собрались только к обеду, когда в доме остались только хозяин и пара ненасытных гостей, укрывшихся в комнате второго этажа. Те, кажется, решили остаться здесь навечно.

Перед отъездом они помогали прибрать дом – собирали пустые бутылки из-под вина и водки, остатки еды, немытые чашки после чая и кофе. Подмели полы. Горячо поблагодарили хозяина – особенно красноречив был он, Алексей.

Надя была молчалива и как-то странно разглядывала его, словно видела в первый раз.

Надя и Алексей молча, держась за руки, шли до станции. Там купили мороженого и долго ждали электричку – в расписании был перерыв.

На перроне, на скамейке, она положила голову Алексею на плечо и... уснула.

Ему тоже невыносимо хотелось спать: голова сама клонилась вниз, глаза закрывались... Но он спать не мог – иначе проснулась бы Надя. А он стерег, оберегал ее сон.

В Москве, выйдя на перрон, они остановились.

– Куда? – спросила Надя. – Ты домой?

Алексей отрицательно мотнул головой:

– Я с тобой! Куда скажешь!

Потом, когда они жили уже вместе, Надя часто вспоминала ему это самое «куда скажешь».

И это было главной темой попреков: «Ну, разумеется! Куда скажу я! Ты же сам не способен принять решение! Куда скажу я», – часто повторяла Надя, и лицо ее серело и каменело от злости.

А тогда она легко повела плечом, усмехнулась и пошла вперед:

– Куда скажешь?.. Ну, ладно! Раз в гости не приглашаешь – тогда поехали! Ко мне, в общежитие!

В институтской общаге Алексей, конечно, бывал и раньше – у приятелей, недолго и без ночевки. Помнил, как ужаснула его общежитская кухня – огромная, грязная, неуютная, с несколькими громадными, залитыми пригоревшей едой плитами. На плитах стояли кастрюли – с бельем, каким-то неаппетитно пахнущим супом. Все булькало, кипело,

шипело и выплескивалось наружу. Без конца заходили какие-то люди, ставили чайник или сковородку, что-то мыли в раковине, чистили картошку, жарили рыбу... И эти запахи плотными клубами вываливались в узкие и длинные коридоры, растекались по общаге, заползая даже в самые дальние комнаты.

В комнате, где жила Надя, стояли три кровати. На подоконнике теснились ополовиненные банки с вареньем. На полу стоял мешок картошки, а в эмалированной миске валялось несколько головок проросшего лука.

На столе – узком, покрытом старой и блеклой клеенкой, – стояли три чашки и стопка дешевых тарелок.

На окне болталась грязноватая ситцевая занавеска, приколотая к карнизу прищепками для белья.

– Красиво живем, а? – зло усмехнулась Надя и покраснела. – Даже убирать не хочется в этой мышиной норе...

Она плюхнулась на кровать и заплакала:

– Осточертело все! И грязь эта, и вонь! И теснотища! Заниматься невозможно: только сядешь – в дверь барабанят. То одно, то другое... Достали!.. А запах! Точнее – вонища! Ты слышишь, как пахнет?

Алексей кивнул:

– Да. А вот чем – не пойму.

Надя засмеялась:

– Да всем! По́том, дешевым вином. Жареным луком. Пельменями. Мокрой тряпкой. Любовью. Грехом!

Они помолчали. Потом Надя отбросила прядь со лба и с усилием улыбнулась:

– Ладно! Что это я разнылась? Ты же гость! А гостя принято угощать! Правда, чем – непонятно!..

Она беспомощно обвела комнатку взглядом, тяжело вздохнула:

– Пойду чайник поставлю.

Алексей сел на ее кровать и подумал, что в этом кошмаре озвереть и окрыситься – ничего сложного! И как она еще умудряется прекрасно учиться? Нет, надо срочно что-то решать! Оставлять здесь, в этом ужасе, любимую женщину – преступление, не иначе! Только вот что делать-то? Что?!

Потом они пили чай с остатками клубничного варенья и зачерствелым хлебом, а потом... Потом он остался у нее до утра.

– Соседки по комнате разбежались, – спокойно сказала Надя. – Одна живет почти семейно у своего парня в соседнем корпусе, а вторая – постоянно пропадает у любовника-сирийца на съемной квартире.

Ночью, изнемогая от нежности, жалости и любви, Алексей повторил свое предложение выйти за него замуж.

В комнате было темно. Только от уличного фонаря в комнату падал желтоватый и мутный свет. Алексей увидел ее широко открытые глаза и застывшее лицо. Надя долго молчала, а потом тихо спросила:

– А ты... Ты в этом уверен?..

Он начал горячо ее убеждать, что абсолютно, конечно же – да! А как может быть по-другому? Ну, если люди любят друг друга?

На последней фразе Надя почему-то вздрогнула и отвела глаза.

Но через минуту взяла его за руку и со вздохом сказала:

– Ну... Давай попробуем, что ли...

От счастья у Алексея чуть не выпрыгнуло из груди сердце. На глаза навернулись слезы, и счастье, что была еще глубокая ночь и его «позора» Надя тогда не увидела.

Утром, выпив чаю все с тем же вареньем, Надя внимательно посмотрела на Алексея и объявила, что им надо поговорить.

У него от страха душа просто ухнула в пятки. «Передумала?!»

– Надо кое-что обсудить! – обстоятельно сказала Надя. – Например, свадьба! Будет она или нет? А если будет, то какой? Это же важно! Постой, не смейся! Что значит «как ты

захочешь»? Надо же исходить из реальностей! Ну, что ты так глупо улыбаешься? Свадьба – это костюм, платья, кольца. Машина, кафе, наконец! Гости! Опять – «как ты захочешь»! Нет, ты совершенно оторван от жизни! Просто детсад, честное слово!..

Надя, произнося этот монолог, выглядела очень серьезной и отказывалась понимать его игривое настроение.

– А жить? Где ты, например, собираешься жить? Здесь, в этой помойке? – И она, брезгливо поморщась, обвела рукой комнату. – А может быть, у тебя?

Она внимательно посмотрела на Алексея. Тот смешался и опустил глаза.

«Мама, отец, Тёпа... Нет, это все... невозможно! Посадить им на шею еще одного человека? Бред какой-то! Да и Тёпа... В доме – тяжелый инвалид, господи! И ей, Наде... зачем все это?» – пронеслось в голове Алексея.

Он молчал. Надя резко вскинула голову:

– Ну, я так и думала, – жестко сказала она. – Все «как ты хочешь!», – передразнила она Алексея. – Просто смешно!

– Послушай! – порывисто сказал Алексей и встал со стула. – Не это главное! Главное то, что мы любим друг друга! А все остальное... Так, пустяки! – Он старался произнести эти слова как можно увереннее, но... получилось не очень.

– Все остальное и есть самое главное! – сердитым тоном возразила Надя. – Жаль, что ты этого не понимаешь!

– Я... все решу, – неуверенно сказал он. – Я тебе... обещаю!

Надя горько усмехнулась и мотнула головой:

– Да что ты можешь решить!.. Обстоятельства здесь сильнее нас!

Она замолчала. Видно было, что расстроилась.

– Ладно, иди! Я что-то устала, – грустно сказала Надя. – И давай еще раз все серьезно обдумаем!

– Я все обдумал, – обиженно бросил Алексей, выходя из комнаты.

По дороге домой ему показалось, что и вправду все просто ужасно! «Неужели выхода нет? Два молодых и здоровых человека – и нет никакого выхода? Да не может этого быть! Я обязательно что-нибудь придумаю», – повторял как молитву Алексей, с каждым шагом все больше падая духом и не веря в успех.

Выдал Алексей свою новость прямо с порога – так ему показалось проще. На кухне перед обедом собралась вся семья.

– Мам, пап, Тёпка – я женюсь!

Сначала, конечно, посыпались вздохи и вскрики: «Господи, Лешка! Да как же так? Ты нас огорошил! Так сразу, с места – в карьер? Мы ж ничего не знали... Кто она, твоя девушка? Не видели ни разу, даже не слышали о ней! А тут сразу – женюсь!»

Мать причитала, конечно же, больше всех. Отец большей частью молчал, взволнованно покрякивал и качал головой.

И только Тёпа восприняла эту новость с восторгом и жаром:

– Как здорово, Лешик! Как здорово! А какая она? Уверена – замечательная! Ты бы другую и не полюбил! Красавица, да? Умница? Да сто процентов! Ой, как же я счастлива! И мы будем подругами! Да, Лешка?

Он смущенно кивал: «Конечно, красавица! А ты сомневалась? Умница? Да! Отличница, идет на хирурга! Хочет в сосудистую, ты представляешь? А это – хирургическая элита! Как зовут? Надя, Надежда! Красиво? А ты как думала!..»

Только вдруг затихла, прекратила свои причитания мать. Внимательно смотрела на сына, словно раздумывая: когда стоит задать свои материнские вопросы?

Наконец решилась:

– Сынок, а откуда она? Москвичка? Что за семья? Родители, братья и сестры? Прости уж за прозу жизни... А что там квартира? Ну, как у них там... с жильем? Вопрос не праздный, как ты понимаешь... У нас ведь... обстоятельства! Сложные!..

Все замолчали и с испугом и ожиданием посмотрели на Алексея.

– Ну... – замямлил тот. – Она не москвичка... А что, это важно?

От растерянности и материнской прозорливости Алексей раскис и начал оправдываться и защищаться:

– Да, не москвичка! Да, без жилплощади! А что, мам, выбирать невесту надо было по этому признаку? Я люблю ее! Этого мало?

– А она тебя? – полушепотом спросила мать, не поднимая на него глаз.

Алексей резко встал, громыхнув стулом, и вышел из кухни.

– А ты сомневаешься? – бросил он уже на пороге комнаты.

Впрочем, он и сам сомневался. Да еще как...

К вечеру все помирились. Мать, извиняясь, просила не обижаться: «Такая жизнь, что... Словом, надо ж все понять! Как вы, что вы? Как все оно будет?»

Тёпа уговаривала их не ссориться. Выход из положения, разумеется, есть. Ведь главное – это любовь!

– Какой выход? – попыталась уточнить мать, и все удрученно замолчали.

Первый Надин визит пришелся на выходные. Мать напекла пирогов, наготовила салатов и накрыла праздничный стол. Отец нехотя облачился в парадный костюм – единственный, древний, с немодными бортами.

А Тёпа надела ту самую блузку, которую он привез матери из Нижнего. Казалось, она, Тёпа, нервничала больше всех.

Воздух дрожал от напряжения. Наконец раздался дверной звонок.

Надя стояла на пороге квартиры – собранная, взвинченная, с настороженным выражением на лице и, казалось, каким-то боевым настроем, готовая на все.

Увидев Тёпу, Надя растерянно, с удивлением посмотрела на Алексея. В глазах ее вспыхнул вопрос: «Как же так? Почему ты мне ничего не сказал?»

Сели за стол. Тёпа с улыбкой разглядывала Надю, а та... ни разу не обратилась к ней, ни разу не улыбнулась, не похвалила ее наряд. Делала вид, что Тёпы просто нет за столом.

Это не ускользнуло ни от Алексея, ни от матери, которая изредка бросала на него изумленный, непонимающий взгляд. А он делал вид, что взгляда ее просто не замечает.

О себе Надя говорила сухо: «Мать умерла, отец нездоров, с родней не знаюсь и вообще – к чему вам все это знать?»

Мать смутилась, и по всему было видно, что обиделась. Поджав губы, принялась собирать со стола посуду.

Надя не помогала. Теперь на Алексея с удивлением смотрел уже и отец.

А наивная, ничего не замечающая и очарованная будущей родственницей Тёпа требовала обсудить предстоящую свадьбу.

– Свадьбу? – уточнила Надя. – Ресторан? А собственно, на что? На что вы собираетесь устроить пышное гулянье?

Все в растерянности переглянулись.

– Есть... деньги, – вдруг хрипло сказал Алексей. – Я привез. Много... С шабашки.

В обращенных на него, как по команде, взглядах Алексей прочитал изумление.

А Надя вскинула брови и усмехнулась.

Только Тёпа, как маленький ребенок, захлопала в ладоши и начала верещать: «Как здорово будет! И ресторан, и машина, и белое платье!..»

Наконец мать, справившись с оцепенением, откашлялась и, не поднимая глаз на сына, твердо сказала:

– Ну, что ж! Давайте приступим!..

Алексей собрался провожать невесту. Мать простилась с ней сухо. Впрочем, Надя ответила тем же.

Вышли на улицу. Надя молчала. Алексей чувствовал какую-то неловкость, словно обманул ее ожидания, что ли?

Он был растерян, смущен, подавлен. На вопрос «что случилось?» Надя ответила резко:

– Почему ты мне ничего не сказал?!

– В смысле? – не понял Алексей.

– Не строй из себя дурака! – почти выкрикнула она. – Не делай, пожалуйста, вид, что не понимаешь!

– Ты о чем? Я действительно не понимаю!..

– Да о твоей сестрице! – громко сказала Надя. – Ты почему мне ничего не сказал?

– О чем? – продолжал недоумевать Алексей. – Что Тёпа больна? Ну... Не хотел тебя огорчать! Расстраивать не хотел! К тому же Тёпа – нормальная! Нормальная, понимаешь? Нормальней здоровых – я это имею в виду! Тёпа – добрая, смелая, остроумная! В ней нет ни капли злости на свою судьбу! Она терпеливо сносит все тяготы, бьется за жизнь! Читает, старается писать, сочиняет стихи, интересуется природой, политикой, историей и всем прочим! Она пытлива, настойчива и усидчива! Она – доброжелательный и замечательный человек! И мне странно, что ты не заметила этого! – с обидой в голосе закончил он свой пылкий монолог.

Алексей говорил громко, размахивая руками, не обращая внимания, что на него оборачиваются редкие прохожие.

– Не горячись! – вдруг примирительно сказала Надя, взяв его за руку. – Не горячись, Леша! Просто... Просто я понимаю, как... все будет сложно! – Вся наша жизнь! Где мы и как? Где будем жить?.. Я растерялась, ты понимаешь? Ну, прости, не сердись! Я ж не об этом! А Тёпа твоя – да, она замечательная! Бедная, правда... Такая судьба!..

И Надя громко вздохнула.

Словом, помирились они – куда деваться? Хотя... Надина реакция на его семью была ему не очень понятна. А еще – неприятна. Так получалось...

Мать встретила его сурово:

– Напровожался?

– Тебе что-то не понравилось? – резко бросил Алексей. – Не угодили?

– Не угодили, – кивнула мать. – И не понравилось! Если честно – ничего не понравилось! Ни Надя твоя, ни ее поведение! А главное, – тут мать на мгновение замолчала, – мне не понравился ты!

Алексей махнул рукой и ушел в свою комнату. Ночью, валяясь без сна, он думал о том, что мать, разумеется, права. Во всем права! И невеста его вела себя сухо и непочтительно. А он... Так просто заявил про деньги, как будто он один ими и распоряжается! Нет, заработал, конечно, он. Но! Деньги эти были отданы в семью! На жизнь, на здоровье Тёпы! И разве имел он право так легко и беззаботно предложить их прогулять? Разве в их положении это возможно? Разве правильно, когда в доме... беда.

Алексей то и дело вскакивал с кровати, курил в форточку, мерил шагами комнату, снова ложился и снова вставал. Потом на кухне долго пил из-под крана холодную воду. А еще смотрел на ночную пустынную улицу, прислонившись к прохладному оконному стеклу.

«Нет! – уговаривал он себя. – А я-то? Не имею права? Ни на что не имею? Я никогда ничего не просил: ни новые тряпки, ни поездки на море. Ни магнитофон, ни джинсы, ни все остальное! Я все всегда понимал и даже старался помочь! Но сейчас...» Когда в его жизни появилась Надя!.. Когда она, его невеста, так хочет свадьбу и белое платье! Как любая девица мечтает об этом! Так что ж в этом плохого? Что такого ужасного он предложил? Исполнить мечту своей любимой? Сыграть свадьбу? Сделать все как положено?

Даже самые скромные люди покупают к свадьбе платье, костюм и обручальные кольца. А он? Выходит, не имеет права? По какому такому случаю его этого права лишили? И деньги эти чертовы заработал он, между прочим! Своим собственным тяжеленным трудом! Пока другие пили пиво и бегали на дискотеку в каком-нибудь Геленджике!

И цепочку эту, между прочим, он Тёпе отдал! И матери – кофту, и отцу...

Так повторял про себя Алексей, а сам... чувствовал, что сгорает от стыда.

Алексей все пытался себя оправдать, обелить, распаляясь все больше и больше. Но когда он приплел и эту цепочку... Ему вдруг стало так противно, так стыдно, что он чуть не разревелся как последний дурак, глупая, истеричная баба, как самый ничтожный мелкий слабак...

Потом Алексей достал из холодильника початую бутылку вина, оставшуюся после не самой удачной помолвки, допил ее из горла одним махом и, чувствуя себя совершенно несчастным, отправился спать. Благо назавтра рано вставать не нужно. Завтра – выходной.

На следующий день первой позвонила Надя. А он, услышав в трубке ее голос, едва не задохнулся от счастья.

Договорились встретиться на их любимом бульваре – на Патриках.

У метро Алексей купил букетик ландышей – пахли они восхитительно сладко!

Алексей увидел ее еще издалека. Распахнутый плащик, голубая косынка на шее, распущенные прекрасные волосы. Дух перехватило от такой величавой и спокойной красоты: «И она – моя девушка! И даже больше – невеста!»

Надя выглядела тихой и печальной. Зашли в кафе, взяли кофе с мороженым.

И надо было начинать разговор. Кому? Да разумеется, мужчине! Именно *мужчине* надлежало как-то все объяснить.

Расставить по своим местам. Оправдаться, в конце концов. И конечно же, что-то предложить! План на их дальнейшую жизнь.

А в голове Алексея было пусто... Как назойливая муха жужжала только одна фраза. «Я ничего не могу! – звучало внутри как приговор самому себе. – Ну и какой же я мужик после этого? Я ведь должен взять на себя, проявить инициативу, принять решение!..»

Алексей тяжело вздохнул. Сначала он попытался объяснить, оправдать поведение матери. Потом стал рассказывать про Тёпину болезнь и отцовский инфаркт, про сложности с деньгами.

Надя молчала, уткнувшись глазами в пустую кофейную чашку. Ни разу не перебила, не кивнула – дескать, все понимаю. Только пару раз тяжело вздохнула и приподняла удивленно брови.

Когда Алексей замолчал, она подняла на него свои ясные небесно-голубые глаза и с горькой усмешкой спросила:

– А для чего это все, Леша?

Он недоуменно пожал плечами:

– Для чего – что?

Надя нетерпеливо, раздражаясь на его непонимание, дернула плечом:

– Да все разговоры эти пустые! Нет, я все, конечно, пытаюсь понять. Да, сложно. Больная девочка. Инвалид. Больной отец. Нехватка денег... Но... – Надя сделала паузу и внимательно посмотрела на Алексея. – Давай теперь по-другому!

Он растерянно кивнул, не понимая, куда она клонит.

– Ты меня хочешь разжалобить? Растопить мое сердце? А вот не выйдет! – резко заключила Надя и приблизила к нему свое взволнованное, пылающее лицо. – Не выйдет, Лешечка! А все потому, что я видала кое-что пострашнее!

Ну, давай разберемся, – продолжила Надя. – Квартира в центре Москвы. Дача в прекрасном поселке. Нет в доме

пьяниц, скандалов, битья посуды. Нет старой избы с растрескавшейся и вечно дымящей печкой. Нет холодного хлева с отощавшей скотиной. Нет пьяного и скандального бати и больной мамы, год лежащей бревном. А за мамой надлежало ходить: простыню уделанную поменять, накормить, напоить. Бате обед приготовить. А готовь не готовь – он все равно возьмется бузить. Потому что тоже устал и все ему надоело. А мама будет плакать за занавеской и вслух молить Бога о смерти... А в четыре утра надо подоить корову, дать еды поросятам. Убраться в хлеву. Сварить суп отцу, кашу – маме и... топать в школу, за черт-те сколько верст. По снегу, по наледи, по сугробам... А потом мама умрет. С одной стороны – облегчение. А с другой... Отец тут же женится. И мачеха окажется злобной и жадной. Типичная такая злая мачеха из детских сказок! Я раньше думала, что все это выдумка! Ну, для остроты, так сказать, сюжета. А нет, все – чистая правда! И даже еще страшнее...

И тогда я решила: уеду. Навсегда. Без возврата. Домой не вернусь ни за какие коврижки. Впрочем, коврижек мне не сулили...

А потом – экзамены, общежитие, вечные страхи, что завалю сессию и останусь без стипухи. А это – голод. И холод. И никто мне не вышлет по почте десятку! Да что там, десятку – даже простого письма не напишут! Никому не интересно, как я живу. Да и вообще, жива ли?..

Ну, как тебе? – подытожила Надя. – Нравится? А ты, – тут она презрительно хмыкнула, – хочешь меня удивить! Разжалобить хочешь! А я... Знаешь, – она пристально посмотрела Алексею в глаза, – а меня уже не разжалобить, понимаешь? Не пробить так просто, и все! Такой бегемотьей шкурой я обросла! Иначе не выжить! Ну, хочешь обидеться? Да пожалуйста!.. – Надя резко откинулась на спинку стула: – Обижайся!

Долго молчали.

– Горе у каждого, Надя, свое, – начал Алексей. – Что считаться и сравнивать, у кого шире и глубже? Просто... – тут он запнулся, – просто нам надо решать, как... будет дальше! Ну, как мы?.. Как будет у нас?

Надя засмеялась:

– Ну, я готова! Слушаю твои предложения.

– А давай уедем! – с преувеличенной радостью в голосе объявил Алексей. – Уедем в провинцию, на Север, на Дальний Восток! Специалисты везде ведь нужны! А там – перспективы, жилплощадь! Опыт, свобода! И мы – молодые! И вместе... – нерешительно, окончательно сникнув, когда увидел ее глаза, закончил Алексей.

– Ты так ничего и не понял, – тихо сказала Надя. – Выходит, ты меня не услышал... – с горечью добавила она. И словно собрав воедино всю свою энергию пылко продолжила: – Уехать? В село? В сельскую больничку? На фельдшерский пункт? Вскрывать чиряки и накладывать шины? Обходиться зеленкой и градусником? – Вот это ты мне предлагаешь? Уехать обратно? Туда, откуда я... еле выбралась? После бессонных ночей над учебниками? После битв за стипендию? После холодной комнатухи в общаге? Угробить себя на Севере? Снова надеть валенки и тулуп? Снова топить печь и колоть лед в ведре? Жрать хлеб с маргарином? И это ты... называешь любовью? Строительством будущего? Перспективой для молодой семьи?

Нет, – Надя уверенно покачала головой, – такой семейной жизни мне точно не надо! И перспективы такой! Не для этого я рвалась в столицу! Я, – по слогам произнесла она, – я хо-чу. Ра-бо-тать. В столичной клинике. Готова на все: ассистировать много лет. Брать ночные дежурства. Но знать, что когда-нибудь! Понимаешь, когда-нибудь я стану человеком! Оперирующим хирургом. Хорошим хирургом, к которому будут стремиться попасть больные и с которым будут считаться коллеги! И на квартиру я заработаю! Здесь, в Москве! И обставлю ее красивой мебелью! И машину куплю! Слышишь, куплю! И будет у меня каракулевая шуба, и австрийские сапоги! Тоже на натуральном меху, чтобы ноги не мерзли! Потому что я очень долго обматывала их для тепла газетой! Вот такие у меня, Леша, планы! И никто – слышишь – *никто* мне не помешает их осуществить! И не потому, что я алчная и жадная! А потому, Леша, – она снова наклонилась к нему и продолжила почти шепотом: – А потому, что я хочу *жить как человек!* Ты меня понял?

И на подвиги меня, как это происходит с тобой, – при этих словах Надя усмехнулась, – как-то не тянет!..

Алексей кивнул и тяжело вздохнул.

– Ну, Леш, – Надя встала со стула, – я пойду. А ты... Ты подумай, что да как... Про нашу жизнь и перспективы. А если придумаешь, я тебя с радостью выслушаю!

* * *

Разменять квартиру! Как же просто! Конечно, разменять! И все проблемы решатся! Надя права: она – приезжая девочка, так рвавшаяся в столицу, так цепляющаяся за большой город... И он – наивный дурак, предлагающий бред! Все это – дешевейшая романтика! Да и не романтика вовсе! Он слышал, конечно же, как там, в провинции, бывает: нищенский медпункт, где в достатке только спирт и вата. Старая изба, отданная молодому специалисту за ненадобностью. Тяжелый деревенский быт, почти невозможный для изнеженных городских жителей. Несчастные старики – молодежь давно подалась в город. Нет, есть, разумеется, и города – например, на больших стройках, где всегда не хватает врачей. Тында – пожалуйста! Там есть прекрасно оборудованные больницы...

Но климат... Сибирь. И еще, наверное, туда надо попасть. Желающих много: северный коэффициент – год за два.

...Значит, размен? Ну а что тут такого? В конце концов, ему тоже надо строить свою личную жизнь! У него должна быть семья. Жена, дети. Разве нет? Разве он не имеет на это права?

Алексей все больше распалял себя в собственных оправданиях.

Вернувшись домой, Алексей вызвал на разговор мать.

Та села напротив и с испугом, прикрытым усмешкой, молча смотрела на сына.

Он молчал.

– Ну, – не выдержала мать, – начинай!

Она слушала Алексея молча, ни разу не перебив. А после его бурной, сбивчивой и торопливой речи вздохнула:

– Значит, размен...

Алексей кивнул:

– Значит, так...

– А как мы будем жить втроем в двух комнатах – ты не подумал? Отцу нужен покой, своя конура нужна. Тёпе – тем более. А мне? На кухне? Ну что ж, можно и так... – задумчиво произнесла мать и медленно повторила: – Да, можно и так. Не помру, это верно. Но я не о том. Я про твою... Надю. Она ведь скрутит тебя, выжмет и выкинет! Как жмых выжмет! Неужели ты не видишь всего этого? Ведь ты нужен ей только для прописки в Москве! Зацепится и пошлет тебя! Куда подальше пошлет! И квартиру, которую ты *у нас* выменяешь, у тебя, дурака, отберет! И куда ты вернешься? К нам, в двухкомнатную? Ко мне под бочок, на кухню?

Ты, конечно, имеешь право! Даже судом! Но... Ты бы подумал, сынок!

Наглая провинциальная девка! С такими амбициями – это же страшно! По трупам пойдет, ты мне поверь. Подумай, сыночек!

– Я... уже подумал, мам. И все решил. Надеялся, что ты поймешь меня. Или хотя бы постараешься понять. И еще... Надя не девка, мама! Она – моя будущая жена! И странно, что я должен тебе это объяснять!

– Ну, решил так решил, – подытожила мать и встала из-за стола. – Только, надеюсь, ты понимаешь: на свадьбу мы не пойдем. Не хочется плясок на костях, понимаешь?

Дверь в комнату распахнулась, и на пороге появилась Тёпина коляска.

– Мама! Лешка прав! – закричала она. – Он и вправду имеет право! И Надя его не плохая – просто она не понравилась тебе, мама! Потому что не прыгала перед тобой, не юлила. Не старалась понравиться! Тарелки не помогла убрать со стола! И за это ты ее... возненавидела! А я... лично я на размен согласна! И в кухне спать буду *я*, слышишь, мам?

Алексей порывисто встал, пошел к двери, по дороге тронул Тёпу за плечо – дескать, спасибо за поддержку и понимание, и ушел к себе.

На душе было, честно сказать, очень мерзко. Но в своей правоте он не сомневался.

Почти не сомневался...

Квартиру разменяли довольно быстро. Еще бы – трехкомнатная, да в центре! Желающих было – море. Родителям и Тёпе досталась хорошая двухкомнатная на «Бабушкинской». Балкон – чтобы Тёпа гуляла, отличная кухня. Ну, и молодым – скромная однушка в Тушино. Тоже неплохо...

Свадьба была скромной. Из гостей – две Надины подруги по общежитию да двое приятелей Алексея – одногруппников. Заказали столик в кафе, ну и посидели – шампанское, вино, салат оливье и ромштекс. На десерт – мороженое с ликером.

Молодая жена была неотразима: голубое шелковое платье идеально подходило к ее глазам. Ободок из цветов утопал в пышных волосах. На торжество Алексей подарил ей сережки с сапфирами. Стоили они не так дорого – сапфиры были искусственными, но выглядели роскошно.

Родителей на свадьбе не было, хотя им и послали телеграмму. Алексею очень хотелось позвонить Тёпе, но Надя убедила его, что это будет... не очень уместно.

– Во-первых, Тёпу надо привезти-отвезти, – рассудительно говорила Надя. – Придется встретиться с матерью – без этого никак. Ну, и вообще – зачем ей это? Танцевать она не может, алкоголь не пьет. Да и каково ей будет на все это смотреть? На наших друзей – молодых, здоровых, красивых, весело пляшущих под модную музыку!

Нет, ты подумай, – не унималась Надя. – Какие чувства будут у нее на сердце? Злоба, зависть?

– Что ты! – начал спорить Алексей. – Тёпа и зависть? О чем ты?! Да она бы только радовалась за нас! Тёпа и зависть – несовместимы!

Надя покачала головой:

– Не знаешь ты жизни, Лешка! Не знаешь!.. Каково ей, калеке, будет смотреть и думать, что у нее никогда такого не случится?! Никогда – понимаешь?

И Алексей... согласился.

После кафе взяли такси и поехали в *свою* квартиру. В свой дом!

Осторожно открыли дверь, переступили порог. Зажгли в прихожей свет и закружились от радости.

Надя ходила по квартире, осторожно трогала стены, кухонную плиту, рамы и стекла.

Зашла в ванную и села на бортик ванны. И вдруг заплакала...

Алексей присел на корточки перед молодой женой и обнял ее за колени.

– Любимая моя! Любимая! Как же я счастлив, что ты довольна!

– Я счастлива, Леша! – тихо произнесла Надя, перебирая руками его шевелюру. – Теперь я поняла: ты меня действительно любишь!

Любил... Ох, как любил! С работы бежал как подстреленный, только пятки сверкали. Если долго не было автобуса – срывался пешком. Полчаса быстрой, спортивной ходьбы,

почти бега, и вот он у подъезда. С гвоздикой в руке. Гвоздику Алексей покупал у метро, если, конечно, удавалось найти ее в период острого дефицита.

Надя работала в Первой градской, на кафедре хирургии. Работала много – брала и ночные, и подработки.

Алексей – в поликлинике, участковым врачом. Тоже не барствовал – брал два участка, чтобы подзаработать. И все-таки времени у него было побольше, чем у жены – пик вызовов приходился обычно на позднюю осень, зиму и раннюю весну: ОРВИ, ОРЗ, грипп и всякие банальные простуды. А лето было совсем спокойным: молодежь почти не болела, а старушки, главные пациенты, разъезжались по деревням и садовым участкам.

Ну, и домашние хлопоты Алексей взял на себя. Это его совсем не напрягало. Приготовить ужин? Да запросто! Избалованными они точно не были: приготовить жареную картошку с сосисками, макароны с тушенкой или яичницу – плевое дело! Пару раз попробовал сварить первое. Надя усмехнулась, но похвалила. И Алексей, как всегда, растаял от ее слов. От нежности и благодарности.

Удивлялся ли он ее упорности и стремлению достичь верхов, сделать карьеру? Да нет... Пожалуй что нет.

Алексей всегда знал: жена амбициозна и рассчитывает на себя. Это Надя повторяла не раз. И слышать такое было немного обидно, но... И еще Надя добавляла: гордись, что у тебя такая жена!

И он, конечно, гордился.

Правда всегда немного обидна. Сделать карьеру Алексей никогда не стремился. И это было чистейшей правдой. Его вполне устраивала запись в трудовой книжке – «участковый терапевт».

И к работе своей Алексей относился с нежностью. Да-да, именно с нежностью! Он любил своих пациентов – одиноких стариков, надеющихся на него как на Бога. Молодых хитрованов, мечтающих о недельном больничном, чтобы просто отдохнуть от суетливой жизни или добавить вожделенные пять рабочих дней к долгожданному отпуску. Больничные листы таким он выдавал – ну, если только перед ним были не отпетые и наглые мошенники и аферисты.

Отработав шесть часов в поликлинике на приеме, Алексей с удовольствием надевал пальто, брал портфель и шел на участок. Участок был дальним – минут двадцать ходьбы от поликлиники. Дальним и довольно растянутым. Но Алексей с удовольствием шагал по знакомым дворам, вдыхал свежий морозный воздух, любовался природой. Люди узнавали его и здоровались. Иногда останавливались и начинали рассказывать про свои болячки, проблемы, делились новостями и даже сплетнями.

Его больные доверяли своему врачу. Алексея не раздражали заунывные и такие знакомые жалобы стариков и инвалидов. Вздыхая, он брал их скромные подношения – баночку варенья, вязаные носки или хорошую книгу. Понимал, что его отказ мог их обидеть.

Надина карьера стремительно восходила: в тридцать она защитилась, а в тридцать пять стала заведующей отделением.

Именно тогда она забеременела. И от этого известия Надя пришла в ужас: рожать? Сейчас? Когда у нее только-только начало получаться?

Но Алексей уговорил ее. Настоял. Пообещал, что все хлопоты о ребенке будут на нем – честное слово! Только пожалуйста!..

В декрет Надя ушла на восьмом месяце. Родила легко, словно и не была старородящей. Так у них появилась дочка, назвали Маринкой. По счастью, девочка оказалась крепенькой и здоровой. Первый год как-то перебивались – сидели с Маринкой по очереди. А после года отдали в ясли. И снова спасибо природе – девочка почти не болела, как многие ясельные дети.

А Надя опять с головой погрузилась в хирургию.

Немного помогала соседка по лестничной клетке – пожилая, но крепкая женщина пенсионного возраста. Она нередко и подстраховывала их: если работали оба – забирала Маринку из сада, кормила ужином, укладывала спать.

Словом, справлялись. Уборка, готовка и магазины были на Алексее.

Он и занимался дочкой – играл с ней, читал детские книжки, водил на мультики в «Баррикады».

Алексей понимал: у жены жизнь нелегкая. Ответственность – дикая! Ведь на ней держалось огромное и сложное отделение.

Иногда, по воскресеньям, Алексей брал дочку и отправлялся к родителям. Мать относилась к внучке сдержанно, а вот Тёпа племянницу обожала. Отец был совсем плох. А когда Маринке исполнилось восемь, он умер.

Надя никогда не спрашивала, что и как в его семье. Ни про мать, ни про Тёпу – ни слова. Словно и не было в ее жизни этих людей. Впрочем, мать тоже снохой не интересовалась. Лишь отпускала иногда колкие фразочки типа: «Ну что? Наша Надежда Николаевна, светило науки, все трудится? Способная женщина!.. И как еще между делом ребеночка-то успела народить? Чудеса! Впрочем, знала ведь, что есть на кого положиться! Что она без тебя?..»

Алексей устало отмахивался: «Мам, да хватит уже! Смирись, наконец, что Надя – моя жена! И кстати, мать моей дочки!»

Когда Маринке исполнилось двенадцать, Надя заговорила об улучшении жилплощади. Конечно, она была совершенно права: маленькая однокомнатная квартирка была тесновата двум взрослым и ребенку-подростку. В комнате было непроходимо тесно: Маринкин стол стоял у окна, и пробраться к нему было проблемой.

А через полгода Надя торжественно шмякнула на стол бумагу с ордером на новую квартиру, которую ей выделил Минздрав. Ей, Надежде Николаевне Сосновской. Персонально!

– Ну! – спросила жена – Каково? Конечно, не без усилий! Побиться пришлось! Но... Все в нашей жизни не без усилий! Правда... – тут она замолчала и с сомнением посмотрела на мужа, – ты это вряд ли заметил! – с тяжелым вздохом заключила Надя.

Квартира оказалась большой и просторной: две светлые комнаты – их и Маринкина, большущая кухня с окном во всю стену.

Надя гордо ходила по квартире и чувствовала себя победительницей.

Впрочем, она и была победительницей, и не признать этого было бы странно.

Алексей искренне радовался успехам жены. Никогда, ни разу в жизни, ему не пришло в голову позавидовать ей или попрекнуть ее чем-то.

Только мать, услышав от Алексея, что его жена защитила докторскую, небрежно бросила:

– А кто б сомневался? Когда есть прикрытый тыл, знаешь ли!.. Да и натура такая – вездеход твоя Надя! По людям – гусеницами! И тебя переедет однажды! Так что будь готов к этому, сын!..

Перед юбилеем матери, шестидесятипятилетием, Алексей уговаривал Надю помириться: «Ну, хотя бы сделай вид, что все хорошо. Сколько можно, ей-богу?! Мы же взрослые люди!»

Жена ответила спокойно, но твердо:

– Мне этого не надо! И ей, думаю, тоже. Я ведь тогда ничем перед ней не провинилась: молодая девчонка, практически сирота. А меня приняли как посягательницу. На все: на их сына, на их прописку, на их имущество! И заметь, мнение свое обо мне не изменили! Несмотря на мои успехи, на мой тяжелый труд. Ни разу доброго слова не сказала, ни разу не похвалила. Хотя бы за то, что родила им внучку!

Нет, – Надя покачала головой, – не нужно все это. Ни мне, ни ей. Сейчас уж точно не нужно!

Ну и отправился Алексей в гости с Маринкой. Возразить жене было нечего. Все понятно – у каждого своя правда. И обе его женщины – люди суровые, бескомпромиссные. Такими их сделала жизнь.

Когда дочке исполнилось пятнадцать, Алексей заметил, что и она стала относиться к нему с некоторым презрением. Спрашивала с легкой улыбочкой: «Ну, как там твои старушонки, папуля?»

В гости к бабке и тетке ездить отказывалась. Хотя это объяснить можно – появились свои интересы. Подружки, кавалеры и прочее.

Дочку Алексей не осуждал, но все же было обидно.

А вот с матерью у Маринки были отличные отношения. Во всем чувствовалось, что мать она уважала. Понимала, кто в доме хозяин.

Никогда она не говорила матери: «Отстань, мам! Надоело!»

А вот ему, отцу, запросто могла так ответить.

Они, его женщины, часто шушукались, Алексей то и дело слышал взрывы негромкого смеха, а когда заходил в комнату, они тут же замолкали.

– Помешал? – виновато спрашивал он.

Дочка нервно дергала плечом – мол, да, помешал. Но куда от тебя денешься?..

А однажды – Маринке было тогда лет семнадцать – Алексей случайно услышал их разговор.

– И как ты, мам, жизнь с ним прожила? Странно както... Ты и он! Пропасть между вами... Необъятная просто! Ты ведь *такая*! А он...

– Да нет, – спокойно и рассудительно ответила Надя, – ты не права! В конце концов, он всегда был хорошим мужем и прекрасным отцом. А это немало! Но вот никчемность – да. Здесь ты права. Слабак... А знаешь... – Жена замолчала. – Я тогда много над этим думала. Что лучше – гореть в страстях или быть уверенной и спокойной? *Тот* человек был ярким, как факел. Мы бы оба сгорели от страсти и ревности. А твой отец, – она усмехнулась, – он даже изменить бы не мог. Потому что слабак. Что я выбрала, ты поняла. А то, что была в моей жизни история... – Надя замолчала. – Я судьбе благодарна. Но... я испугалась. Из-за тебя испугалась! Знаешь, никто не заменит родного отца! И как бы у вас все сложилось... Ну, с тем человеком... Не знаю. Честно – не знаю. Да. Из-за тебя, – уверенно повторила жена.

– А вот это зря! – твердо возразила дочь. – Точно зря! Я бы... пережила!

– Ну, что теперь говорить, – с тяжелым вздохом ответила Надя. – Я привыкла... рассчитывать на себя.

Алексей отошел от двери и медленно прислонился к стене. В груди резко закололо.

Еле-еле добрался он до своей комнаты и лег на кровать.

Наивный дурак!.. Он-то думал... А все было ясно. С самого начала ясно. Никогда она его не любила. Никогда! Прикрылась тогда от отчаяния. И он ведь все знал! Все понимал! Просто думать об этом себе запретил! Надеялся, что его любви хватит на всех. А вот... не хватило.

Злости на жену у Алексея не было! Была только жалость: прожила, бедная, жизнь с нелюбимым...

А сколько он дров наломал! Смертельно рассорился с матерью. Обидел отца. Обделил сестру. Сделал несчастной свою любимую женщину...

И вот итог: ему уже под полтинник. И ничего... Совсем *ни-че-го*!

А самое главное – даже сейчас, когда наконец вся страшная правда открылась... Он снова ничего не изменит! Ни на что не решится! Не уйдет, не освободит ее. Не начнет уважать себя. Ничего не изменит и не поменяет! Будет упорно делать вид, что все хорошо!

И ведь чистая правда – ничтожество. Никчемность. Слабак.

Что тут возразить?

А ничего.

Вот тогда и вспомнилась Алексею одна история – «тема», как говорила Маринка.

Хотя... И истории-то не получилось! Так, ерунда.

Наверное, тогда Алексей все-таки влюбился. И даже наверняка влюбился! В свою, так сказать, больную.

Случилось это на вызове. Было самое начало зимы, и как обычно на участковых посыпались вызовы по простудным заболеваниям, бронхитам, трахеитам...

Дверь Алексею открыла молодая женщина в светлой пижаме. На горле шарф, на лбу испарина. Голос сиплый, сухой кашель...

Рукой пригласила в комнату – говорить ей было не просто.

Села на кровать и решительно задрала пижамную кофту. Под ней... ничего не было.

Все понятно: он врач – какие тут могут быть стеснения? К обнаженному телу привык. Голой грудью его не удивить. Но тут Алексей почему-то страшно смутился. А еще – разволновался. Он отвел глаза и приложил стетоскоп к груди больной. Потом простучал легкие. Оказалось – бронхит.

Алексей начал выписывать рецепт, и тут больная вдруг разревелась:

– Мне даже некому в аптеку сходить!.. Я одна... Муж в командировке, мама в больнице. Может быть, обойдусь малиной и медом? – нерешительно предложила больная.

Алексей возмутился:

– Какой мед? Какая малина? Хотите заработать воспаление легких?! А соседи? – спросил Алексей. – Может, они помогут?

Женщина отрицательно покачала головой:

– Никого я не знаю... Мы переехали всего три недели назад.

Алексей осмотрелся: действительно, окна были голые, без штор. Из стены торчал электрический провод, а на полу были видны белые разводы от побелки.

Алексей вздохнул, взял рецепт и отправился в аптеку. По дороге захватил в магазине молока, хлеба и пару лимонов.

Она открыла дверь и, не мигая, с благодарностью смотрела на Алексея своими огромными, почти черными, с густыми ресницами глазами.

Звали ее Светланой. Светлана Коробкина – смешная фамилия.

Через три дня Алексей снова зашел к своей пациентке. Ей было лучше, и Светлана предложила ему выпить кофе.

Провожая Алексея, она дотронулась до его руки и тихо сказала:

– А ведь вы, доктор, спасли меня!

Он смутился, махнул рукой и попытался не согласиться.

– Нет! – ответила она. – Я ваш должник!

– Ну, должник так должник! И я вам это припомню!.. – отшутился Алексей.

С той поры дни напролет он думал о Светлане. А ночью... Вот ведь стыдоба!.. Алексей закрывал глаза и видел ее маленькие и твердые груди, с темными, как изюмины, острыми сосками. И длинную, белую шею с родимым пятном. Вспоминал приятное ощущение ее влажной кожи на своих ладонях...

Бред, чушь! Идиот! Она молода, красива. Замужем! Что он, нищий участковый терапевт, может ей предложить? Сходить в кино? Съесть мороженое? Целоваться в подъезде?

На прием в поликлинику Светлана пришла через несколько дней. Встретившись глазами, оба покраснели. Алексей прослушал ее легкие, закрыл больничный и пожелал здоровья.

Светлана посмотрела на него с явной грустью, словно разочарованно. Или ему это только показалось?

«Слабак! – думал он. – Надя права: абсолютный слабак!»

А через два дня Алексей спустился в регистратуру, нашел ее карточку и позвонил.

Светлана и обрадовалась звонку, и удивилась. Или ему вновь показалось?

Алексей справился о ее здоровье и, мямля, как прыщавый пацан, пригласил на свидание.

Пару минут трубка молчала. А Алексей ругал себя последними словами: «Кретин, идиот! Так влипнуть!..»

Но Светлана неожиданно ответила согласием: «Да, хорошо! А куда мы пойдем?»

Назавтра они встретились у метро и отправились в кино. В фойе кинотеатра Алексей трусливо оглядывался: а вдруг встретится дочь? Или кто-нибудь из ее подруг?»

По дороге домой они молчали. У подъезда Светлана предложила зайти к ней — на чай.

А дома молча пили чай с мармеладом, и обоим было как-то неловко. Алексей взял ее руку и некрепко пожал.

— Я пойду? — спросил он, не поднимая глаз. — Поздно уже...

Светлана молча кивнула.

У двери Алексей обнял ее и поцеловал.

— Останешься? — одними губами спросила Светлана.

Он мотнул головой:

— Нет, не сегодня. И потом... Я не хочу торопить!

Светлана вздохнула и кивком головы согласилась.

Ночью Алексей долго не мог заснуть и все думал о ней. Вспоминал ее теплые податливые губы, ее запах, ее холодные и тонкие руки...

Рисовал в воображении, как у них все могло быть. Представлял ее спящей на его плече.

Но... Алексей не перезвонил ей. Никогда.

Тяжело болела мать. Ей уже не под силу было ухаживать за больной дочерью. Тяжело готовить, тяжело искупать, тяжело одеть. Тяжело вывезти кресло-каталку на улицу.

Алексей, разумеется, часто приезжал. Ходил в магазин, убирал квартиру. Таскал Тёпу в ванную. И видел, как им тяжело. Почти невыносимо.

Однажды мать вызвала его на разговор. Разговор был о Тёпе.

Мать умоляла Алексея не бросать сестру. Нет, конечно, она понимала: к себе Алексей ее не заберет. Причина в Наде.

– Но... после моей смерти... Пожалуйста! Не отдавай Тёпу в приют! – умоляла мать. – Она ведь там погибнет!..

Мать Алексей успокоил и слово ей дал. Но выйдя на улицу, впервые задумался: «Когда-нибудь... мать уйдет. Такова реальность. А Тёпа останется... И с этим придется что-то делать... Только вот *что*?»

Иногда Алексей просил дочь составить ему компанию – вместе съездить к бабушке и тетке. Но дочь кокетливо морщила носик и мотала головой: «Нет, пап! Ну, правда! Там так тоскливо... Просто сердце обрывается! Бабушка в лежку, Тёпа скрипит коляской. Грязь – уж ты меня извини! Нет, я, конечно, все понимаю! Но там еще... пахнет, пап! Болезнью, старостью. Тленом каким-то. Там – как в могиле. После этих визитов я есть не могу!..»

Алексей, расстраиваясь до сердечных спазмов, пытался с дочерью поговорить – о чувстве долга, жалости, сочувствии...

Но тут вмешивалась жена: «Оставь ребенка в покое! У нее своя, молодая жизнь! Еще наестся в жизни дерьма! Из своего корыта, не из чужого».

Алексей, понимая бессмысленность этих разговоров, махнув рукой, уезжал один.

А вот Тёпа всегда гнала его домой: «У тебя, Лешик, семья: ребенок, хозяйство. А тут еще мы...»

«Какой ребенок, Тёпа? Корова, прости господи, семнадцатилетняя! А семья... Ну, тут вообще смешно».

Мать конечно же наезжала на Надю. Не забывала «отметить» и внучку: сколько волка ни корми, *ее* воспитание, ночная кукушка дневную перекукует, яблоко от яблони – ну, и так далее.

Тёпа всегда защищала родню: «Надя – огромная труженица, умница! Да, карьеристка! А что в этом плохого? Че-

столюбие – не самая плохая черта характера! К тому же ей всегда надо было выживать! И детство – не дай бог, и общага... Да, человек она сложный, не спорю. Неласковый, строгий, неродственный. Но честный, правдивый и бескомпромиссный! Этого у нее не отнять! И верхов достигла без чьей-либо помощи, и дочь родила...»

«Без помощи? – взвивалась мать. – А как бы она без Лешки выжила? Чего бы достигла? Прописку ей дали, квартиру – на тебе! Дом был на Лешке. И дочка ее!»

«Не только ее, мам! Дочка еще и моя, – осторожно вставлял Алексей».

«Завела домашнего бобика, слугу, домработника и понукает всю жизнь! А этот дурак... Да что говорить!..»

«У каждого своя модель семьи, – тяжело вздыхала миролюбивая Тёпа».

«Ты-то откуда знаешь, – бросала в сердцах мать, – чтоб рассуждать?!»

После онкологической операции мать прожила почти четыре года. Точнее – три с половиной. Слегла только в последние месяцы. Да так, что требовалось уже и судно, и все остальное, что сопутствует тяжелой болезни.

Алексей практически переселился к матери и сестре. Совмещать с работой это было почти невозможно.

Его вновь стали посещать мысли о том, что будет, когда не станет матери.

Как ни странно, спасла в очередной раз жена.

– Все, хватит! – решительно заявила Надя, когда Алексей в очередной раз собирался к своим. – Ты превратился в ходячий скелет! Еле ноги таскаешь! Надорвешься – и что дальше? Кто будет ухаживать за тобой? А *им* просто нужна сиделка. Опытная женщина, домработница, помощница. Желательно – медсестра.

Алексей с усмешкой кивнул:

– А деньги? Ты вообще в курсе, сколько стоит сиделка? Да еще для двоих! А приготовить, накормить, иску-

пать, переодеть, перестелить? Помилуй, откуда у нас такие деньги?

– Я дам, – коротко бросила жена. – Только ты, дорогой, возвращайся! К своим непосредственным обязанностям. К дому, к семье. К работе, наконец! Нам твои деньги, знаешь ли, не помешают!

И Алексею показалось... что его еще любят! Пусть не страстно, но любят! Жалеют, думают о нем. Нуждаются в нем! Не справляются без него!..

Сиделка нашлась довольно быстро – медсестра из Надиного отделения. Пожилая, но крепкая женщина, с сильными и умелыми руками.

На эту Нину Ивановну они просто молились. Человеком она была душевным, исполнительным и нескучным. С матерью они вели долгие беседы «за жизнь», вместе смотрели бразильские сериалы. С Тёпой – шили и вышивали, пекли торты.

Нина Ивановна – прекрасный и чистейший образец русской женщины. И, естественно, с трагической судьбой. Она быстро стала в семье своим человеком.

Жизнь ее не жалела. Простая деревенская работящая женщина приехала в Москву вместе с мужем. Муж пахал на стройке. И через пять лет из рабочего общежития семья переехала в свою комнату. Светлую, с огромными окнами на юг.

Там родился их сын, Ваня. Жили мирно и счастливо. Нина окончила медучилище, стала работать в больнице. А потом... муж загулял. Да как! Завел вторую семью, в которой тоже родился ребенок. Жил на два дома: в будни у Нины, а на выходные заявлялся в ту, другую семью. Нина терпела. Ждала. Чего? Ей и самой было невдомек. Там рос его, мужа, ребенок. Мать ребенка была бабенкой шустрой, куда моложе Нины. А муж все не уходил окончательно. Мучил обеих женщин. Разлучница как-то заявилась к Нине и стала кричать, чтобы та «вернула ребенку отца».

Нина объясняла, что мужа она не держит: «Возьми, если можешь! Забирай!»

И вот итог: муж начал пить и однажды попал под машину. Насмерть. Так никому и не достался...

Сын Ваня женился рано. Сразу после армии, в двадцать лет. Жену привел к Нине. И все бы ничего... Ко всему привычная Нина стерпела бы. Стерпела бы строптивую и неласковую невестку. Но понимала, что жизнь молодых она заедает. Одним своим присутствием. Огромная комната теперь не казалась огромной — всем было тесно.

Молодые любили гостей. К снохе приезжала шумная родня из-под Пскова. Нина спала на раскладушке в коридоре под собственной дверью. Соседи ворчали. Невестка скандалила. Вскоре народилось двое внуков, и стало совсем невыносимо.

Тогда пожалела Надежда Николаевна, заведующая отделением. Разрешила Нине спать в санитарной комнате на больничной банкетке.

Нина там и обустроилась: поставила электрическую плитку, купила маленький телевизор, коврик, занавески повесила. Словом — свила гнездо.

Правда, боялись проверок. На эти дни Нина снимала занавески, прятала плитку, сворачивала коврик и постельное белье и относила все это в кладовку сестры-хозяйки. Но все это было зыбко, ненадежно и в любую минуту могло прекратиться. Не помогла бы тогда и Надежда Николаевна.

Впрочем, об этом Нина старалась не думать — жизнь приучила ее жить сегодняшним днем.

Но все же иногда становилось страшно. А вернуться к детям невозможно. Общежитие же ей, как москвичке с жилплощадью, было не положено.

«Так и подохну на больничной кушетке, — думала Нина. — Ну, значит, такая судьба!..»

На Надежду Николаевну Нина молилась: чужая и строгая женщина пожалела ее и пригрела. А когда заведующая предложила Нине ухаживать за ее свекровью, да еще за зарплату, — Нина отказать не могла.

«Копи на жилье, — строго сказала заведующая. — Свои деньги не трать, у *них* — пенсия. Две калеки и ты — прокормитесь! Сколько я смогу тебя прикрывать — сама не знаю. Сегодня я тут, а завтра... В общем, копи!»

Нина и копила. Складывала все до копеечки. С ее опытом экономии двух пенсий вполне хватало. Нина готовила по-деревенски сытно, много и расчетливо: блины, пироги, картошка и каши.

К своим подопечным — строгой и суровой хозяйке и ее больной и такой милой, неприхотливой дочке — Нина быстро приноровилась.

Обеих одинаково жалела: судьба, не приведи господи! Вот ведь судьба! И ее судьба, Нинина, такая безжалостная и горючая, казалась ей не такой безысходной. «Я — на ногах, — твердила она, — а все остальное...»

К своим подопечным она даже привязалась — привыкла. Женщиной она была сердобольной и жалостливой. Да и как не жалеть двух несчастных калек?

Алексей тоже вздохнул свободнее: приезжал к своим теперь раза два в неделю. И сердце успокаивалось. В доме пахло свежей едой, пирогами, чистыми полами и отглаженным бельем. Повеселели и мать, и сестра.

— Дай бог вам здоровья, Нина Ивановна! — искренне восхищался домоуправительницей Алексей.

Наде Алексей был особенно благодарен — от всего сердца. «Умница, умница! И как человеку все удается?! Расставить все на свои места, распорядиться мудро и грамотно!..»

Однажды ночью, погладив жену по руке, Алексей тихо сказал:

— Спасибо тебе! Как у нас все получилось! Как складно и ладно!..

– А у меня все так получается! – усмехнулась Надя. – Ты не замечал?

При этих словах Алексей почему-то вздрогнул и отодвинулся. Да! Она, как всегда, права. У нее все получается! Так почему же ему неприятно все это слышать? Может, обидно? За свою очередную нескладность обидно?

* * *

Мать умерла среди ночи. Нина Ивановна позвонила Алексею только утром.

– Зачем вас будить? Теперь ничего не попишешь, – грустно вздохнула она.

Надя приболела. Ничего страшного – обычная простуда, ОРВИ.

На похороны идти отказалась.

– Никому этого не надо! – холодно отрезала жена. – Ни мне, ни тем более твоей матери. Она всю жизнь меня еле терпела. И вся эта мутотень... Мне наплевать на обычаи и условности! И ей теперь уже тоже.

Алексей ничего не возразил. «Да, все правильно. Обе друг друга едва терпели. Вернее – совсем не терпели. Кто виноват? Что разбираться... Жизнь прошла, матери больше нет... Традиции? Наде всегда было наплевать на условности. «Иначе я бы не выжила», – с горечью говорила она».

Дочь тоже заартачилась:

– Пап, у меня... сессия, дела!

Но жена коротко бросила:

– Иди! Уважь родителя! Иначе... Папаша твой совсем закиснет, – с пренебрежением заключила Надя.

Против матери Маринка не шла. Сделав кислое выражение лица, буркнула:

– Пойду...

И опять Алексей пытался оправдать свою жену. Имеет ли она право на «нелюбовь» к его матери?

И уверенно отвечал сам себе: «Да, имеет! Имеет полное право! Мать была тогда не права. В конце концов, не пожалеть почти сироту и почти девочку... Не принять ее – сразу и резко... Не попытаться разобраться в ней... Да, это мать направила отношения с невесткой в подобное русло! Получается, Надя права...»

Поминки «собрала» Нина Ивановна. все, как положено: блины, кутья, бутылка кагора.

Тёпа куталась в черную материнскую шаль и беззвучно плакала.

После кладбища Марина сразу уселась перед телевизором. К поминальному столу присоединилась позже других.

Пришли соседи – семейная пожилая пара. Какая-то дальняя родственница отца. Алексей ее совсем не помнил... Тёпа лежала у себя в комнате, отвернувшись к стене.

Алексей зашел к сестре. Она обернулась и взяла его за руку:

– Что теперь будет, Лешик? Что будет со всеми нами?

Алексей гладил сестру по руке, по волосам, приговаривая: «Все будет отлично».

– Как? – переспросила Тёпа и горько усмехнулась: – Я ведь... только маме и была нужна. Я все понимаю. Она несла свой крест терпеливо. У тебя семья. А Нина Ивановна – она ведь чужой человек! Нет, она замечательная! Я так ей за все благодарна! Но все же... Мне страшно, Алеша! Так страшно без мамы, что хочется умереть!..

Нина Ивановна прожила с Тёпой еще восемь месяцев. А потом объявила, что уезжает к сестре. В деревню. «Денег подсобрала... Может, и себе полдомика прикуплю. А что, цены там копеечные! Деревня-то дальняя! А многого мне и не надо – комнатка да терраска! Ну, и огородик в пару соток – зелень, картошка, огурчики. Прокормлюсь! По уколам побегаю по старушкам. Там – родина, там родня. Нажилась я в городе, дерьма похлебала. А ты привози Наташку

на лето! Отпою ее парным молочком! Воздухом надышится! А то все в квартире, в квартире...»

Алексей уговорил сиделку пожить хотя бы до мая, пока что-нибудь разрешится...

В голове Алексея мысли толкались сумбурные, неровные. А выхода не видно было. Найти новую сиделку? Да, это единственный выход. Только где? И такую, чтобы Тёпе было комфортно. Хотя после Нины Ивановны...

Поговорил с коллегами в поликлинике. Молодые девчонки шарахались от его предложения, как от чумного больного: «Сиделкой? С инвалидом? Да что вы! Да ни за какие деньги! У нас молодость: киношки, свидания, танцы! А вы нас – на цепь? И денег никаких нам не надо! Какие тут деньги, когда жизнь за окном?»

Женщины в возрасте тоже отказывались: у кого семья, у кого внуки, у кого здоровья нет...

А как хотелось все решить *самому*. Без жены. Хотелось справиться, разрулить. Как всегда, когда справлялась и разруливала Надя, – быстро, легко и изящно.

Но не получалось...

А тут Маринка засобиралась «взамуж». Надя скандалила, пыталась дочь образумить:

– Рано, третий курс, родишь еще не ко времени... Помощников нет... Вот так и жизнь свою молодую загубишь!..

Но, дочь – Надин характер – просто так не собьешь. Сказала, что выйдет, и точка!

– Иначе... – Марина хотела еще что-то добавить, но замолчала.

– Что? – переспросила мать, сузив глаза. – Что иначе? Пугаешь? Или?..

Надя замерла от своей догадки:

– Залетела, дурища?!

Маринка часто замотала головой и что-то залепетала в оправдание.

А вечером дочь стала ластиться к отцу:

— Пап, хоть ты на нее повлияй!

И призналась ему:

— Да, залетела...

Спокойный разговор с женой не получился. Надя извергала громы и молнии:

— Взять его к себе? В эту квартиру? И как ты себе это представляешь? Он — иногородний! Без прописки! И еще младенец! Ты представляешь, что с нами будет? Может, ты предлагаешь разменять эту квартиру? — И жена, ослепленная гневом, обвела руками пространство.

— Ты мне кого-то напоминаешь, — усмехнулся Алексей. — Не догадываешься кого?

Надя замерла, переваривая его слова.

— Напоминаю? Да эта квартира мне досталась... Сам знаешь, как я пахала всю жизнь! А твоей матери, между прочим, все досталось просто так, на халяву! От ее нелюбимой, между прочим, свекрови! От Анны Васильевны! Она ведь еле терпела ее! Ты, похоже, запамятовал?!

— Позавидовала? — снова усмехнулся Алексей. — Матери моей позавидовала? Судьбе ее... легкой?

Он стукнул кулаком по столу и вышел прочь из кухни.

И ничего вслед не услышал. Даже удивился этому обстоятельству.

А ночью жена прижалась к нему:

— Леш! А ведь выход... он есть!

Алексей не ответил. Только напрягся и замер, словно что-то предчувствуя.

— Наталью надо определить в интернат, — тихо и быстро проговорила жена.

Алексей резко развернулся и сел на кровати:

— Что?! Что ты сказала? Нет, ты повтори!

— А что? — Надя тоже привстала. — А что тут такого? Нина уезжает, найти замену мы не можем. И как оно будет? Нет, ты мне скажи! А деньги, Леша? Как все потянуть? Ну, тянула я, сколько могла!..

Голос ее окреп и все больше набирал силу:

– Красиво быть чистеньким, а?.. Интернат я найду – самый лучший! Отдельная комната – максимум на двоих. Медицина, уход. Питание. Что в этом плохого? А как иначе, Леша? Как все *это* будет?

А Маринка... С мужем своим дурацким и ребенком этим... Они переедут туда! Ну, разве плохо? И волки сыты, и овцы целы! Да, и еще дачу вашу дурацкую нужно продать! Продать, понимаешь? Ну, сам посуди: кому она, развалюха, нужна? Дома, считай, нет. Да и не было... А земля там сейчас дорогая! Можно продать и сделать ремонт квартиры. Да еще и на машину останется!

Алексей молчал. Сидел, свесив ноги и низко опустив голову. В голове было пусто...

Потом он медленно встал, надел брюки и майку, взял свою подушку и у двери обернулся:

– Я подумаю, Надя! Подумаю. И завтра... дам тебе ответ.

Жена удовлетворенно кивнула, легла, обернувшись в одеяло, и закрыла глаза.

– Вот и славно, – прошептала она. – Вот все и решилось! Слабак, что говорить. Таких только об колено и ломать...

Рано утром Алексей выпил чашку чая, достал с антресолей чемодан и стал собирать свои вещи. Вещей оказалось немного.

Потом он замер у зеркала в прихожей, пару минут разглядывая свое отражение, словно видел себя впервые.

Обвел глазами квартиру, положил связку ключей на комод и решительно вышел на лестницу, аккуратно и тихо прикрыв за собой входную дверь – воскресенье, выходной день. Жене надо выспаться.

Алексей шел по весенней улице, вдыхая аромат молодых, клейких листьев. Природа в мае всегда свежа и прекрасна!

Остановив такси, Алексей назвал водителю знакомый адрес.

Город был тихим и сонным – совсем непривычным.

У знакомого дома он вышел, посмотрел на окна и вошел в подъезд.

Дверь открыл своими ключами. Из комнаты Тёпы раздавалась приглушенная музыка – сестра была отчаянным меломаном.

– Тёп! Я вернулся! – крикнул он, снимая пальто. – Тебе чай или кофе?.. Лично мне очень хочется кофе!

Алексей отнес чемодан в комнату матери. Поставил его на кровать и открыл. Осмотрелся.

«Ну вот... – подумал он. – Наконец-то я дома!..»

И Алексей громко, с облегчением выдохнул.

Человеку всегда становится легче, когда он принимает решение.

Даже слабак не может терпеть унижения вечно – он или погибнет, либо восстанет. Алексей решил жить.

Баю-баюшки-баю

Маша Краснопевцева родилась с золотой ложкой во рту. В чем это выражалось? Да во всем! И начиная с самого раннего детства. Машин дедушка, академик от математики и ученый с мировым именем, обожал свою единственную внучку и ревновал ее ко всем без разбору – даже к своей жене, Машиной бабушке, профессору медицины, знаменитому хирургу, умнице и все еще красавице. Кстати, лицом и фигурой Маша пошла именно в бабу Олю, Ольгу Евгеньевну Краснопевцеву, горячо любимую дедом и всеми окружающими.

Машина мама, невестка маститых свекров, тоже была не лыком шита. Не красавица, но точно – умница. Старший преподаватель в Литературном институте, тайная поэтесса и автор романов «про любовь» (тоже в стол, разумеется). А сын именитых родителей, Машин папа, был довольно успешным скульптором-анималистом.

Короче говоря, все образовывали Машу кто во что горазд. Дед-академик развивал в ней любовь к точным наукам и учил мыслить «четко и грамотно»; мама читала дочке стихи известных поэтов, иногда, густо краснея, между делом вставляя свои; папа ставил Машеньке руку и объяснял, что такое цвет и композиция, а баба Оля лечила внучку и отвечала за ее здоровье в целом – физическое и психическое.

При этом все были остроумны, ироничны, нежны друг к другу и слегка презирали материальное (вопрос о деньгах в доме не стоял).

И конечно, все очень друг друга любили и уважали. Но центром вселенной, конечно, была любимая дочка и внучка.

В доме любили пошутить, и у всех были свои прозвища. Так, деда-математика нарекли Лобачевским, бабулю-хирурга Мадам Пирогов, мечтательницу-мамулю – Милая Тэффи, а папу-художника, конечно, Леонардо.

Машу звали по-разному: Зайчонок, Рыбуля, Котик, Малышка, Крохотка и просто Машенция, Мурочка, Мусечка и Маришаль. Изгалялись, кто на что способен. И очень при этом веселились.

Зимой жили в Москве, в огромной пятикомнатной квартире на Таганке, а в мае переезжали на дачу – тоже не маленькую, в databasedачном месте, в академическом поселке на Оке, окруженном густым сосновым лесом.

Маша ходила по участку, путаясь в густой траве, и собирала грибы и землянику в маленькое круглое лукошко.

Хозяйство много лет вела строгая женщина Катерина Петровна, которую побаивалась даже очень нетрусливая бабуля. Про маму и говорить нечего – на кухне она просто не появлялась и, услышав сочный голос Петровны, слегка вжимала голову в плечи. Петровна накрывала завтрак, потом надевала на нос очки с перевязанными ниткой дужками и важно оглашала обеденное меню. Все притихали и переставали жевать. Петровна обводила всех тяжелым взглядом и с явной угрозой в голосе заключала:

– Вопросы есть?

Вопросов, разумеется, не было. Все дружно кивали и жарко благодарили домоправительницу. По большому сче-

ту всем было наплевать, что на обед, на ужин, где свежее мясо и почем нынче творог на базаре. Но Петровну все терпеливо выслушивали, реагировали, даже пытались неловко что-то обсуждать, словом, уважали. И были счастливы, что эти неразрешимые проблемы кто-то взвалил на себя, и главное – избавил от них их самих.

Еще у Маши была няня, племянница Катерины Петровны Лиза, пугливая и молчаливая старая дева пятидесяти двух лет. Очень ответственная и очень плаксивая. Лиза будила Машу по утрам и от умиления вытирала слезы. Потом она кормила маленькую Машу завтраком и опять хлюпала носом. Дальше готовила Машу к прогулке и перед тем, как надеть на нее варежки, целовала маленькую ладошку и опять промокала платочком глаза.

Маша росла в любви, даже обожании, абсолютном преклонении, всеобъемлющей, горячей заботе, всеобщем восхищении и так далее, так далее и так далее.

Нет, баловали Машу разумно – откровенных глупостей не делал никто. Но все, что она хотела, конечно же, исполнялось. А что хочет девочка, у которой есть все? Тряпичницей Маша не была, бриллиантов и норковых шуб не заказывала. Какие бриллианты и шубы? Ни бабуля, ни мама их сроду не носили, да и внешне Маша была скорее девочка-подросток: худенькая, невысокая, с мальчиковой короткой стрижкой. Хорошенькая в меру, как говорила бабуля. И правда, хорошенькая – сероглазая, темнобровая, чуть курносая и по-современному большеротая.

Маша долго выбирала будущую профессию. Бабуля намекала на продолжение династии в медицине. Мама мечтала о поприще литературном – ну, если не поэтом или писателем, то хорошо бы, к примеру, литературным критиком или редактором. Папа предложил подготовить Машу в Полиграф – чем не профессия для женщины? Только дедуля молчал и хмурил кустистые брови. Понимал, что Софью Ковалевскую из любимой внучки сделать не дадут. Да и вряд ли она бы из нее и получилась, честно говоря.

Маша поплакала, помучилась, покрутилась в кровати пару раз до рассвета и поступила в иняз, на отделение скандинавских языков. Выпендрилась, короче.

Первая Машина любовь тоже оказалась счастливой. В шестнадцать лет она влюбилась, а в девятнадцать, на втором курсе, они расписались. Рановато, конечно, но что поделаешь? Раз уж так сложилось... Свадьбу сыграли в ресторане – чтобы без хлопот. Поели, попили, ушли и забыли. И опять все складно – Вова, Машин муж, был внуком ну очень известного авиаконструктора. И жили в одном доме, и дачи на соседних улицах. И Вова – ладный, стройный, синеглазый блондин (мама – популярная латышская актриса, папа – дипломат). Вова пошел по папиным стопам и поступил в МГИМО. Разумеется, с первого захода.

Зажили они у Маши – так договорились. Дед с бабулей перебрались окончательно на дачу, папа делал большой проект для зоопарка и жил практически в мастерской, а мама... Ну, обнаружить Машину маму вообще было сложновато. Пришел человек с работы, налил себе чаю, отрезал кусок сыра – и в свою комнату, как мышка-норушка.

Маша, молодая жена, попробовала вести хозяйство. Через неделю Вова, смущенно покашливая, объяснил любимой, что напрягаться не стоит. В пятницу поедят горячего у Петровны на даче, а на неделе он вполне может заходить поужинать к маме, в соседний подъезд. Маша сначала обиделась и даже поплакала, а потом рассудила: а что, собственно, плохого? Ну и пусть ужинает у мамы! Не у посторонней же женщины! Пусть пообщаются, попьют чаю. На выходных – Петровнины разносолы. А она, Маша, лучше книжечку почитает и на диване поваляется. Вообще-то Маша была чуть-чуть ленива. Так, самую малость.

А кто из нас не ленив? Все, наверное. В разной, конечно, степени. Ну и совесть у каждого тоже своя. У кого-то любит поспать, а у кого-то не дремлет. Словом, Маша великодушно давала своей послабление.

Жили они с Вовой хорошо, даже очень хорошо. Не только как влюбленные, а как старые и добрые приятели. Понимали друг друга без слов. Претензий тоже не предъявляли. Какие претензии, какое раздражение? Квартира есть, машину подарили на свадьбу, про копейку думать не надо, деньги в тумбочке у кровати – бабуля подкинет, дедуля подсобит. Вовин папа привозит подарки – а он по Европам, как другой на дачу. Вовин дед каждую пятницу приносит продуктовый заказ. А в заказе – не для слабонервного советского человека. Вовина бабушка с домработницей три раза в неделю поставляют им кастрюли с первым и судки со вторым.

Живи, радуйся и ни о чем не думай! Что, впрочем, они и делали – довольно успешно. После летней сессии поехали в Болгарию, на Золотые Пески. Тоже подарок дедули.

Вернулись загорелые, с нагулянным жирком и двумя дубленками в пакетах: у Вовы серая, у Маши кофейная. И все опять хорошо. На пятом курсе, перед самым дипломом, Маша поняла, что она «в ожидании». Собрали родню и торжественно и громко об этом сообщили. Все дружно бросились целовать их и обнимать друг друга. Бабуля с дедулей уговорили Машу поселиться на даче. Вполне разумно – воздух, ежедневные регулярные прогулки, постоянный присмотр и полезная еда от Петровны – утром свежие соки, отварное мясо, зеленые салаты и, конечно, молочные продукты. Петровна ходила за три километра в соседнюю деревню и приносила «яички из-под курочки – тепленькие, молоко из-под Красавки», сметану, творог и простоквашу.

Маша, конечно, скучала по Вове – тот вырывался только на выходные, потому что уже трудился в Министерстве иностранных дел. Да и по любимой подружке – соседке Тате Голованевской – тоже скучала. Тата приезжала крайне редко – приходила в себя после очень тяжелого и муторного романа с – ужас! – женатым человеком. Бедная, бедная Татка! «На лице – одни глаза», – так сказала доброжелательная бабушка. Петровна недобро хмыкнула: «Нос на лице, а не глаза! Добрая вы, Ольга Евгеньевна, женщина! Даже чересчур добрая!» Баба Оля махнула рукой – что, дескать, с тобой разговаривать. Маша за Тату переживала очень. Знала, как той плохо и как она страдает. Но – главное важнее! А главное сейчас – это ребенок. Так что придется и выгуливать живот кругами по три раза в день, и творог этот тошнотворный в себя запихивать, и молоко с пенкой пить! Петровна, как цербер, от нее не отходит – пока Маша не предъявит пустую кружку.

* * *

К седьмому месяцу Машиной беременности ситуация чуть усложнилась – сильно стала болеть спина, и Маша подолгу лежала на террасе на старом диване, где после обеда обожал отдохнуть дедуля. Мама взяла отпуск и тоже перебралась на дачу – у бабули на нервной почве стало подниматься давление. Правда, сиделка из мамы, честно говоря, была никакая. Или, скорее всего, довольно суетливая и бестолковая.

В четверг вечером, когда, держась за поясницу и постанывая, Маша спустилась со второго этажа в столовую – позвонить мужу Вове, за окном стало резко и внезапно темно, зашумел сильный, с порывами ветер и закачал верхушки высоких и древних сосен. Небо прочеркнула быстрая и яркая молния, вспыхнула короткая зарница, и хлынул, словно обрушился, стремительный поток сильного, густого дождя. Маша захлопнула распахнутые окна и задернула тяжелые портьеры – грозы она боялась с раннего детства, и никакие объяснения дедушки, как и почему случается подобное явление, ее не успокаивали. В душе поднималась тревога, начи-

нало быстро и гулко стучать сердце, и к горлу подкатывала внезапная тошнота. Маша села на стул и дрожащими руками набрала телефонный номер. Трубку никто не брал. На часах было восемь вечера. Вова давно должен был вернуться с работы. В голове немедленно появились самые ужасные и противные мысли: попал в аварию, плохо с сердцем (у Вовы был врожденный сердечный порок), потерял сознание (что с ним нечасто, но случалось), ударился головой о бортик ванны, ну и так далее — на что способна в такие моменты буйная фантазия беременной женщины. Разболелась голова, заныла спина, и потянул низ живота.

Далее она подумала о том, как сильно любит своего мужа, как нелепо и неправильно расставаться с ним так надолго, как, возможно, он сейчас нуждается в ее помощи, а ее рядом нет, как одиноко сейчас ему: она-то в кругу родных и любимых! А Вовина мама на съемках в Пятигорске, а бабушка на пару с дедушкой в санатории, папа в командировке... Бедный, бедный, заброшенный Вова! Плохая получилась из Маши жена! Эгоистка, думающая только о своих потребностях и удобствах!

Маша подошла к окну и одернула штору. Стихия — а это была именно стихия — набирала свою яростную силу. Дождь с таким усердием барабанил по земле, что на дорожке появлялись внушительные проплешины.

Маша бросила взгляд на дедулину «Волгу», стоявшую у ворот. Нет, это, конечно, абсолютное безумие! В такую погоду... Идиотская и совершенно абсурдная мысль — сесть сейчас за руль. Старики этого не переживут. До города Маша не доедет, с ее-то водительским опытом. Глупость какая-то отчаянная! Не просто глупость — абсолютное безрассудство, столь несвойственное разумной и рассудительной Маше!

Вот они, гормоны, делают свое дело!

Маша попыталась успокоиться и взять себя в руки. Потом ее осенило — Татка! Любимая и верная подружка! К тому же — соседка!

Она набрала Таткин номер. Услышала протяжное и грустное:

– Алло!

Маша затараторила:

– Татуся, милая, пожалуйста! Прошу, прошу и умоляю! Сходи к нам. Ну что тебе стоит? У тебя же ключи от квартиры! Волнуюсь за Вовку – телефон молчит. А вдруг, не дай бог... Ты же знаешь – у него сердце! А если он там без сознания? Лежит и никто не может ему помочь? А если вообще его нет дома? Если не доехал? Если... Подумать страшно! Понимаю – дождь, непогода, но...

Таня перебила подругу:

– Господи, о чем ты? Какой дождь? При чем тут погода? Конечно, конечно, разумеется! Уже надеваю туфли!

Таня сбросила тапочки, влезла в первые попавшиеся ботинки – мамины, прогулочно-собачьи, да какая разница! Сорвала с вешалки плащ и выскочила за дверь, бросив в трубку:

– Сразу позвоню!

Маша села в кресло и поставила телефон на колени. Оставалось только ждать.

Тата выскочила из подъезда и бросилась в соседний, Машин. За минуту пробежки вымокла до нитки. Дернула ручку парадной. Не дожидаясь лифта, взбежала на четвертый этаж. У двери прислушалась. В квартире тихо играла музыка. «Дома и жив! – мелькнуло у нее в голове. – Видимо, что-то с телефоном! Бедная Машка! Сходит там с ума, мечется». Таня нажала кнопку звонка. Дверь не открывали. Таня повторила звонок с особой настойчивостью. Музыка за дверью стихла. Ей показалось, что она слышала шаги. Точно – шаги! А следом раздался зычный и протяжный женский голос:

– Котик! Звонят!

Дальше – шипящий мужской шепот, который бедная Таня совсем не разобрала.

Она устало прислонилась к стене и закрыла глаза. «И ты, Вова! И ты, Брут!»

Через минуту она медленно спускалась по лестнице и вытирала слезы. «Бедная, бедная Машка! Чистый, прозрачный человек! Девочка моя беременная! Страдает там, бедная, за сердце его переживает! За этого подонка! Глупая, наивная, святая Машка!»

Тата дрожащими руками открыла дверь в свою квартиру и в абсолютном бессилье опустилась на стул. Все они одним миром, все. Даже Вова этот! Туда же! Скотина недоделанная. Предатель! От беременной жены!

Тату душили горькие слезы обиды – за всех живущих женщин на земле, за всех подло обманутых и коварно преданных. Она раскачивалась на стуле и в голос подвывала:

– Бедные, бедные мы! Измученные и растерзанные! И за что нам выпала горькая женская доля, за что нам такая незавидная участь?

Вспомнила все и сразу – свой затянувшийся, муторный, изнурительный роман с неверным и коварным красавцем по имени Гия, роскошным сорокалетним грузином, оператором на «Мосфильме», мучившим бедную и наивную Тату ревностью и недоверием. Про звонки от его бывших подруг и пьющей жены, про их подробные и обстоятельные доклады об изменах коварного идальго. Про то, что пролетает бездарно ее молодая жизнь, горит, как фитиль, и коптит, как фитиль, – ярко, но с запашком досады и горечи. Про то, что не находит она сил, ну просто не находит разрубить этот узел, порвать, забыть и начать новую, честную и чистую жизнь. Вспомнилась и история деда, на седьмом десятке ушедшего к молодой аспирантке, и скорая смерть не перенесшей предательства бабушки. Вспомнилась и история мамы – любимой и прекрасной, родившей Тату от женатого мужчины, так и не принявшего окончательного, мужского решения, который мучил маму пятнадцать лет: не забирал и не отпускал. Вспомнила она и о своей любимой питерской тетке Инне, которую муженек оставил с больным ребенком на руках. Бросил подло и грязно – ушел к ее же подруге. А бывшую жену и больного ребенка вычеркнул из своей жизни.

Наревевшись, бедная Тата спохватилась и схватила телефон. Машка! Любимая Машка мечется, как тигрица, по даче и ждет ее звонка! А любое волнение для нее...

Маша мгновенно сняла трубку.

– Спит твой Вова. Спит, как сурок, – устало сказала Таня. – Дыхание спокойное, пульс ровный, – монотонно доложила она.

– Устал, наверное. Бедный! С его-то здоровьем! Такие нагрузки! – выдохнула Маша и принялась извиняться и благодарить верную подругу.

– Ладно тебе! – отозвалась Таня и положила трубку на рычаг.

Потом она пошла в ванную, умылась холодной водой, долго разглядывала себя в зеркало, тяжело вздыхала и качала головой.

Дальше налила себе в рюмку сладкого и липкого ликера – единственное, что было в доме – и выпила одним махом, крякнув по-мужски, и вытерла рот ладонью.

Потом она сняла промокшую одежду, легла в постель и с головой накрылась одеялом. На душе было тошно, противно и тоскливо. Но... почему-то – стыдно признаться – душевная боль чуть-чуть отпустила. Всегда так бывает – утешается человек, понимая, что он на свете не один. Не один несет свою ношу, не один страдает, не к нему одному так несправедлива судьба-индейка.

Повздыхала Таня, поворочалась и... Уснула. Кофейный ликер, тепло и душевные переживания.

* * *

Маша выпила теплого молока, съела на нервной почве бутерброд с любительской колбасой (нельзя, вредно, но очень хочется – все-таки человек перенес сильный стресс) и поползла наверх, в свою светелку.

Уснула она довольно быстро, предварительно положив на голову маленькую думочку – чтобы не слышать раскатов грозы.

Проснулась она от того, что кто-то сидел на краю ее кровати и гладил ее по плечу. Она открыла глаза и увидела мужа Вову – промокшего до нитки и совершенно счастливого. Маша села на кровати и потерла глаза.

– Ты? – ошарашенно спросила она. И растерянно добавила: – Ты же спишь дома.

Вова счастливо рассмеялся и покрутил пальцем у виска:

– Ага, сплю. Это я тебе снюсь, Манюнь!

А потом рассказал молодой и очень любимой жене, как долго, трудно и медленно он добирался с работы на дачу – в такую-то погодку, просто черти устроили сабантуй!

Маша опять ничего не понимала, обнималась с Вовой, ахала и охала, говорила ему, что он сумасшедший, абсолютно сумасшедший! В такую погоду! Это ж надо додуматься! Нет, должно же такое прийти в голову – сесть за руль в такой дождь! А если бы... Ругала его и целовала.

Потом, окончательно проснувшись, она заплакала, оценив наконец степень опасности, и опять с удвоенной силой ругала мужа и горячо целовала его и обнимала.

Он тоже целовал Машу и приговаривал:

– Ну ты же так боишься грозы! А когда тебе страшно, я обязательно должен быть рядом. Вот просто обязан! Да и потом – я просто соскучился! Знаешь, как бывает? Вот сейчас, срочно, сию минуту – обнять тебя и зарыться в твои волосы! Еле доехал, Мань. Еле вытерпел.

Счастливая Маша удобно пристроилась на мужнином плече, сладко вздохнула и закрыла глаза.

К пяти утра стихла, угомонилась уставшая, измученная природа, и они уснули, крепко обнявшись и плотно сцепив руки.

Перед тем как сон наконец укрыл и укутал ее плотным и уютным одеялом, Маша успела подумать про Тату: «Глупость какая – спит, как сурок. Что она, совсем очумела? Или я, или она – кто-то из нас слегка рехнулся. А может быть, Татка сказала так, чтобы я не психовала, зная, что Вовка в пути? Да, скорее всего! Впрочем, ладно. Потом разберемся. Да и вообще, это все такая ерунда и такая мелочь! По сравнению с тем, что есть у нее в жизни!» – И Маша блаженно улыбнулась и крепче обняла мужа за шею.

А в доме на Таганке, в огромной академической квартире Машиного любимого деда, на большой, удобной, почти королевской кровати (стиль модерн, орех, инкрустация, досталась по наследству от дальних родственников), продолжали свои веселые забавы Машин папа, скульптор-анималист, и крупная (очень крупная!) и очень близкая его знакомая, коллега, можно сказать, по цеху, скульптор-монументалист, автор «больших форм» (в прямом и переносном смысле), художница Дуся Рейно (фамилия от второго мужа, финского производства). Дуся, славная и много пьющая женщина, словно сошедшая с полотен великого Сикейроса, восхищала Машиного папу, в душе все-таки мастера крупных форм и монументалиста по призванию (моменталиста – как шутил сам Машин папа), своим массивным и роскошным телом, зычным голосом и полнейшим пренебрежением к проблемам различного рода – бытового или душевного толка. Чем очень отличалась от его жены, Машиной мамы.

Звонок в дверь, испугавший немного анималиста и совсем не испугавший беспечную Дусю, все-таки внес некую неловкость и беспокойство, но, решив, что кто-то, видимо, ошибся дверью, они вскоре опять дружно выпили, закусили и продолжили яркую дискуссию, переходящую в бурную полемику, про современное (потерянное, увы!) искусство и про место художника в современном же мире.

Но вскоре уснули и они, жаркие и давние любовники и очень близкие, между прочим, друзья (что куда ценнее и важнее всего остального).

Баю-баюшки-баю

Все успокоились, угомонились, разобрались и наконец заснули — кто-то в счастье и умилении, кто-то в неведенье, кто-то в расстройстве, а кто-то — в полнейшем разочаровании.

Спала верная Татка, иногда судорожно всхлипывая и даже во сне удивляясь несправедливости жизни.

Спала Маша — очень беременная и очень счастливая, жарко дыша носом в шею любимого мужа.

Спал Вова — уставший, но тоже вполне довольный жизнью.

Спали дедуля с бабулей, тревожно, как все старики, — в уютной спальне, немного пахнущей сердечными каплями, старостью и чем-то неуловимо уходящим.

Спала Дуся Рейно — точно безмятежно, что очень ей свойственно, раскинув мощные руки ремесленника и изредка, но громко всхрапывая и вздрагивая от своего же храпа.

Спал Машин папа — тоже довольно спокойно, ничуть, кстати, не страдая из-за своей коварной измены. Связь с Дусей была такой давней и такой дружеской, что... В общем, смешно говорить.

И крепче всех спала Машина мама — светло и безмятежно, с наивным и доверчивым выражением на лице. Впрочем, его, выражение это, она сохранит на всю оставшуюся жизнь. Что поделаешь — такой человек! На тумбочке, возле ее кровати, лежал томик стихов с закладкой — верный спутник ее жизни. Верный и преданный. И самый надежный.

Спали все. Хорошие люди. И пусть им приснятся хорошие сны. Баю-баюшки-баю...

Вполне счастливые женщины

Всем хороша была Настя Емельянова. Рост – метр семьдесят, не дылда по нынешним временам. Не из тех мутантов под два метра, рядом с которыми нормальный мужчина чувствует себя ущербным карликом. Под ее рост любой мужчина подойдет. Фигура – все при ней. Бедра на месте, и в лифчике без пустот. Шея длинная, запястье тонкое, ступня узкая. А про лицо и говорить нечего. Волосы светлые, легкие, глаза голубые, нос – что в фас, что в профиль. А по остальным пунктам? Тоже не придерешься. Образование высшее, работа приличная – язык, компьютер, чистый офис в центре. Квартира своя однокомнатная – родителям спасибо. Да и сама и вяжет, и печет. О ресторанах и ночных клубах не думает. С работы – домой. Бархатные брючки с маечкой, тапочки с собачьей мордой – и на диван, к телевизору – спицы, клубки. Не жена – мечта. Тихий причал. Вот только замуж никто не предлагает. Не везет просто. Ходил три года

один женатик — ныл, жрал и спал. А к ночи бегом домой. На часы взглянет — и трясется от страха, как бобик. Трясся, трясся, а потом и вовсе слинял. Даже не объяснился. Если посчитать, сколько на него денег потрачено... Тут и рубашки к празднику, и одеколоны французские. А деликатесы! Икра, севрюга... Все зря! Обидно было до слез. Плакала не от горя, а от злости.

А потом появился Игорь. Все, думала, здесь повезет. Холостой, тридцать лет, фактурный, работает в солидной фирме. Не жадный. Никаких бывших жен и алиментов. Костюмы сидят как влитые, галстуки дорогие, машина приличная. Бери голыми руками. Не тут-то было. Второй год ходит. Правда, с цветами и конфетами. А толку? Она его ждет — халатик шелковый, стол под кружевной скатертью. Приборы, свечи, тихая музыка. В духовке — рыба по-польски, белое вино охлаждается, на десерт взбитые сливки с фруктами.

Он заходит, чмокает в щеку, в кресло садится, очки снимает — переносицу трет. Устал. А Настя молчит, все понимает, в душу с разговорами не лезет. Может, в душ, Игорек? Он соглашается. А она ему в ванную халат махровый голубой и тапочки в синюю клетку. Это потом уже и рыба, и вино. Все по схеме. Как мама учила. А мама у Насти — будьте любезны, авторитет! Папашу-инженера быстренько задвинула и замуж за депутата. Это в пятьдесят-то лет! Живет сейчас — говорить нечего. Сама себе сказку устроила, своими руками.

Да, так вот, Игорек после ужина уже расслабился и улыбаться начал, а она его не в койку тянет, а на диванчик к телевизору — новости эти дурацкие смотреть. Такое все мужчины любят. А сама рядом, с краешку. Спицами звяк-звяк. Ничего, мы терпеливые. Это мы вам позже покажем, на что способна умная и тонкая женщина.

А он, гад, второй год ходит, ест, нахваливает, газетки листает. А про замуж — ни-ни. Настя ждет каждый божий

день, а он как воды в рот набрал. Потом Настя, конечно, от злости и обиды плачет, но он этих слез не видит. Ему одни улыбки. Ну что ему еще надо? Настя искренне не понимает. Но в руки себя берет и борьбу продолжает. Что поделаешь, вся жизнь – борьба. Так учила мама.

В мае как-то вдруг сказал: «В субботу, Настюш, на дачу поедем. Там уже сирень цветет». Какая сирень, там мамаша его живет! Так, значит, лед тронулся! Мамаша для него – первый человек. Так ей Игорь объяснял. А она его мамашу хоть и заранее терпеть не могла, но на Восьмое марта конфетки и цветочки регулярно отправляла.

Вечером Настя расстаралась: пирожков с капустой напекла, каждый с мизинец, курицу с яблоками в духовке зажарила. Все в корзиночку сложила, льняной салфеткой прикрыла. Волосы зачесала гладко, косметики никакой. Джинсы, свитерок в клеточку, белые кроссовки. В машину впорхнула – не женщина, свежий морской ветерок. Настроение замечательное. Думает, вот сейчас ситуация переломится. Конечно, в ее, Настину, пользу. Всю дорогу в машине напевала: «Без меня тебе, любимый мой, лететь с одним крылом». Тихонько так напевала, но слова-то не пустые. Пусть задумается, куда он без Насти долетит. Улыбалась – да, милый, хорошо, милый.

А в душе тревога. Какая она, его мамаша? Представляла себе ее крупной, ярко накрашенной, с сигаретой и громким голосом. В общем, вся властная такая. А оказалось, старушка – божий одуванчик. Букольки седые, синькой подкрашенные, очки на носу. Низенькая, полненькая – чистый колобок. Ну, эту мы быстро обезвредим, подумала Настя. Из машины выпорхнула – ангелица без крыльев. И здравствуйте, добрый день, и как здоровье, и какой у вас тут воздух – прямо пьешь, и сирень какая – мои любимые цветы. Бабка покивала и в дом пошла, а Настя осталась причитать у крыльца.

Время к обеду, бабка сидит, не шелохнется, сериал дурацкий смотрит. Но Настю так просто голыми руками не возьмешь. Вздохнула поглубже и корзиночку свою плетеную вытащила. И опять защебетала – где стол накрывать, Игорек? Ах, аппетит на воздухе будь здоров! Мамаша его со стула не встала, только на буфет кивнула – посуда там. Ничего, переживем. Настя волчком закрутилась. Овощи на салатные листья разложила, брынзу нарезала, базиликом присыпала. Пирожки на блюдо, курочку на куски, кружками ананасов украсила. И голоском таким мелодичным, звенящим – всех к столу! За обедом Игорь с мамашей разговаривают, вроде Насти и нет рядом. У нее комок в горле. Но на лице улыбочка – курочки еще положить? Мамаша ест, а слова доброго не скажет – ни про пирожки, ни про красоту на столе. Настя посуду собрала, в тазу моет, маникюр не жалеет, а у самой слезы из глаз от такого приема. Потом гулять пошли по поселку. Игорек оживился, про детство свое рассказывает. Здесь в футбол гоняли, здесь яблоки обрывали, здесь по ночам костры жгли. Очень интересно! А Настя идет рядом, головой кивает, а сама думает: все тебе припомню и мамаше твоей. Все до копеечки. Подожди, время придет.

Вечером в Москву засобирались – ни тебе посиделок, ни чаев вечерних, ни разговоров. Мама сыночка расцеловала, а Насте кивнула сухо, небрежно. Какое там «Была рада познакомиться» или «Приезжайте еще». Настя в машине молчала, песен уже не пела. Настроение – хуже некуда. А вот Игорек радовался – воздухом подышали, с мамой повидались, детство вспомнили. Настю от этих радостей затошнило. Так обиделась, что в первый раз его зайти не пригласила.

– Извини, дорогой, голова разболелась.

– Это у тебя от воздуха, – почему-то обрадовался он и укатил, всем вполне довольный.

Дома Настя выпила рюмку коньяку, сигарету выкурила и наревелась вдоволь. Больше всего она не любила, когда что-то шло не по плану. А потом взяла себя в руки и сказала твердо и громко, глядя в зеркало:

– Ну, это мы еще посмотрим, кто кого.

Следующим тактическим ходом был Настин день рождения. Все продумано до мелочей. Наряд – нежный, небесно-голубого цвета, под Настины глаза. Стол – никаких салатов с тяжелым майонезом. Руккола с помидорами и моцареллой, семга под соевым соусом, слоеный пирог с пармезаном. А главное – компания. Две семейные пары, Настины коллеги. Успешные, молодые, красивые. Настя готовила свой будущий круг.

Разговоры крутились вокруг нянь и домработниц, летнего отдыха на Сицилии или на Ибице, последних коллекций дизайнеров, новых марок машин. Женщинам этим, уже замужним и устроенным, Настя, конечно, завидовала, с удовольствием находя в них изъяны. Но сейчас ее волновало другое. Они выполняли свою функцию – своим присутствием и благополучием должны были подтолкнуть бестолкового Игоря к действиям. В подарок Игорь принес банальные бордовые розы на длинных стеблях, которые Настя не выносила, и дежурный флакон французских духов. А так хотелось увидеть маленькую бархатную коробочку с тоненьким изящным колечком! Что же, терпение и еще раз терпение. Настя загадочно улыбалась, плыла по квартире и красиво разливала кофе в изящные маленькие чашки.

После кофе решили потанцевать. Настя положила голову Игорю на плечо и обняла его за шею – легкими, невесомыми руками. В дверь раздался настойчивый, долгий звонок.

– Кто это? – удивился Игорь. – Мы еще кого-то ждем?

Настя пожала плечами, подошла к двери и посмотрела в глазок. За дверью стояла Лолка – соседка с пятого этажа. Дурацкая и вульгарная девица, навязчивая, как цыганка. Больше всего на свете Насте хотелось приоткрыть дверь и послать эту Лолку куда подальше. Но за спиной у нее стоял Игорь. Пришлось открыть. И изобразить нечаянную радость. Лолка стояла в красном платье с распущенными по

плечам черными густыми кудрями, в босоножках на высоченных каблуках и, конечно, с сигаретой в зубах.

– Настька, я только сейчас вспомнила, что у тебя день рождения, – радовалась Лолка.

«Этого-то я и не предвидела», – с ужасом подумала Настя. Лолка сунула ошарашенной Насте в руки пакет с подарком, плечом отодвинула Настю и зашла в комнату.

– Всем приветик! – бросила она.

Все неловко замолчали.

– Чего-то у вас невесело, – удивилась Лолка. Она плюхнулась на диван и томно произнесла, обращаясь к Игорю: – Шампанского, пожалуйста!

Игорь почему-то засуетился. Настя вышла на кухню. Надо было взять себя в руки. Когда она вернулась в комнату, Игорь уже танцевал с Лолкой, плотно прижав ее к себе.

Настины гости растерянно попереглядывались и вдруг засобирались по домам. Все стояли в прихожей и благодарили Настю за чудесный вечер. В комнате Игорь с Лолкой продолжали свой бесконечный танец.

– Игорь! – хриплым голосом крикнула Настя. – Ребята уходят!

Не сразу и с некоторым усилием он оторвался от Лолки и вышел в прихожую с отрешенным лицом и отсутствующим взглядом. Проводили гостей. Вернулись в комнату. Посреди комнаты стояла Лолка и раскачивалась в такт музыке. Увидев Игоря, она протянула к нему руки, и они снова вцепились друг в друга.

Настя растерялась, она не понимала, что делать. Да нет, конечно, надо было взять эту стерву за космы и выкинуть за дверь. А выдержка, самообладание, мудрость, наконец? Устроить непотребный скандал? Нет уж, извините. Тогда все коту под хвост, все усилия. Я – тонкая и нежная. А хабалкой пусть остается Лолка. Настя стала мыть посуду. Чего ей это стоило, знал один бог. В комнате весело щебетали Игорь и Лолка.

– Лолик, – прошипела сквозь зубы Настя, – извини, мы устали.

– Да? – удивилась Лолка. – Ну я пошла. Утром приходите ко мне на кофе.

– Что?! – не смогла сдержать свое возмущение Настя. Ну не железная же она, в конце концов.

Она захлопнула дверь за Лолкой и повернулась к Игорю.

– Ну, как все прошло? – мягко спросила она.

– Отлично, малыш. А сейчас спать, я действительно жутко устал.

Настя ожидала и ночи любви, и милых семейных сплетен по поводу вечера. Ничего подобного. Игорь клюнул ее в щеку и отвернулся. Позевывая и пытаясь скрыть свое явное любопытство, спросил у Насти:

– А что, эта твоя соседка правда испанка?

– Слушай ты ее больше, цыганка наверняка. Наглая и назойливая. Парикмахерша, между прочим.

– А-а... – протянул, зевая, Игорь, никак это не прокомментировав.

Утром он уехал без завтрака. Настя целый день провалялась на диване. Ей казалось, что жизнь опять показывает ей кукиш. Игорь не появился в положенную пятницу, сказав, что у него бронхит, и старательно кашляя в трубку. А в субботу они столкнулись в подъезде. В руках у него был большой букет белых лилий.

– Ты поправился? – удивилась она.

– Да, в общем. Почти, – смутился он.

В этот момент подошел лифт. Настя зашла в лифт и посмотрела на Игоря. Он почему-то стоял как столб, как бы раздумывая, стоит ли ему туда заходить. Потом вздохнул и все же вошел. Настя нажала на кнопку, а Игорь тихо и внятно сказал:

– Мне на пятый, Настя.

Те доли минуты, пока они ехали в лифте, показались Насте часами. Дверь лифта открылась, Игорь вышел.

– Как это может быть? – одними губами спросила Настя.

Минуту Игорь молчал и смотрел в пол, а потом произнес:

– Сам не знал, что вот так может быть. Просто землетрясение какое-то. Прости, если сможешь.

– Не прощу, – ответила Настя.

– Ну как знаешь. В общем, не блины с тапками главное.

– А что? – еле слышно спросила Настя.

– Дай бог тебе самой это узнать, тогда ты меня поймешь. Объяснить невозможно.

Настя нажала на кнопку шестого этажа. Дома она не плакала, а просто сидела в кресле – два, три часа. Времени она не замечала. А потом встала и сказала громко:

– Ну, этого я так не оставлю.

Она собрала вещи Игоря – голубой махровый халат, синие клетчатые тапки, зубную щетку, пену для бритья «Жиллетт», пару носков и рубашки – все, что оставалось. Положила в пакет и взяла зажигалку. Спустилась на пятый этаж. У обшарпанной Лолкиной двери она вывалила вещи из пакета, щелкнула зажигалкой, посмотрела, как разгорается огонь, и медленно поднялась к себе.

Соседи вызвали пожарных и милицию. Деревянная Лолкина дверь выгорела почти дотла. Милиция хотела составить акт, но Игорь с Лолкой убедили их, что к поджигателю не имеют никаких претензий.

Настя взяла больничный и неделю лежала дома. Не ела, не пила. Потом приехала мать и увезла ее к себе. Мать убеждала Настю, что ничего страшного не произошло, жаль, конечно, потраченного времени, но жизненный опыт неоценим. Вообще этот козел не стоит ни единой Настиной слезинки. И сказала, что она, Настя, не там ищет и что теперь спутника жизни мать подберет ей сама. На примете уже имелся коллега ее мужа, тоже депутат. Правда, слегка женатый, но это дело поправимое. В глубинке, на родине жениха, осталась его семья – жена, провинциальная квочка, и ребенок. История прошлая, и везти эту самую жену – ни

кожи ни рожи – в Москву не было никакого резона. Теперь ему была нужна красивая, молодая и образованная москвичка. Почему не Настя? Мать считала, что дело почти решенное, оставались только технические моменты.

Настя вернулась домой через месяц, изрядно подустав от деятельной матушки. А через три дня, когда она вышла на балкон покурить, увидела длинный белый лимузин у подъезда, Лолку, затянутую в шелковый корсет, с веночком из мелких цветов на буйных кудрях, и Игоря, который подхватил эту самую Лолку на руки и понес к машине. Настя бросила недокуренную сигарету вниз – жаль, что окурок отогнал ветер и не вспыхнул тонкий атлас пышной невестиной юбки.

А через две недели, в дождь и мерзкую ноябрьскую промозглость, Настя ловила машину после работы. Машина остановилась. За рулем сидел здоровый молодой парень. Машину он вел уверенно и даже лихо, громко подпевая радио «Шансон». Настя посмотрела на его крупные руки и почему-то, неожиданно даже для себя, пригласила его к себе – выпить кофе. Он рассмеялся, весело посмотрел на Настю и сказал, что кофе не пьет, а пьет чай и пиво.

Звали его Денис, и переехал он к ней через месяц. Сразу починил кран в ванной, поправил карниз на кухне и принес в дом странные продукты, которые раньше у Насти не приживались – свинину, картошку, селедку. Играючи пожарил отбивные и картошку и попросил Настю на завтра сварить борщ. Но главное не это. А то, что, кажется, Настя уже почти поняла, засыпая ночью на широкой груди Дениса и с нежностью слушая его довольно мощный храп. Ну, в смысле поняла, о чем ей тогда говорил Игорь. Ну, когда пожелал ей понять что-то такое, о чем он раньше не догадывался сам.

Вот такие метаморфозы случаются с человеком. Не часто. Но все же бывает. И жизнь иногда разворачивается самым неожиданным образом и для окружающих, и для нас

самих. А спустя год Настя родила дочку, такую же крупную и щекастую, как и ее отец. Гуляя с коляской во дворе, столкнулась как-то с Лолкой – та была тоже с коляской. Настя посмотрела на испуганную Лолку и рассмеялась. На следующий день они гуляли уже вместе, конечно, вдвоем веселее. Обсуждали, естественно, свои женские дела – памперсы, соски, обеды, ужины, мужей.

В общем, все то, что обычно обсуждают вполне счастливые женщины.

Союз нерушимый

В конце пятидесятых в районной женской консультации познакомились две девушки, вернее, молодые женщины, безошибочно угадав друг в друге будущих матерей-одиночек. Ненароком заглянув в медицинские карточки, они обнаружили к тому же, что являются полными тезками и одногодками. Звали обеих Валентинами Александровнами. Почему-то эти совпадения их страшно обрадовали и развеселили, одна решила подождать другую, и из консультации на весеннюю московскую улицу они вышли уже вместе, поддерживая друг друга за локоток. Осевший и потемневший снег еще не вполне растаял, местами превратившись от обильной капели в хрупкие и скользкие проплешины. Шли они осторожно, пробуя носком коварную наледь, – словом, шли, как ходят беременные. Болтали оживленно и обо всем – об уже отступившем, слава богу, токсикозе, о вредной врачихе Кларе Ивановне, о предстоящих и наводящих безумный страх родах, о детском приданом, заготовленном заранее – вопреки приметам. Одна Валечка проводила другую до дома – к тому же они оказались еще

и соседями. Конечно же, обменялись телефонами и, очень довольные новым знакомством, сулившим теперь совместные прогулки и целый ворох общих тем, наконец расстались.

Как оказалось, до вечера. Вечером одна из Валечек позвонила и пригласила новую подругу на чай. Та с удовольствием приглашение приняла. Долго пили чай с вишневым вареньем, сверяли свои женские ощущения и даже разоткровенничались друг с другом. Валечки были не первой молодости, одиноки, и будущие дети для обеих были долгожданным и абсолютно желанным подарком. Валечка-хозяйка жила одна, давно похоронив рано ушедших родителей. Работала она в школе – преподавала географию. Когда-то в юности неудачно и мимолетно сходила замуж – развела молодых вскоре после свадьбы вредная свекровь. После тридцати почти без надежды не то чтобы на что-либо стоящее, а просто на банальный романчик неожиданно даже для себя она сошлась ненадолго с местным военруком. Любви там не было никакой и в помине. Военрука тогда оставила красавица жена, и он ненадолго утешился с Валечкой. Сначала Валечка пожалела его просто по-человечески, а потом как-то странно сложились отношения и более близкие. В какой-то момент от острой жалости к нему и собственной зудящей тоски и одиночества она оставила его ночевать, особо ни на что не рассчитывая. «Попалась» она случайно, как-то совсем не думая, что это может с ней произойти, а когда поняла, то испугалась и обрадовалась одновременно. Военруку об этом сообщить она не успела: не попрощавшись с ней, он завербовался на Север – от злой тоски и отчаяния. Но это Валечку не очень-то огорчило. Теперь, прислушиваясь к себе, она четко осознавала, что жизнь свою проживает не зря, и еще отступил навязчивый страх – страх одинокой старости. Хотелось ей сына – в нем она видела и будущую надежность, и уверенность в завтрашнем дне, а главное – невозможность самого ужасного и противоестественного на свете – женского одиночества. С мужчинами, как она думала, все происходит не так, а точно легче и свободнее. Родни в Москве у нее не осталось никакой, но в Тамбове жила сестра покойной матери – одинокая и крепкая старуха, на которую, честно говоря, Валечка и рассчитывала.

Гостья ее – Валечка-вторая – жила с матерью, Верой Игнатьевной, слабенькой и интеллигентной старушкой. Жили, надо сказать, душа в душу – без бытовых склок, претензий и взаимных упреков. Вот ее-то беременность была вполне запланированной и продуманной. Несколько лет они с матерью этого горячо ждали, боясь даже затрагивать эту тему. Мать была в курсе Валечкиного семилетнего и тайного романа с женатым сослуживцем. Раз в неделю, в среду, с обеда, Вера Игнатьевна уезжала к подруге в Измайлово, а Валечка – завитая и крепко надушенная – принимала своего возлюбленного. В среду у нее был библиотечный день. Валечка, конечно же, напридумывала себе сложносочиненный роман, а дело-то было совсем простое. Ее предмет, слегка уставший от семейных хлопот лысоватый сорокалетний научный работник, просто хотел слегка расслабиться. Пылкая, трепетная, печально-загадочная Валечка вполне позволяла ему почувствовать себя мужчиной. Когда ее затошнило и совпали все остальные признаки, прежде всего, конечно же, она все сообщила потрясенной матери. И, крепко подумав, будущему папаше они решили ничего не говорить. Хотели, конечно же, девочку. К чему нарушать их женский монастырь? Да и с девочками, как им казалось, спокойнее. Этот ребенок будет принадлежать только им двоим. Безраздельно. Жалкий, приходящий тайком, осторожно и ненадолго, этот нелегальный папаша в их схему категорически не вписывался. Решили так: лишняя травма для ребенка. Лучше придумать отца-героя, летчика или полярника, безвременно и героически погибшего. Это они постановили на своем маленьком и дружном семейном совете. С прежней работы Валечка быстро уволилась и перешла в библиотеку у дома – ближе, спокойнее, легче и к тому же без потери декретных. Новую

подругу она пригласила к себе на следующий день – с ответным визитом. Мама, Вера Игнатьевна, испекла любимый лимонный кекс, чай накрыли в столовой. Посидели тепло и уютно, оживленно беседуя. Провожать до дому Валечку-старшую (определили ее так – и действительно, она была старше подруги на четыре месяца) пошли вместе с мамой.

Чуть позже, уже оформив декрет, они установили себе четкое расписание и план: в двенадцать встречались на полпути, у булочной, и два часа активным шагом, с передышками, конечно, фланировали по улицам. Обедать приходили к Валечке-младшей. Вера Игнатьевна старалась приготовить что-то легкое и полезное для своих девочек, как говорила она. Были это, как правило, овощные супы, морковные котлеты или мясное суфле. Валечки обедали и ложились отдыхать. Валечка-младшая обычно дремала, а ее подруга читала какой-нибудь старый, добротный детектив. Теперь они стали неразлучны, почти родные люди, и если срывалась прогулка (погода или неважное самочувствие), то тосковали друг по другу и перезванивались по нескольку раз в день. Вера Игнатьевна была счастлива – теперь ей не так страшно было думать о своей смерти: у дочери появился близкий человек. В роддом Вера Игнатьевна первую отвезла свою дочь и так и осталась там до вечера в вестибюле с Валечкиным легким плащиком и туфлями в руках. Валечка-младшая родила легко и довольно быстро, опровергнув тревогу врачей, обозначивших ее неприятным словом «старородящая».

Родила она мальчика, вполне здорового и крупного, испытав какое-то мимолетно прошелестевшее в сознании разочарование и недоумение. Справятся ли они с мальчиком? С девочкой все было бы как-то понятнее. Через пять дней ее встречали мать и верная подруга. А дома, развернув пеленки и поохав, все восторженно и растерянно замерли над ребенком. Мальчика назвали Антошей. Через две недели, ночью, вызвав такси, Вера Игнатьевна отвезла в роддом и вторую Валечку и так же осталась ждать в вестибюле больницы.

Утром, не получив никаких радостных известий, говорила с врачами. Оказалось все непросто – решили делать кесарево. Вера Игнатьевна домой не поехала, периодически звоня дочери из автомата – справляется ли? – и докладывала последовательность событий. К обеду Вере Игнатьевне сообщили, что родилась девочка – очень маленькая, слабая, с кучей медицинских проблем. Вера Игнатьевна сдвинула брови, вспомнила свою непростую жизнь, глубоко вздохнула и начала разговор с акушером и педиатром четко и, как казалось ей, профессионально (в войну полгода проработала медицинской сестрой в госпитале).

– Вы́ходим! – бормотала она, спеша домой. Внука и дочь она не видела почти сутки. Дома металась всполошенная и измученная Валечка-младшая, разрываясь между стиркой, глажкой, кормлениями и бесконечными и изнуряющими сцеживаниями – молока у нее было в избытке. Ребенок, румяный и крупный младенец, спал мало, а вот ел и кричал с удовольствием. Вера Игнатьевна разрывалась на части: дома дым коромыслом, раз в день непременно в больницу к Валечке-старшей – тефтели, кисель, отжатый постный творожок. Но все кончается. Закончилось и это. Валечку-старшую с дочкой она решила забрать пока к себе: ну, во-первых, ей нужен еще серьезный уход – послеоперационные швы, начинающийся мастит – не дай боже, слабенькая девочка очень плохо брала грудь. Нужны были питание, обработка швов – короче говоря, уход, уход и еще раз уход. Валечка-младшая тоже валилась с ног – ничего не успевала. Что разрываться между двумя домами? Проще крутиться всем вместе. Так и порешили. О том, что это было за время, говорить не приходится, но прошло и это. И Валечка-старшая вместе с дочкой наконец отправилась домой. Девочку, кстати, они сообща назвали нежным именем Ариша. Ариша была спокойной, вернее, слабой – ела еле-еле, кричать не кричала – так, слабенько, как мышонок, попискивала и кряхтела. Никакого сравнения с громогласным Антошей. Но все

же, думала Вера Игнатьевна, лучше так, чем по-другому. Все-таки мальчик здоровый, тьфу-тьфу. Но постепенно все вошло в свой ритм, и вновь образовался четкий распорядок. Две молодые мамаши гордо выгуливали свои разноцветные коляски – розовую и голубую. Через год встал вопрос о выходе на работу – жить-то на что-то надо. Тамбовская тетка приезжать в Москву категорически отказывалась – огород, куры, поросенок. Слабенькой Арише путь в ясли был заказан, и героическая Вера Игнатьевна девочку предложила забрать к себе – на световой день. Деваться было некуда. Ариша не прекращала болеть, насморк плавно перетекал в ангину, ангина – в бронхит и даже в пневмонию. Болели теперь они на пару со здоровым Антошей, что поделаешь – контакт! Валечка-старшая переживала ужасно – понимала, что незаслуженно страдает вполне здоровый и крепкий ребенок. Но выход нашелся: тамбовской тетке пообещала платить – получалось ползарплаты, а куда деваться? Та на эти условия согласилась и, приехав, тут же завела себе сберкнижку, куда требовала четко десятого числа относить положенные ей деньги. Спустя год на работу вышла и Валечка-младшая – к себе в библиотеку на полдня, необременительно. Вера Игнатьевна устроилась в детский сад бухгалтером. Работа до обеда и дальний прицел – вскоре внуки окажутся в ее же детском садике, а она там – свой человек. Все под присмотром. Дружба Валечек за эти годы только укрепилась, стала прочнее, фундаментальнее, и уж совсем непонятно было им обеим, как они вообще раньше жили друг без друга. К школе Антоша вырос крупным кудрявым ребенком, с ярким румянцем на пухлых щеках, вполне подготовленным бабушкой – бегло читал, считал до ста, знал наизусть большие отрывки из «Евгения Онегина». А вот Ариша по-прежнему оставалась хилой, раздражительной и плаксивой, внешне вполне отражала свою натуру и природу – худющая, бледная до синевы, блеклая, с жидкими, бесцветными волосиками и вечно печальным выражением лица. К школе она оказалась совершенно неподготовленной – что поделаешь? У тамбовской тетушки свои критерии воспитания. Валечка-старшая все это, конечно же, понимала, сравнивала дочь с сыном подруги, переживала, расстраивалась, по-матерински, не зло, завидовала, мечтала спровадить тамбовскую родственницу, а деваться-то было некуда! Верила, что Ариша все наверстает, выправится – как жить без надежды? В школу провожали детей вместе, естественно, в один класс – напуганных, торжественных и важных, намертво зажавших в ручонках разноцветные астры. Валечки, глядя на своих первоклашек, умилялись и смахивали слезы, Вера Игнатьевна стояла, гордо подняв седую усталую голову, а тамбовская тетка тайком перекрестила обоих детей. Антоша, проинструктированный строгой бабушкой, был важен и молчалив: «Ты теперь взрослый человек, почти мужчина, один на нас на всех, и главная твоя задача, кроме отличной учебы, разумеется, охранять и оберегать Аришу, твоего первого друга и практически сестру».

Учился Антоша вполне прилично, не отличник, но твердый хорошист, немного хромало поведение – темперамент! А вот Ариша хромала по всем предметам, не переставая заодно активно и почти безостановочно болеть. Ответственный Антоша часами висел на телефоне, объясняя простуженной Арише уравнение или задачку по физике.

– Тупица! – в сердцах бросал он. – Нет, ну просто бестолочь какая-то! – Антон совсем раздражался, а мать и бабушка сокрушались:

– Что ты, как можно! Ариша такая хрупкая и беззащитная, как же ты жесток, Антон. Ариша просто много пропускает и не справляется.

И еще что-то внушали по поводу долга, ответственности, доброты и терпимости и далее по списку. К десятому классу Антоша превратился в рослого, с буйными темными кудрями красавца, спортсмена, активного комсомольца – в общем, плейбоя местного значения и, естественно, любимца всех

девчонок без исключения. Он писал наивные и трогательные пылкие юношеские стихи, бренчал на гитаре, подпевая битлам, участвовал во всех возможных олимпиадах, лучше всех бежал стометровку. Девчонки висли на нем гроздьями. Ариша, бледная и томная его подруга, до десятого класса доползла еле-еле и только благодаря ему. Ни с кем близко не дружила, часто плакала и жаловалась на что-нибудь – обязательно. То после физкультуры у нее безумно (она так и говорила – «безумно!») болели ноги, то после физики – голова, а после песочного кольца, съеденного в буфете, разыгрывался гастрит с непременной изжогой.

До занятий Антон провожал Аришу в поликлинику, где она сдавала бесконечные анализы, после школы провожал до дому, таща за ней тяжелый портфель, а вечерами делал с ней уроки – вместо шумных компаний и свиданий с веселыми одноклассницами. Конечно, все это, да и сама Ариша, его безумно раздражало и утомляло, но в голове была заложена четкая программа, а он был уже вполне сформировавшийся и надежный человек, который никак не мог пренебрегать святыми чувствами – долгом и обязательством.

На выпускной Ариша пришла в голубом пышном платье из тонкой марлевки, босоножках на узких ремешках. Распустила свои небогатые, но легкие волосы, положила чуть голубых теней на тонкие веки, слегка розовой бледной помадой тронула нежные губы. Антоша – эпицентр внимания и событий. Все и вся вокруг него – и концерт, и девочки, и танцы. Она – тихо в стороне, одна, глаза в пол.

– Пригласи Аришу на танец, – шепнула сыну Валечка-младшая.

Антоша вздохнул и направился к подружке. Обнимая в танце Аришу, он впервые отметил ее хрупкость, почти невесомость, и с удивлением для себя обнаружил – а она вроде бы хорошенькая! От ночных гулянок Ариша отказалась, а Антон всю ночь «зажигал» на теплоходе – пил, пел, целовался до изнеможения, да не с одной, сам не помнил с кем. Аттестат у него образовался вполне приличный, а вот у Ариши – слезы. Какой уж ей институт – ни здоровья, ни сил, мудро решили обе Валечки. И в сентябре Валечка-младшая взяла Аришу к себе в библиотеку.

А Антон легко поступил в МАИ. С Аришей теперь они почти не виделись – у него бурная студенческая жизнь, у нее – тихая библиотека, чаи с Валечкой, запах пыли и старых книг. Да еще и хлопоты с матерью – Валечка-старшая начала прилично прибаливать. Антон появился у них под Восьмое марта, конечно же, по настоянию матери и бабки. Пришел с дежурной мимозой и коробкой шоколадных ассорти. Валечка-старшая ушла в поликлинику, а Ариша – Ариша, как, впрочем, всегда – болела. Тихая и печальная, она лежала в постели, бледная, почти прозрачная, с потрескавшимися губами и завязанным шарфом горлом. Антоша принес ей чаю с лимоном, она присела в кровати и слегка оживилась – он рассказывал ей про свою развеселую жизнь. Она шмыгнула носом, слегка скривилась и тихо заплакала.

– А у меня этого нет и никогда не будет, – горевала Ариша.

У Антона защемило сердце от жалости к этому нелепому и, в сущности, одинокому и несчастному человеку. Пожалел. Когда жалел во второй раз – даже не понял, как все это получилось, – в комнату зашла Валечка-старшая. Увидев эту картину, от неожиданности она вскрикнула, замерла и зажала рот рукой. Потом выскочила на кухню. Спустя минут десять, красный и смущенный, к ней вышел Антон. Он молчал, неловко топтался в дверном проеме и шмыгал носом.

– Что же теперь будет, что же будет? – раскачиваясь на табуретке, без конца повторяла Валечка. – Ты же уйдешь, а она? Она этого не переживет, она же такая слабенькая, господи, – бормотала Валечка, уставившись в одну точку.

– Все будет хорошо, теть Валь, – сиплым от волнения голосом произнес Антон. И добавил: – Я женюсь, теть Валь, вы не беспокойтесь.

Валечка долго смотрела на него, а потом махнула рукой – иди, мол. Когда Антон ушел, она заглянула к дочери – та безмятежно спала, зарозовев и счастливо улыбаясь во сне. Валечка удивилась и ушла к себе – думать свои горькие думы. С одной стороны, она все, конечно, понимала – молодость, горячая кровь, случай, да и Антон для нее – родной человек, почти сын. Все нелепо и случайно, и не надо портить человеку жизнь, да и какая из Ариши жена? Все это понятно, понятно. Но еще ей было известно и другое – только она одна знала, как неизлечимо она больна и что отпущено ей не так много времени. А с кем останется Ариша? На кого? Ведь пропадет одна, точно пропадет. А тут семья – Антон, Валечка, Вера Игнатьевна. Они, конечно, и так бы ее не оставили, но жена – совсем другое дело, совсем другой статус. В общем, материнское победило человеческое. Оно и понятно – кто осудит? Вечером – ох, как на сердце было тяжело – засобиралась к Валечке-младшей. С разговором. С дочкой ничего не обсуждала. Антоша, понятное дело, матери ни слова не сказал. Конечно, на душе кошки скребли, было муторно и противно, но он постарался выкинуть все это из головы и поехал к друзьям в общагу – там и расслабился.

Валечка-младшая и Вера Игнатьевна ни о чем не подозревали. А тут – гром среди ясного неба. Валечка-младшая заохала, всполошенная:

– Как же так, да как он посмел, мерзавец, негодяй, ну, я его к рукам-то приберу, устрою ему, мало не покажется. А может, все обойдется, все по-хорошему, а пусть женятся, а? Мы же родные люди, – обрадовалась она такому правильному, как ей показалось, решению.

Вот только умная Вера Игнатьевна молчала. А когда Валечка-старшая ушла, набросилась на дочь:

– Ты что, полоумная? Какая женитьба? Так парню жизнь ломать! Какая она жена – мощи ходячие. А дальше что с ней будет? Ни родить, ни угодить? Ты о чем сейчас думаешь?

Валечка такого напора от матери не ожидала и растерялась:

— Как ты можешь так говорить? Они не чужие нам люди, она мне как дочь, опомнись, мама!

— Вот именно, как дочь. Это просто инцест какой-то, на сестрах не женятся! Это ты опомнись, Валентина. Тебе главное — приличие соблюсти или счастье сына?

А Валечка ей отвечала:

— Главное — остаться приличным человеком, мы всю жизнь его этому учили. А сейчас выдадим индульгенцию на подлость? Ты меня так воспитывала?

В общем, разругались они насмерть — впервые за всю их долгую, дружную жизнь.

Антоша пришел под утро — громко скидывал ботинки в прихожей, что-то ронял, гремел чайником на кухне. Обе женщины не спали и, затаив дыхание, прислушивались к звукам — сердце билось отчаянно. Понятно было, что Антон напился. С горя, наверное, подумала Валечка. От тоски, заключила Вера Игнатьевна.

А он просто напился — какое горе? К тому времени он уже все успел забыть. Наутро мать с дочерью не поздоровались и завтракали молча. Валечка тихо спросила у сына:

— К Арише зайдешь?

Он удивился и покраснел:

— А надо?

— Надо, сынок, ты же порядочный человек, ты же мужчина!

Антон сглотнул и кивнул:

— Да, мам.

Свадьбу сыграли скорую и тихую — дома у Валечки-старшей. Вера Игнатьевна не пришла — лежала с высоким давлением, две «Скорые» за сутки. Ариша была вся в белом: пожелала и длинную пышную фату, и пышное шелковое платье, и перчатки по локоть — все по-настоящему, говорила себе

она. Была вполне довольна и счастлива – считала, что все справедливо, по-другому и быть не могло.

Платье роскошное, а гостей – раз-два и обчелся: обе Валечки, естественно, соседка по дому и две пожилые коллеги-библиотекарши. Из молодежи – ближайший Антошин институтский друг Мишка. Вышли на балкон покурить, и Миша участливо и сочувственно спросил у друга:

– Залетела?

– Не-а, – беспечно бросил Антон, – это я залетел. – И громко, в голос, заржал.

Жить стали у Валечки-старшей. Как жить? Да, в общем-то, изменилось мало что. После института Антон шел к себе – там своя комната, чертежная доска, да и мама с бабушкой скучают. И до вечера торчал дома. Ночевать шел к жене – все как положено, условности соблюдены. Ариша ходила в библиотеку вечно простуженная, кашляла, сморкалась, умудрялась два раза за зиму переболеть гриппом – тогда Антон на законных основаниях ночевал у матери. Неделями. А иногда ночевал и вовсе вне дома. Вера Игнатьевна тайно радовалась – слава богу, у мальчика есть нормальная мужская жизнь. А Валечка-младшая плакала и терзалась – ну не получалось складно, как ей все это представлялось. Бутафория какая-то. Переживала за Аришу.

– Сына жалей! Своими руками ему такую жизнь устроила, – жестко бросала Вера Игнатьевна дочери. Отношения стали у них довольно прохладные. Валечка-старшая к ним теперь почти не заходила. «Права была мама – и подружку я потеряла, и сын несчастлив, и с матерью отношения отвратительные», – сетовала Валечка-младшая. Устраивала ситуация, похоже, только Аришу – Антону она недовольства не выказывала, сцен не устраивала. Главное – у нее был муж. А так – ну у кого семейная жизнь без проблем? Это она знала из литературы. Валечка-старшая умерла через полтора года на Каширке. Умерла с обидой на жизнь, но за дочь была спокойна. После похорон Антон уже постоянно жил у матери. Ариша не возражала. Нагрузка в виде обедов, стирки и глажки ей казалась не под силу. Да и крайне редкая, почти исчезнувшая интимная жизнь с мужем тоже была ей ни к чему. Главное – статус. Разводиться Антон не собирался, семейными обязанностями не манкировал – относил белье в прачечную, таскал сумки из магазина, бегал в аптеку, пылесосил, размораживал холодильник. Изредка вечерами выводил Аришу на прогулку или в кино. После института распределился в КБ и половину зарплаты исправно отдавал жене, та принимала. Тихо умерла уже совсем пожилая Вера Игнатьевна, так и не простив окончательно свою несчастную дочь и не помирившись с ней перед кончиной. От этого Валечка-младшая страдала особенно сильно. А Антоша наконец влюбился – безоглядно, ошалело, с абсолютным безумством. И было отчего потерять голову.

Звали ее Инга – темнокудрая красавица с черными, блестящими каким-то ведьминским огнем, глазами. Крепкая, пышногрудая, крутобедрая. Работала эта Инга официанткой. По тем временам слегка не комильфо. Инга обожала застолья, шумные компании, танцы до утра. А утром – как огурчик. Ничто ее не брало. Жила в общежитии. Где-то под Воронежем у матери в селе воспитывался ее сын, восьмилетний мальчик. Ездила она к нему раз в год, в отпуск, на два-три дня. Через месяц после знакомства переехала к Антону. Валечка была в ужасе – что за наказание господь послал! Ведь не пара она ему, не пара! Пусть ловкая, красивая, веселая, но простая какая, господи! Слава богу, мама до этого ужаса не дожила! А Антон окончательно сошел с ума. Смотрел на Ингу идиотскими влюбленными глазами, прихватывал постоянно, гладил колени – все при матери, не стесняясь. Дорвался! Из постели они практически не вылезали. Бедная Валечка затыкала уши берушами. Инга вскакивала в шесть утра, гремела кастрюлями, варила жирные, наваристые борщи, стирала занавески, мыла полы, громко включала проигрыватель и радостно подпевала Эдите Пьехе:

— На тебе сошелся клином белый свет!

Валечку она в принципе не замечала, та ей не мешала. Валечка тихо страдала, пила сердечное и отказывалась узнавать своего сына. Теперь в отсутствие Инги и Антоши к ней днем забегала Ариша: они обе дружно плакали, жалея бедного Антошу, и утешали друг друга — все как-то еще образуется. Ариша! Родная душа! Тонкий, душевный человек, всхлипывала бедная Валечка. А он! Бесчувственный сластолюбец! Дорвался до сочного мяса! И еще мучило чувство вины — непроходящее. «Стоило все это затевать, ах, права была мама! Все бы как-то обошлось, и женился бы тогда на хорошей девочке, и мама ушла бы спокойно! Прости, мамочка, прости», — шептала Валечка, глядя на фотографию матери. Но что можно было исправить?

После работы Антон встречал Ингу у остановки — сумки она волокла неподъемные. Дома, на кухне, она сидела, тяжело дыша, расставив полные ноги и, кряхтя, разбирала баулы. А Антон ей помогал! Господи, ее Антоша, ее интеллигентный мальчик. Воистину ночная кукушка дневную перекукует. Инга доставала из сумки розовую, влажную ветчину, остро пахнувшую копченую колбасу, банки с салатами, остатки торта, недопитые бутылки коньяка и водки — и они садились ужинать.

А Валечка тихо стонала у себя в комнате и сосала валидол. Жизнь потеряла всякий смысл. Как ее мальчик мог жить с этой женщиной? Есть ворованную еду, спать с ней, смеяться в голос на кухне до ночи? Не думать о покое матери? Как он мог все это делать? Сколько вложено в этого ребенка любви! Сколько ходила она с ним в театры, на выставки, сколько прочла ему добрых и мудрых книг! Все, все напрасно, все зря! Страдала она безмерно, тихо варила себе каши — овсяную, гречневую, запивая слезами, и почти не выходила из своей комнаты. Единственным утешением оставалась Ариша. Вместе с ней они ездили на кладбище —

сначала к Валечке-старшей, потом к маме, Вере Игнатьевне. Ариша ее утешала:

– Ну он же счастлив, в конце концов!

– Какое счастлив! – возмущалась Валечка. – Он просто сошел с ума!

А Инга меж тем начала попивать. Сначала потихоньку, а потом стала набирать обороты. Это, конечно, были еще не запои, но вполне реальные пьянки, с истерикой, битьем посуды и уходами в ночь из дома. Антон бежал за ней, искал ее по подружкам, тащил на себе, долго держал под холодным душем, а она все бузила, бузила – до утра, пока не сваливалась в изнеможении где попало и не засыпала, похрапывая, с открытым ртом. А ему к восьми на работу. Он сразу здорово и резко сдал – под глазами черные круги, волосы порядком облетели, губы плотно сжаты. Смех и веселье ушли, улетели в никуда. Мать видела – страдает, но в душе была тайная надежда: развязка у таких историй наступает вполне определенная, рано или поздно. Из ресторана Инга вылетела – попалась с сумкой продуктов. Дело замяли – что с пьющей бабы возьмешь. Через месяц устроилась в овощной ларек у дома – свекла, капуста, морковь. На руках – вязаные грязные митенки, на пальцах – красный облупленный лак, на голове – нечесаная свалявшаяся башня, на лице – расплывшаяся косметика недельной свежести. Прежняя красота исчезла – ни намека, ни воспоминания. Грубая, вульгарная, страшная баба.

Валечка видела – сын наконец прозрел, глаза открылись – не слепой. Худющий, черный, замученный – смотреть больно, сердце рвется на куски. Кончилось веселье, начались скандалы – крики в голос, битье посуды, мат. Валечка накрывала голову подушкой. Инга стала водить в дом подружек – вместе пили водку под нарезанную толстыми кругами колбасу, вместе орали песни. Валечка наконец решила поговорить с сыном. Он молчал, а потом тихо сказал:

– Куда ее выгнать, мама, на улицу? Там она через неделю околеет.

– Ну тогда оставь все как есть, а через неделю околею я, – ответила сыну Валечка.

– Потерпи, пожалуйста, потерпи, – попросил Антон, и Валечка увидела его глаза, полные боли и слез. – Потерпи еще немного, я что-нибудь придумаю. Господи, я же тебя совершенно замучил, какая же я последняя сволочь. – Он зарыдал и опустился перед матерью на колени, обхватив ее тонкие ноги.

– Бедный мой мальчик, бедное мое дитя. Это я одна во всем виновата, это из-за меня так сложилась твоя жизнь, – шептала Валечка, гладя сына по голове.

Боже, какое счастье! Сын вернулся к ней, это снова ее мальчик, ее несчастный ребенок. А вдвоем они что-нибудь придумают, ведь не бывает безвыходных ситуаций, что-то образуется, даст бог!

«Что-нибудь» придумать Антон не успел – за него эту тяжкую работу выполнил Всевышний. Пьяная Инга попала под машину – месяца через полтора. Насмерть. Похороны были дикие и шумные – кто-то выл, кто-то выяснял отношения. На кухне хозяйничали Ингины подружки – пекли блины и постепенно напивались. Одна из них уже спала на Валечкиной кушетке, а другая долго дебоширила и обвиняла в смерти подруги Антона. И даже полезла с ним в драку. Вечером, поздно, зашла Ариша. Помогла Валечке вымыть посуду и прибраться в квартире. Зашла к Антону – он лежал на кровати одетый, отвернувшись лицом к стене. Ариша села рядом и стала гладить его по голове. Он громко разрыдался и схватил ее руку, лихорадочно сжимая и целуя ее тонкие и холодные пальцы. Проснулись они вместе, почти одновременно открыв глаза. Ариша слабо улыбнулась, а он смущенно и резко вскочил с кровати и бросился в ванную. Утром Валечка, конечно же, увидела Аришин плащ и, не выпив даже чаю, прихватила сумку и торопливо вышла на улицу: «Пройдусь по магазинам, – решила она. Ей казалось, что вот сейчас у них все сладится, как все намучились за последнее время, как устали. – Домой не пойду – не буду им мешать». Она шла по улице и счастливо улыбалась. Ариша ушла на работу, а Антон весь день собирал Ингины вещи. Ему хотелось все уничтожить, изъять без следа ее пребывание в его жизни. А след в сердце? Как быть с ним?

Вечером зашла Ариша – сварили пельмени и долго сидели на кухне за столом, пытались общаться, но получалось как-то скованно и отрывисто. Все были смущены ситуацией. Потом Антон встал и ушел к себе.

– Останешься? – тихо, с надеждой спросила у Ариши Валечка. Ариша вздохнула и покачала головой, кивнув на дверь Антошиной комнаты.

– Ну, всему свое время, потерпи, – мудро решила Валечка.

А Антон опять замкнулся, ушел в себя. С матерью общался односложно, после работы что-то рассеянно жевал и уходил к себе. Все – молчком. Валечка растерялась. Разве думала она, что все теперь опять сложится не так? Разве не заслужили они наконец счастья и душевного покоя? Как верила она, что у сына и Ариши все сложится, образуется и будет она спокойно доживать свой век в кругу близких и родных людей. Но – скажи господу о своих планах.

Спустя года полтора Антон завел себе женщину. Так Валечка обозначила новый роман сына. Осторожно навела справки – на сей раз его избранницей оказалась вполне приличная женщина, коллега, разведенная, с двумя детьми, старше Антона на восемь лет. Звали ее Нина Марковна. Валечка видела ее как-то на улице, мельком: немолодая, грузная, с пучком и в очках с сильными стеклами – ну тетка и тетка, ровным счетом ничего интересного и примечательного. Валечка искренне недоумевала, чем могла привлечь ее сына заурядная и скучная, усталая и немолодая женщина. Может, контрастом с несчастной Ингой? Впрочем, что есть, то есть. На выходные Антон уезжал к Нине Марковне – та отправляла детей к сестре. То, что он был прилично моложе своей возлюбленной, теперь в глаза не бросалось. От прежнего красавца и балагура не осталось и следа. Полноватый, лысый, среднестатистический дядька.

Ариша все хворала – то прицепится к ней не по возрасту детская корь, то всю осень мучает бронхит, а по весне мается с гастритом. Заходила иногда вечерами – пили чай все вместе. Ариша глядела на Антона с восторгом и обожанием, ни на минуту не замечая в нем разительных и, увы, печальных перемен. Ночью плакала, тосковала, ворочаясь в своей узкой одинокой постели. Сходила к гадалке – по объявлению в газете, никому, даже Валечке об этом не сказала. Гадалка, немолодая, полная армянка с распущенными по плечам крашеными черными жгучими волосами и печальными огромными влажными, сказочной красоты глазами гадала на кофе и картах. Денег взяла немало, но и сказала волнующие и прекрасные слова. Одиночество отвергла решительно, посулив Арише тихую семейную и спокойную старость. Ариша разволновалась, долго сидела на лавочке у подъезда – идти к метро совсем не было сил. Но ночью опять расстроилась, не поверив в обещания гадалки, – какой муж, откуда? И решила грустно, что все это обман и полная чушь.

Был ли влюблен Антон в Нину? Да нет, конечно же, нет, уважал, ценил за стойкость, спокойствие, самостоятельность. Женщиной она была разумной, доброй, с трудной судьбой. Но сойтись с ней окончательно, плотно, жить одним домом, растить ее детей – нет, это ему в голову не приходило. Отношения с Ниной продолжались около пяти лет – ровные, спокойные, без встрясок и скандалов, пока однажды она в лоб не спросила его о жизненных планах, задав заодно вопрос, есть ли эти планы вообще и есть ли в них место для нее. Он растерялся, пытался отшутиться и удивленно спрашивал, что же ее не устраивает в их отношениях. Через четыре месяца Нина уехала в Америку вместе с большой семьей старшей сестры – они были очень дружны.

А бедная Валечка в апреле упала прямо у подъезда, поскользнувшись на обледенелой ступеньке. Сломала шейку бедра. Что может быть ужаснее?! Неподвижность. Все теперь ляжет на плечи сына: магазины, стирка, готовка. Бедный мальчик, он разрывался между работой и домом. Но, слава богу, помогала Ариша – верный друг. Забегала днем, в обед или после работы – и бульон сварит, и рубашки погладит, и в аптеку сбегает. В общем, кое-как приспособились. Спустя полгода Валечка сама пыталась доползти до туалета – на костылях. Лишь бы поменьше обременять близких – от этого страдала больше всего. Вроде дело пошло на поправку, Валечка повеселела, перестала плакать и даже пыталась хлопотать по хозяйству. Весна выдалась холодная и дождливая, а вот июнь обрушился сумасшедшей жарой. Валечка лежала у открытого настежь окна, подставляя лучам солнца бледное, сухое лицо, и ловила тонкой рукой хлопья тополиного пуха. Это было последнее лето в ее жизни – в августе она тихо скончалась, ночью, во сне. Вскрывать ее не стали, причиной смерти, по-видимому, стал оторвавшийся тромб – это предположил старый участковый врач. После поминок Ариша опять мыла посуду на кухне, а когда, сняв фартук и вытерев насухо руки, собралась уходить, Антон остановил ее в прихожей и попросил:

– Очень тяжело, не уходи, на всем белом свете теперь только ты и я.

Теперь она осталась в его жизни навсегда. Жили они тихо и мирно, не поспорив и не повздорив ни разу. Раз в месяц ездили на дорогие могилы – к Валечке-старшей, к Валечке-младшей и к бабушке Вере Игнатьевне. Сдали Аришину квартиру, и появились деньги, но тратить их они панически боялись. Раз в год, в сентябре, ездили в подмосковный санаторий. Жили скромно, на всем экономя и радуясь своему благоразумию. Выброшенные из стремительного жизненно-

го потока, рано одряхлевшие и перепуганные, битые-перебитые этой жизнью, вконец изломавшей их, плохо одетые, скуповатые, беспомощные и одинокие – бросившиеся друг к другу, как к последнему спасательному кругу. Держались друг за друга намертво, четко понимая, что поодиночке не выживут, пропадут. Заботились друг о друге преданно и самозабвенно. Две одиноких души!

И все-таки это была жизнь, с обычными человеческими радостями – прогулками по вечерам, чтением старых и любимых толстых романов, чаепитиями у телевизора, где показывали старую добрую комедию, радостью от покупки нового легкого и теплого пальто или крепких, добротных ботинок на зиму.

Страсти? Все давно откипели, ушли, да и слава богу. Любовь? Не нам судить, ведь как многолика она, известно каждому. В общем, жили как умели. И что самое главное – были довольны этой жизнью и, как им казалось, даже вполне счастливы.

А про старую гадалку Ариша мужу так и не рассказала – постеснялась. Это была только ее тайна. И, часто вспоминая ее слова, Ариша каждый раз искренне удивлялась и недоумевала: надо же, все оказалось чистой правдой. Кто мог это предположить?

Счастливая жизнь Веры Тапкиной

Вера Тапкина была из невезучих. Многое в ее жизни могло бы сложиться по-хорошему, а сложилось иначе.

Для начала Вера могла бы родиться в Москве – когда-то ее родители жили там и трудились на заводе ЗИЛ. Потом им надоело общежитие, и они вернулись в свой маленький и сонный городок в четырехстах верстах от столицы. За год до Вериного рождения.

Вера могла бы уродиться в мать – стройную, сероглазую, с пышными волосами красавицу, а вышла – копия бати. Тот бы смугл, как цыган, носовит и узкоглаз, напоминал копченую селедку. Вера и фигурой пошла в отца – крупная, мослаcтая, с большими руками.

После восьмилетки Вера хотела пойти в медучилище, а потом работать в поликлинике – белый халат, белая шапочка. Все бы уважали и ценили, соседки бы просили померить давление или поставить укол. Вера бы никому не отказала, чувствуя свою значимость. А отец заставил пойти в ПТУ, на плиточницу. Что, говорит, тебе с говном и мочой возиться? А там всегда будешь с халтурой. Вера была слаба характером и отца послушала.

Потом, на первом курсе, случилась у нее любовь, та, что до гроба. Звали его Колькой. Гуляли вечерами в парке культуры, ходили на танцы, целовались в подъезде. Дальше — ни-ни. Не так воспитана.

Проводила Кольку в армию. Два года писала письма, рыдала, ночей не спала. А он вернулся с молодой женой — привез ее из Барнаула. Вера тогда чуть с ума не сошла. Решила топиться, слава богу, передумала.

Вскоре в семью радость пришла — дали бате новую квартиру. На новоселье гуляло ползавода. Танцевали под баян, а Вера все хотела поставить пластинку с Пугачевой.

Пошла работать на стройку. Через два года у нее завязался роман с прорабом Петровичем. Петрович был старше Веры на двадцать лет и имел многодетную семью. Замуж за него Вера не хотела, ныть не ныла, ничего не просила. Все еще любила предателя Кольку. Встречала его иногда с женой и коляской — сердце рвалось из груди, и становилось так душно, что дышать тяжело.

Мать ее просила: ты хоть ребеночка роди, мы люди немолодые, с кем останешься? А от кого рожать? От Петровича не хотелось, да больше и не от кого было. Городок маленький, все на виду.

Колька стал пить и жену поколачивать. Об этом все знали. Вера видела ее в магазине — лицо опущенное, глаза на мокром месте. Однажды Колька пришел к Вере. Пьяный, конечно. В дверь колотился, орал. Вера не открыла. Вот бы от Кольки родить! А куда рожать от пьяницы?

В тридцать пять Вера осталась одна — родители ушли в один год, друг за дружкой. Вера сделала поминки, но отпевать побоялась, отец был коммунистом. Через год поставила хороший памятник — два голубя целуются, а над ними — веночек, буквы золотые. Очень ей этот памятник нравился.

Теперь деньги матери отдавать было не надо, и Вера купила себе дубленку – колкую, каменную, с цветочками по подолу. Правда, белая овчина после дождя козлом воняла, но все равно Вера была довольна.

Зарабатывала она неплохо. Весь год собирала на отпуск – и поехала в Болгарию, на Золотые Пески. Надеялась: а вдруг там найдет свою судьбу?

Через три дня на пляже познакомилась с пузатым немцем из ГДР. Объяснялись жестами. Немец пригласил ее в номер попить пива. Вера принарядилась и пришла. Долго стучала в дверь, не открывали. Толкнула дверь рукой – она оказалась незапертой. Кавалер спал на кровати в одних трусах. Храпел так, что стены тряслись. На следующий день Вера поехала на экскурсию, чтобы с ним не встречаться. Больше его не видела – видно, кончился у фрица отпуск и он уехал, да и черт с ним. Вера купила себе кофту-«лапшу», замшевую юбку с фестонами и духи «Розовое масло».

А в январе она сломала руку – поскользнулась у подъезда. Перелом был сложный, в трех местах, с осколками. Врач сказала, что сидеть Вере на больничном месяца два. Потом – неизвестно. Рука-то правая. По больничному платили пятьдесят процентов. На что жить?

И Вера решила сдать комнату. Жилец нашелся быстро – молодой врач из Питера, приехал по распределению. Парень простой, непьющий, звать Сергеем. Жилец оказался человечным. Видел, как Вера с рукой мается, – мог и картошки сварить, и щей на неделю, приглашал к столу: поешьте, Вера Григорьевна, горячего. Когда рука болела невмоготу, делал обезболивающий укол. Жили тихо, мирно, друг друга не задевая.

Работал Сергей в городской больнице и крутил роман с замужней медсестрой. Вера его слушала и головой качала:

– Жениться тебе надо, а не с замужней путаться. Вон сколько девчонок хороших, а ты?

— Я люблю женщин солидных и умных, — смеялся он. — А с девчонками мне неинтересно.

В свою замужнюю медсестру был влюблен не на шутку, просил уйти от мужа, а та все отмахивалась: отстань, мне и так хорошо.

Он ей ультиматум, а она: раз так, так и иди к черту.

В общем, нашла коса на камень. Он, бедолага, страдал, Вере плакался. Она его и пожалела. Пожалела одну ночь, вторую — так у них и поехало. Вера дурой не была, все про себя понимала. Влюбиться в него не влюбилась, хотя нравился он ей сильно, что говорить.

Денег за постой теперь у него не брала, неудобно как-то. Рука тем временем зажила, и в апреле Вера вышла на работу.

История с постояльцем как-то постепенно сошла на нет. Сначала он приходить к ней стал реже, говорил, что устал на дежурстве, потом и вовсе перестал. Вера на него не обижалась, и за то, что было, спасибо. Помог в трудную минуту, ухаживал, душу отогрел — и то хорошо. Ведь к хорошему Вера была непривычная.

Деньги, кстати, он теперь подкладывал на кухонную полочку. Тихо, без слов. Вера их сначала не трогала, а потом стала брать. Видела, что жилец переменился: глаз горит, брюки наглаживает, по вечерам торопится, убегает. Все поняла.

А потом он ее на разговор вызвал. Смущался, правда, страшно. Краснел, запинался:

— Вера Григорьевна, я жениться собираюсь — уж не обессудьте. Так вот получилось. Вам за все спасибо, вы — хороший человек. Но буду я подыскивать другое жилье. Невеста моя в положении, жилплощади у нее нет, там семья большая, братья, сестры, племянники. Так что надо нам семью строить на своих, так сказать, метрах, в смысле на съемных. Комната у вас хорошая, светлая, денег вы берете немного, хозяйка вы не вредная. Но неудобно как-то, сами понимаете, – он опять покраснел и запнулся. – И ребеночек вам мешать будет, да и две хозяйки на кухне... В общем, что говорить! Съеду я от вас, как только комнату подыщу.

Вера сидела молча, опустив голову, и теребила бахрому у скатерти. Они оба долго молчали. А потом Вера сказала, вздохнув:

– Не надо никакой другой комнаты, Сережа. Здесь ты привык, да и до работы тебе пешком. И вон двор какой хороший с малышом гулять. Да и я чем смогу помогу. Я ведь одна на свете, Сережа, никого у меня нет. А так будет семья. И денег мне платить не надо – я ведь хорошо зарабатываю.

Вера замолчала, боясь поднять на Сергея глаза. Молчал и Сергей.

– Ну а буду мешать вам – так съедете, вы же вольные люди, – засмеялась Вера. – Да и с женой твоей я общий язык найду. Уверена, что найду. Что вам по чужим углам мотаться, да еще с ребеночком? А мне только радость, Сережа! Поверь, только радость. Ты ведь мне не чужой.

Вера смутилась и отвернулась к окну. Сергей порывисто встал и вышел с кухни. Вера всю ночь не спала: боялась, что он передумает и она опять останется одна. Ведь они стали почти как родственники, привыкли друг к другу, ни разу не поругались.

Вечером того же дня Сергей принес букет гвоздик и торт. И еще красивый платок – на синем фоне красные розы.

– А что девушку свою не привел? – удивилась Вера.

Девушку свою он привел через два дня – с чемоданом и стопкой книг. Девушка была хорошенькая, черноглазая, курносая, с толстой косой до пояса. Звали ее Олей.

Вечерами, если Сергей был на дежурстве, Вера прогуливала беременную Олю по парку. Потом пили чай с печеньем, Вера терла Оле яблоко с морковью и вязала будущему малышу носочки и варежки. По воскресеньям Вера пекла пироги и накрывала стол белой скатертью. Присмотрела в «Детском мире» коляску. Только не знала, какую брать – синюю или красную. Решила подождать.

Со смены торопилась домой. Надо было прибрать и сготовить ужин – теперь у нее была семья. А что может быть важнее? Ведь она, как никто, знала, какое страшное дело – одиночество, не приведи бог!

Жизнь впервые была наполнена смыслом, Вера была счастлива.

И еще она ходила в церковь и долго просила бога, чтобы ничего в ее жизни не переменилось.

Правда и ложь

Эта старуха привязалась к Веронике на прогулке – ну, как это обычно бывает.

Вероника приехала в санаторий три дня назад – привез муж, за руль после *той* аварии она садиться боялась.

Сразу обрушилась целая гора процедур – массаж, иглотерапия, бассейн, ЛФК. Только после ужина нашлось время немного передохнуть и погулять.

Вероника вышла из корпуса и, опираясь на палку (без нее она ходить еще боялась), осторожно дошла до скамейки перед столовой. На улице стояло распрекрасное бабье лето, и под ногами плотным и ярким ковром лежали опавшие листья. Вкусно пахло грибами и прелой травой.

Старуха материализовалась минут через пятнадцать. Любопытная, как все старухи, она начала расспрашивать Веронику обо всем. Почему она с палкой? Ах, авария! Какой кошмар! Ах, сустав, ах, переломы. Надо же, чтобы так угораздило – такая молодая и приятная женщина, почти девочка. Далее хорошо воспитанная Вероника давала подробный отчет – сколько лет, где работает, кто муж, как зовут детей. Нелюбопытная по природе, она удивлялась, как постороннего человека может занимать чужая

жизнь. Но старухе, было видно, и впрямь все было интересно.

Она была похожа на большую облезлую ворону: седые, растрепанные волосы, крупный крючковатый нос, большие широкие ладони. Облик завершали многочисленные черные тряпки, висевшие как на пугале, — черная юбка, черные чулки и ботинки, черный макинтош. Она много курила и хрипло кашляла.

Вероника извинилась и заторопилась в номер — к вечеру сильно свежело. Кряхтя и охая, старуха проводила ее до корпуса.

Наутро, на завтраке, старуха увидела сидевшую в одиночестве Веронику и бодро направилась к столику, видимо, полагая, что ее общество, безусловно, приятно. Вероника тяжело вздохнула и отодвинула пустую тарелку из-под манной каши.

Старуха вновь казалась не в меру любопытной и словоохотливой. Пару раз кивнула знакомым и принялась свистящим шепотом рассказывать какие-то истории из жизни отдыхающих.

— Простите, но мне это неинтересно, — решительно заявила Вероника.

Старуха замолчала и обиженно захлопала глазами с редкими ресницами.

Вечером Веронику настигла та же участь. Старуха опять подсела на скамейку.

«Вот влипла, — подумала Вероника. — Всегда со мной так».

Старуха закатывала глаза и с упоением сплетничала про медсестер, врачей, уборщиц и поварих.

Вероника хотелось поскорее оказаться в номере — выпить горячего чаю, почитать наконец новую Улицкую, позвонить своим. И всего-то было нужно резко оборвать старуху, извиниться и быстро пойти к себе. Быстро не получилось. Старуха начала вспоминать любимых актеров ее поколения.

Потом заинтересовалась литературными пристрастиями Вероники. Вероника удивилась – старуха оказалась в курсе всех книжных новинок.

Старуха опять проводила измученную Веронику до дверей корпуса, объявив на прощание, что с ней «очень мило». Вероника кисло улыбнулась.

Каждое утро старуха явно караулила новую подругу в столовой, стоя с подносом в руках и оглядывая столики. Вероника хоть и раздражалась, но старуху жалела – бедная, скорее всего, одинока как перст. Отводила глаза, когда проходившие мимо их столика отдыхающие бросали насмешливые и сочувственные взгляды.

Меж тем, исчерпав, видимо, сплетни и новости, старуха явно загрустила. И как-то вечером на скамейке решилась наконец рассказать о себе. Она приосанилась, воодушевилась и торжественно объявила, что история ее жизни уникальна, необыкновенна, трагична. Преподнесено это было так, будто новые познания Веронику обогатят и наполнят.

Словом, старуха решила поделиться сокровенным. С полным доверием. А это что-то да значит. Она откинула голову, на минуту прикрыла глаза. Неторопливо и размеренно, с долгой, тщательно выверенной для эффекта паузой, начала свой рассказ. Издалека, слава богу, не из детства и юности, но из молодости точно.

Первый муж – инженер-нефтяник. Крупный специалист, таких по пальцам. Послали в долгую командировку в Баку – там он был незаменим. Дали роскошную виллу – пять комнат, терраса. Белый дом, колонны, чей-то бывший особняк, теперь – только для специалистов такого класса. Прислуга и повариха. Черная икра на завтрак, осетрина на обед. Кусты роз под окном. В саду гуляет павлин. Правда, по ночам орет дурным голосом, но это мелочи. Она молода и прекрасна. С мужем полнейшая идиллия. Она ходит в белом кисейном сарафане и срывает с дерева янтарный инжир.

Купается в море, много читает. По просьбе мужа привозят фортепьяно. Вечерами она играет с листа. Беременеет. Рожает прелестного мальчика, долгожданного и обожаемого. В семье царят лад и покой. Зарплата у мужа такая, что о деньгах никто не думает. Муж обожает сына. Мальчик очарователен – белые кудри, черные глаза. В три года знает буквы и пытается складывать слова. Резвится в саду – отец купил ему щенка. Жизнь безоблачна, как синее апшеронское небо.

До поры. В пять лет мальчик тяжело заболевает. Да что там тяжело – болезнь страшная и необратимая, опухоль мозга. За что их так наказывает бог? Он сгорает за полгода. Могила на русском кладбище в Баку. Памятник из белого мрамора – малыш бросает в море гальку. В броске закинута пухлая ручка, откинута кудрявая голова.

Муж чернеет лицом, а она не встает три месяца. Он носит ее на руках в туалет. Видеть людей невыносимо. Она просит мужа уехать в Москву – ей кажется, что так будет легче. Ему идут навстречу – и отпускают их на несколько лет.

В Москве она постепенно начинает приходить в себя. Новая квартира на Тверской, новые связи, новые подруги. В ноябре она заказывает в ателье шубу, закрашивает седину и покупает сервиз на двенадцать персон. В доме опять появляются люди. Муж получает крупный пост в министерстве. Они ведут светский образ жизни – приемы, обеды, премьеры. Через три года – ей уже хорошо за тридцать – она наконец беременеет. Беременность протекает тяжело – все-таки возраст, но она, слава богу, рожает прекрасную девочку, очень крупную, четыре с половиной килограмма – на отца похожа как две капли воды. Муж, конечно, ее обожает – долгожданный и такой желанный ребенок. Девочка тиха и послушна. В четыре года берется за карандаш и рисует изумительные картинки. Чудо, а не ребенок! Снова няни, прислуга. Они опять начинают выходить в свет.

Когда девочке исполняется девять лет, ее насмерть сбивает машина – на Тверской по дороге из музыкальной школы. Теперь не встают оба – муж лежит в кабинете, она в спальне. Лечат их лучшие доктора. Она поднимается первая – и начинает ухаживать за мужем.

Через год муж объявляет ей, что уходит. У него новая женщина, разумеется, молодая. У него новая жизнь. Они ждут ребенка.

Она пытается отравиться, но ее спасают. Разменивают квартиру на Тверской – и она уезжает в Перово, в однокомнатную. Муж, правда, дает денег на содержание, но это весьма скромное содержание. Ей надо привыкать жить по-новому. Она идет в районную школу библиотекарем. Там, среди людей, понемногу приходит в себя.

И через пару лет даже выходит замуж. За неплохого человека, вдовца, военного в чине майора. У майора десятилетняя девочка, дочь. Девочка с ней груба и неприветлива, но она терпелива и упорна – и их отношения более или менее становятся похожими на нормальные. Они съезжаются, у нее снова – трехкомнатная квартира. Достают по записи ковер, цветной телевизор. Подходит очередь на машину. Начинают строить дачу. Жизнь непростая, но все-таки это жизнь. С мужем живут неплохо, а вот у дочки тяжелый характер, но девочка очень талантлива, ей прочат большое будущее в точных науках.

Далее, собственно, ничего особенного в жизни не происходит, хватит с нее событий. Живут они тихо, свой огород, цветы в палисаднике, варенье, в отпуск в Кижи или Питер. На море она больше не ездит.

После университета дочка уезжает в Америку – получает грант. Конечно же, там остается, она же нормальный человек. Выходит замуж, рожает сына. Сын растет успешным и положительным.

Муж умирает от инфаркта в почтенном возрасте. Дочка звонит два раза в неделю – это уж обязательно. Присылает посылки, деньги. Зовет ее к себе. Но, знаете, не хочется быть обузой. Да и потом, какая там новая жизнь?

– Буду доживать эту.

Старуха откидывается на скамейке и тихо, беззвучно смеется.

Вероника потрясена. Она долго не может прийти в себя, а потом провожает старуху до корпуса и долго гладит по руке.

Ночью, конечно, не до сна. Она дважды пьет снотворное и обезболивающее – под утро очень болят нога и спина. К завтраку она не спускается и долго лежит в кровати. Ей стыдно за то, что она так сильно переживает по мелочам – у мужа не клеится на работе, сын принес двойку, нет шубы и приличных сапог, в квартире давно пора делать ремонт – отваливается плитка и отходят обои. Ей стыдно, что она такая мелочная и неглубокая, что ее угнетают и расстраивают столь пустячные и незначительные вещи. И вообще, ей почему-то стыдно, что жизнь ее так благополучна. Она звонит домой (суббота, все дома) и долго говорит с мужем – говорит горячо и объясняется ему в любви, потом просит к телефону сына и почему-то плачет, услышав его голос.

Она безумно боится встречи со старухой. Хотя понятно: сочувствовать и сокрушаться просто нет сил.

Поднимается Вероника только к вечеру и перед ужином идет на массаж.

Массажистка, крупная, немолодая женщина с сильными руками и смешным именем Офелия Кузьминична, профессионально и мягко делает ей массаж. Вероника немного расслабляется и начинает приходить в себя.

Офелия Кузьминична спрашивает ее про новую подругу, и она, поняв, что речь идет о старухе, пытается рассказать ей что-то о своей невольной знакомой, но Офелия машет рукой. Знаю, все знаю, она сюда уже который год ездит по бесплатной собесовской путевке. Морочит всем голову, обожает лечиться. А сама, между прочим, тот еще конь. Кардиограмма как у молодой. Ну, конечно, суставы, артрит – это все понятно.

– Жизнь у нее, конечно, не сахар – продолжает Офелия. – Сын всю жизнь сидел. Как сел по малолетке в шестнадцать за вооруженный грабеж, что ли, так и пошло дело. Выйдет на полгода – и снова садится. Жить на воле не может. Она к нему столько лет ездила, а потом он вышел в очередной раз и вообще сгинул. Дочка родилась крепкая физически, красивая, но полный олигофрен. Дома с ней не справлялись. В десять лет отдала ее в интернат. Ездила к ней всю жизнь – но та ее даже не узнавала. Только в руки смотрела – что привезла. В общем, слюни по подбородку. Первый муж бросил, ушел к молодой. Она, уже в летах, второй раз вышла замуж, за военного, кажется. У того девочка была, дочь. Стерва редкостная, всю жизнь им испортила. А ведь она, старуха, столько в нее вложила, всю душу, все сердце. Дочка эта потом замуж вышла, на Север уехала. Даже отца хоронить не приезжала. Сука та еще. Старухе вообще не пишет, не звонит. Ни копейки за все годы.

Офелия звонко хлопнула Веронику по мягкому месту:

– Ну, все, вставай, красавица! На ужин опоздаешь.

Вероника молча поднялась, оделась, кивнула и вышла из кабинета.

На ужин она не пошла. На следующий день опять началась бесконечная беготня по кабинетам. В обед в столовой старухи не было, впрочем, как и в ужин тоже. Видимо, уехала. Слава богу! Иначе бы пришлось общаться – а это казалось Веронике невыносимым.

На вечерней прогулке после ужина Вероника совсем успокоилась. Старухи нигде не было, значит, точно уехала. Сыграла последний спектакль – и занавес, можно уезжать

со спокойной душой. Чужую-то душу она разбередила до донышка, отыгралась. Артистка хренова. Впрочем, что ее осуждать; хотел человек чуть приукрасить свою жизнь, правда, таким странным и страшным образом. И не всегда понятно, что страшнее – правда или ложь.

Вероника присела на лавочку, прикрыла глаза и стала вдыхать запахи вечернего осеннего леса.

И жизнь не показалась ей такой страшной и ужасной. Несмотря ни на что.

Вопреки всему

Участковый врач Ольга Васильевна Самарина на последний вызов не спешила. Это был ее старый больной, из тех, что со временем становятся почти друзьями, доверяя участковому врачу не только секреты соматики, но и тайны собственной жизни.

Андрея Витальевича Преображенского Ольга Васильевна знала лет пятнадцать, как раз с того времени, как перешла в районную поликлинику из скоропомощной больницы, и жизнь тогда после бешеного ритма больничных суток казалась ей почти размеренной и спокойной. Пару лет ушло на подробное знакомство с участком, где со временем и появились больные, ставшие ей почти родственниками. В основном это были еще сохранившиеся интеллигентные пары или одинокие старики, и свои визиты к ним она, как правило, оставляла «на закуску». Ведь это были уже не совсем формальные встречи – фонендоскоп, тонометр, рецептурный бланк, – а беседы и чаепития с подробными рассказами о детях и внуках, со слегка утомительными, но милыми и трогательными подробностями из прошлой жизни. Словом, с тем, что непременно сопровождает закат человеческой жизни – увы!

В разряд любимых больных попадали милые, измученные болезнями и невзгодами люди, щепетильные и крайне смущающиеся повышенного, как им казалось, внимания. Ольгу Васильевну они старались лишний раз не беспокоить – только когда становилось уже и вовсе невмоготу, при этом волновались, что отрывают ее от более важных и сложных дел. Конечно, они ее обожали за то внимание и тепло, которые она приносила в их одинокие и холодные дома, и из своих скудных пенсий или запасов непременно старались ее отблагодарить и порадовать – то банкой варенья или соленых грибов, то корзинкой яблок с дачного участка, то редкой книгой из собственной, годами тщательно собираемой библиотеки, то просто дефицитной коробочкой шоколадного ассорти. Ольга Васильевна, вообще-то довольно резкая и нетерпимая ко всяким «обязывающим», как она считала, подношениям, эти презенты брала только из боязни обидеть дарителя, зная, что все это наверняка от чистого сердца.

Больной Преображенский не беспокоил ее примерно полгода, и, заходя в мрачный, сырой подъезд, Ольга Васильевна попеняла себе на то, что за все это время ни разу не позвонила ему. Был Андрей Витальевич из «бывших», как говорили, имея в виду его дворянские корни, в прошлом кадровый офицер элитных инженерных войск. Вдовел он уже лет восемь, и она прекрасно помнила его покойную жену Валерию Викентьевну – худенькую и сухонькую крохотулю, работавшую в запасниках Третьяковки. Она, эта маленькая и слабенькая Лерочка, и была главной движущей силой их небольшой бездетной семьи. Боже, а какие Лерочка пекла пироги! Голодная Ольга Васильевна проглотила слюну, вспомнив промасленный пергамент, в который жена Андрея Витальевича обязательно заворачивала ей еще теплые пирожки – с зеленым луком, картошкой, вишнями. Дух стоял на весь подъезд. На лестнице, выйдя из квартиры, Ольга Васильевна быстро разворачивала кулек и жад-

но сразу съедала два пирожка, остальные доставались сыну Шурику. К себе Лерочка Ольгу Васильевну никогда не вызывала – только к мужу. Болел всегда он. С боем и уговорами Ольга Васильевна заставляла ее раздеться и слушала сердце и легкие, мерила давление – Лерочка долго сопротивлялась, но со вздохами все же подчинялась и, нехотя и отшучиваясь, начинала раздеваться, аккуратно вешая на стул светлую блузочку и маленькую, словно детскую юбку. Опекаемым и больным в доме был назначен муж, а ушла первой она, Лерочка, – так часто бывает. Ольга Васильевна была тогда с сыном в отпуске в Анапе, а приехав, узнала о тихой Лерочкиной смерти – дома, ночью, от инфаркта. После ухода жены слег Андрей Витальевич, и тогда ходила Ольга Васильевна к нему часто – почти через день. Сразу обострились и его застарелая астма, и язва, и, конечно, гипертония – в общем, весь букет. Он умолял Ольгу Васильевну не беспокоиться, объясняя, что жизнь его, по сути, уже закончилась и потеряла всякий смысл с уходом любимой жены, страдал и корил себя страшно, что не уберег ее. Ольга Васильевна тогда крепко измучилась с ним, понимая, что это глубокая депрессия, настояла на вызове районного психоневролога и даже, робея и смущаясь, пыталась говорить с ним о каком-то дальнейшем устройстве его личной жизни – одиноких «невест» на участке было предостаточно. Она терпеливо объясняла Андрею Витальевичу, что это нормально, примеров – сколько угодно, и еще что-то банальное про то, что старость и болезни легче коротать вдвоем, и еще что-то про устройство быта. Но он тогда на нее почти обиделся и даже накричал, а потом пришел к ней в кабинет мириться – с букетом мелких и пестрых осенних астр.

Лифт не работал, и Ольга Васильевна тяжело, с остановками поднялась на шестой этаж. Перед дверью Преображенского она постояла пару минут, переводя дух, и нажала на кнопку звонка. Дверь открыли на удивление быстро,

и на пороге Ольга Васильевна увидела молодую девушку лет двадцати в халате и шлепках, с распущенными по плечам пушистыми светлыми волосами. Ольга Васильевна растерялась и на секунду подумала, что ошиблась дверью, но тут же услышала знакомый голос и хрипловатый кашель Андрея Витальевича.

– Ольга Васильевна, голубушка моя! А я вас совсем заждался!

Андрей Витальевич, шаркая, появился в узкой прихожей. Девушка молча пропустила Ольгу Васильевну и приняла у нее плащ. Ольга Васильевна прошла в ванную и долго мыла руки, пытаясь понять происходящее. Не поднимая глаз, без единого звука, молча, девица протянула ей свежее вафельное полотенце. Ольга Васильевна вздохнула, пристально глядя ей в лицо, вытерла руки и прошла в комнату. Квартира была из двух смежных комнат, и Андрей Витальевич сидел в кресле в маленькой комнате, которая всегда считалась спальней. В большой, проходной, комнате Ольга Васильевна увидела следы пребывания, а скорее проживания, новой жилички – кофточки и юбки на спинке стула, косметику на журнальном столике и маленький кассетный магнитофон на подоконнике.

«Может, родственница?» – мелькнуло у нее в голове.

Андрей Витальевич сидел, откинув голову на спинку высокого кресла, и тяжело дышал.

– Был приступ? – коротко спросила Ольга Васильевна.

Он молча кивнул. Потом, откашлявшись, добавил:

– Ночью «Скорую» побеспокоили. Теперь вот и вас, голубушка, мучаю.

Ольга Васильевна вздохнула и покачала головой. Потом принялась за дело. Выслушав и осмотрев больного, она попросила показать все лекарства, которые он принимал в последнее время, что-то откорректировала, отменила, где-то увеличила дозу, добавила сердечное, отметив в своем блокноте, что надо бы сделать кардиограмму и биохимию крови, конечно, на дому. Вздохнув, сказала, что с этим сейчас ох как непросто и придется подождать. Андрей Витальевич соглашался и мелко кивал.

– А может, в больницу ненадолго, а, Андрей Витальевич? – предложила она ему. – Обследуют, витаминчики поколют, может, чего умного скажут. – Ольга Васильевна пыталась шутить, понимая, впрочем, что и это не панацея.

Андрей Витальевич замахал руками – что вы, что вы, в больницу ни за что! А потом, улыбаясь, кивнул на стоявшую истуканом в дверном проеме девицу.

– Я ведь теперь не один, Ольга Васильевна. – И, помолчав, смущенно, почти жалобно добавил: – Ксаночка, моя жена. Познакомьтесь.

Ольга Васильевна онемела, а спустя минуту, почти взяв себя в руки и кашлянув, все же не сдержалась и брякнула в сердцах, не стесняясь девицы:

– Господи, и вы туда же, Андрей Витальевич! Уж от вас-то я этого вовсе не ожидала!

Он торопливо и сбивчиво стал что-то бормотать, что это совсем не то, что она подумала.

– О чем вы, Ольга Васильевна? Это внучка Лерочкиной приятельницы из Севастополя, чудная девочка, учится здесь в педагогическом, не подумайте о нас плохо, это просто было так нужно, даже необходимо, Лерочка это бы одобрила, – бормотал он. Девица вышла на кухню.

Ольга Васильевна вздохнула:

– Господи, ну какая разница, что об этом подумаю я! Думать надо было вам, милейший Андрей Витальевич, вы же в уме и твердой памяти, ну разве вам неизвестно, чем похожие истории заканчиваются? – От отчаяния у Ольги Васильевны выступили слезы на глазах. – В лучшем случае через полгода вы окажетесь в доме для престарелых, а в худшем – сами знаете где. Ну как вы могли, столько женщин приличных вокруг, немолодых, но в силе. Нашли бы себе,

в конце концов. И кашу бы вам варили, и яблоко натирали, и в сквере под «крендель» гуляли, а так разве можно?

Ольга Васильевна резко встала со стула, положила рецепты на тумбочку, кивнула через плечо и пошла к выходу. Вслед ей Преображенский продолжал бормотать, что все она не так поняла или он, старый дурак, не смог толком объяснить, что девочке негде жить, а квартира и так пропадет – наследников-то нет.

– Квартира? – Ольга Васильевна остановилась и резко бросила: – Квартира, говорите, пропадет? Девочку пожалели? А сами вы не пропадете? Себя бы пожалели, а не девочку!

В коридоре стояла Ксаночка и держала в руках плащ Ольги Васильевны. Ольга Васильевна пристально посмотрела и разглядела наконец ее лицо. Оно было не просто точено-красивым – это было прелестное, тонкое и породистое лицо, темные, умные, глубокие глаза, красиво и четко очерченные пухлые губы, узкий трепетный нос и густые, длинные и богатые брови. «А она ведь красотка, – подумала Ольга Васильевна, – не сделанная, а природная, естественная красота, молодая Чурсина, ни убавить ни прибавить. Удача природы. А главное – глаза. Не пустые, а полные смысла – тревоги, тоски и боли. Сейчас у молодых редко встретишь на лице такую палитру эмоций. В общем, девочка не простая, та еще штучка, с секретом». Ольга Васильевна усмехнулась, взяла из рук Ксаночки плащ и дернула дверную ручку.

– Здесь все честно, это не то, о чем вы подумали, – услышала она тихий голос за спиной.

Ольга Васильевна обернулась и увидела искаженное отчаянием и стыдом лицо девушки.

– Что мне-то думать, – вздохнула Ольга Васильевна. – Это вы думайте, как потом с Богом разбираться будете. – Она стала быстро спускаться по лестнице.

На улице у подъезда она устало опустилась на скамейку и стала себя грызть и ругать: «Какая же я дура, господи, ну какое мое собачье дело? Все просто и банально. Ей нужна квартира! Но ведь и он не в маразме, добровольно, без принуждения, а расплата будет, непременно будет, только вопрос: какая? Все с ними ясно, с этими приезжими девицами, без вариантов, но дело сделано, а мне-то что, своих забот — не расхлебаешь, но ведь какое прекрасное лицо! А глаза! Неужели и это уже ни о чем не говорит? О tempora, o more!» — Вспомнив латынь, Ольга Васильевна медленно побрела к автобусной остановке.

Из головы абсолютно и начисто вылетело слово. «Возраст», — грустно подумала Ольга Васильевна и продолжала мучительно вспоминать, как там, черт возьми, наука о лицах? Физиогномика, что ли, или нет, не так? Надо будет дома в словаре посмотреть. Да ну его, слово, что слово? Все это полная чушь, ничто не работает: ни лицо, ни глаза. А работает только одно — жизненный опыт. Вот его-то вокруг пальца не обведешь. Это Ольга Васильевна знала наверняка. А когда подошел автобус, она вспомнила, что забыла купить кефир и хлеб, прошла в своих горьких думах мимо магазина. Возвращаться не было уже никаких сил, и, плюнув на все это, она поехала домой. Осень в тот год набросилась рьяно и сразу — аккурат после короткого, как вздох, всплеска теплого бабьего лета, и сразу началась тяжелая пора — хроники, ранний грипп, респираторные. Ольга Васильевна, и сама простуженная, бегала по двум участкам, заменяя заболевших коллег. А в ноябре Шурик объявил о своем намерении жениться — сразу и безотлагательно. Ольгу Васильевну эта новость прибила и расплющила — сыну было всего двадцать, и она в каком-то почти горячечном бреду и почему-то глубокой обиде и ревности начала рьяно разменивать квартиру — ни сердцем, ни головой невестку не принимая и, положа руку на сердце, не пытаясь принять. Обмен нашли только в марте, и тогда же, весной, Ольга Васильевна переехала в другой район. Поначалу пыталась ездить оттуда на старую работу, но это было крайне утомительно — два автобуса, пересадка в метро, в общем, игра не стоила свеч. И летом, отгуляв отпуск, она уволилась и перешла в поликлинику около дома. Там тоже было все непросто — участок дали дальний и сложный, кабинет окнами на север — темный и холодный, заведующая была из зануд и бюрократов, а медицинская сестра и вовсе манкировала обязанностями и, кроме того, попивала. Дома ночами Ольга Васильевна часто плакала, тоскуя по сыну и прежней, принадлежавшей только им двоим, общей и дружной жизни. Но — удивительное свойство человеческой натуры, спасительная внутренняя мимикрия — человек привыкает ко всему! Спустя два года почти привыкла к новой жизни и Ольга Васильевна. Отношения с сыном и его женой худо-бедно из нервно и постоянно негативно пульсирующих постепенно перешли если не в дружеские, то, скорее, в спокойные и почти дружелюбные. Закончились, слава богу, вечные, постоянные обиды и претензии. На работе тоже со временем все как-то постепенно срослось и вошло в свое привычное русло. Ольга Васильевна успокоилась и стала наконец спать по ночам.

Как-то весной, в мае, в выходной, Ольга Васильевна поехала в свой старый район в гости. Пригласила приятельница и бывшая коллега, офтальмолог Маечка, с которой она не теряла связи. Это были первые по-настоящему теплые, даже почти жаркие дни, и, выйдя из метро, Ольга Васильевна сняла вязаный жакет и медленно пошла через знакомые дворы, вдыхая запах только что распустившейся сирени.

По знакомым местам проходила с грустью, вспоминая и себя молодую, и сына, бегавшего по этим дворам еще совсем ребенком. И его детский сад, и школу — словом, прокручивала в памяти всю свою прежнюю жизнь, кажущуюся сейчас ей почему-то абсолютно и безусловно счастливой. В знакомом дворе в песочнице галдела детвора, и Ольгу Васильевну вдруг окликнули. Она замедлила шаг и стала растерянно оглядываться — зрение-то было уже не ахти.

Прищурившись от яркого солнца, она увидела, что зовет ее и машет ей рукой седой и худощавый мужчина, сидящий у песочницы на скамейке. Ольга Васильевна подошла ближе и узнала Андрея Витальевича Преображенского. Они обнялись, и она присела рядом, не веря своим глазам и радуясь, глядя на него – чисто одетого, гладко выбритого, посвежевшего и слегка загоревшего.

– Как вы, голубушка милая? – радовался встрече он.

И Ольга Васильевна стала почему-то подробно рассказывать ему про свою жизнь – про сына, невестку, новую квартиру и работу. Он оживленно кивал и гладил ее по руке, глядя абсолютно спокойными и счастливыми глазами.

– А вы-то как, Андрей Витальевич? Что я все о себе да о себе, – смутилась Ольга Васильевна.

– Чудно, милая Ольга Васильевна! Просто чудно, вот с Кешей прогуливаюсь, Иннокентием, господином двух с половиной лет, – счастливо кивнул он на малыша в клетчатой яркой кепочке и джинсовой курточке, ковыряющегося с пластмассовым ведерком в песке.

– С Иннокентием, – эхом повторила ничего не понимающая, ошарашенная Ольга Васильевна. – Значит, у вас все слава богу? – попробовала еще раз усомниться она.

– Лучше и быть не может. Только непонятно, я его, – он кивнул на мальчика, – выгуливаю или он меня. – Андрей Витальевич счастливо засмеялся.

– А здоровье? – тихо спросила Ольга Васильевна.

– Вполне, – быстро откликнулся Преображенский. – Да и думать мне теперь об этом некогда, столько хлопот! – заверил он ее.

Ольга Васильевна посмотрела на часы и, извиняясь, поднялась со скамейки. Опаздывала она уже минут на сорок. Они распрощались, и Андрей Витальевич галантно и церемонно приложился к ее руке. Слегка обалдевшая от увиденного и услышанного, Ольга Васильевна дошла до Маечкиного дома. Все были в сборе, ждали только ее. Маеч-

ка была в своем репертуаре – наготовила столько, что на столе не нашлось места для вазы с цветами. Было вкусно, весело и шумно, как всегда бывает в большой и дружной семье. Перед горячим Ольга Васильевна взялась помогать хозяйке – стала собирать со стола закусочные тарелки и пустые салатники. На кухне она остановила запыхавшуюся в хлопотах Маечку и спросила, не знает ли та что-нибудь о Преображенском, ее, Ольгином, бывшем больном. Маечка присела на стул, закурила, переведя дух, и сказала, что да, конечно, знает, так как полгода назад давала ему направление в глазную больницу на операцию – катаракта, что ли. Сейчас у нее на учете, что естественно.

– Ну а жена его молодая, ребенок? – нетерпеливо перебила Ольга Васильевна.

– Какая жена? Господь с тобой, Оля! Это же все фиктивно было! Пожалел девчонку, родственница ведь дальняя или знакомая, что ли. Да и что квартире пропадать! А она потом замуж вышла, уже не фиктивно, гражданским браком, естественно, ну и мальчишку родила. Ребята они чудные, и она, и муж ее, за дедом ходят, за родными так не следят. И в санаторий его отправляют, и питание, и уход – все достойно более чем, в общем, приличные люди, у него, слава богу, настоящая семья. Дед счастлив, внука названого обожает, расцвел. Да и в квартире сделали хороший ремонт, короче говоря, продлила ему эта девочка жизнь и просто на ноги поставила. Кто бы мог подумать, а вон как в жизни бывает вопреки всему. – Маечка вздохнула, качнула головой, затушила сигарету и бросилась доставать из духовки утку.

– Вопреки всему, – повторила вслух Ольга Васильевна и подала Маечке большое овальное блюдо под горячее.

Потом был еще долгий чай с фирменным Маечкиным «Наполеоном», и разомлевшая Ольга Васильевна стала наконец собираться домой. В метро было свободное место, и она, счастливая и отяжелевшая, плюхнулась на него и прикрыла глаза, думая о том, что опыт опытом, а вон оно как, слава богу, бывает, и какое счастье вот так ошибаться, и как в это сложно поверить, в наше-то безумное и недоброе время. А раз так, значит, по-прежнему можно верить в людей и еще на что-то надеяться. И повторяла Маечкину фразу: «Вопреки, да, точно, вопреки всему».

И Ольга Васильевна вспомнила прекрасное и тонкое Ксанино лицо, и необычные глаза, и — черт, опять забыла слово, — ну, про эту науку о лицах. Все же наука есть наука. А с этим не поспоришь. А еще ее стало клонить в сон, и она очень боялась уснуть и, не дай бог, проехать свою остановку.

Зависть

Галина лежит на диване, как Даная, так же красиво. Впрочем, все, что она делает, красиво. Ника так считает — абсолютно, кстати, искренне. Кожаная узкая юбка слегка задралась, демонстрируя длинные, полноватые, но все еще очень стройные ноги. Одна рука закинута за голову, а вторая держит сигарету. Тоже красиво. Руки очень ухоженные, с длинными красивыми пальцами и прекрасным темно-вишневым маникюром. Немного откинув голову назад и сложив в трубочку губы, Галина выпускает в потолок тонкую струйку дыма. Ника, как всегда, не может оторвать от Галины глаз. Смотрит на нее как завороженная, любуется лицом — гладким, очень белым, с яркими синими глазами, широкими темными бровями, прямым носом и крупным, пухлым, манящим ртом с полоской идеальных, белоснежных зубов. Длинные, темные, густые волосы, закрученные на затылке в небрежный пучок. Кофточка с глубоким декольте. А что, такую грудь не грех и выставить, сплошное богатство. Не то что Никин первый, и то с натяжкой, номер. И это после двоих-то детей!

Ника мысленно оглядывает себя и тяжело вздыхает. Угораздило же уродиться такой серой мышью! Вот родители постарались. Это про таких, как она, говорят: «Ни кожи ни рожи». Одно сплошное недовольство собой. А как по-другому? Роста ничтожного, вес – ученицы шестого класса. Фигуры нет и вовсе – ручки тоненькие, ножки кривенькие, волосы серенькие и тусклые. Глазки, ротик, оборотик – вот и получилась Ника. Никакая. Ника – никакая. Вот и каламбур, прости господи.

В соседней комнате возятся сыновья – пятилетний Вовка и трехлетний Колька. Орут как резаные, разносят комнату по кускам. Полная свобода.

Галина морщится и кивает в сторону детей:

– Усмири!

Ника обижается, но не подает вида – усмирять детей, конечно, смешно. Украдкой глядит на часы – скоро с работы должен приехать муж Виталик.

«Успеть бы проветрить», – с тоской думает она.

Галина тем временем в пятый раз просит сварить кофе. Ника бросается на кухню и заодно ставит разогревать кастрюлю с борщом – Виталик ждать не любит. Галина тем временем продолжает рассуждения.

– Ну что Савельев? – медленно растягивая слова, говорит она. – Да, конечно, человек небедный. Практически олигарх. Подарки не из последних. Шуба, машина, бриллианты. Ко дню рождения – гарнитур из розовых сапфиров. Не банально. Дом с прислугой. Казалось бы, что еще надо? Но есть один веский аргумент, который перечеркивает все положительное. Ложиться в койку с ним просто мука. Нечеловеческие страдания. У него какой-то особый запах, Ну, специфический такой, понимаешь?

Ника отрицательно мотает головой. Галина опять морщится.

– Ничего не помогает – ни духи, ни дезодоранты. Это же не запах нечистого тела – он чистюля будь здоров! Это просто его запах, понимаешь? И его ничем не перебьешь. Гормоны, наверно, – тяжело вздыхает Галина. – Ничего

не могу с собой поделать – тошнит. Прямо к горлу подкатывает.

Ника, у которой в арсенале имеется единственный сексуальный опыт, с мужем Виталиком, тоже вздыхает и кивает понимающе.

Галина продолжает:

– А Могилко? Нет, сама подумай, можно в трезвом уме взять фамилию Могилко?

– А ты не бери, – говорит Ника. – Оставайся при своей.

– Так он же настаивает! И дети, нет, ты только представь, будут Могилко. Девочка, например. Или мальчик. Да там еще трое детей в анамнезе и три жены. И все – Могилко. Хорошие дела.

Галина привстает и раздраженно тушит окурок.

– Или вот Забельшанский. Фамилия что надо. Подходящая фамилия. Только живет с сестрой-дебилкой. Та голая по квартире ходит. Говорит, что принимает воздушные ванны. А мне кажется, что братца соблазняет. Нимфоманка, по-моему, на мужиков бросается. К нему друзья перестали в гости ходить – боятся. Он говорит, что ее ни за что не бросит, совесть не позволит. Сама – ни убрать, ни приготовить. Все он, как за малым дитем. Ну, мне это надо? Еще отравит меня из ревности. И не сядет, у нее справка. А жаль. Неплохой он мужик, этот Забельшанский. Умный, интересный. И не бедный, – добавляет Галина. И опять тяжело вздыхает.

Ника опять смотрит на часы – муж запаздывает. «Пробки, наверное», – думает она. Галина перехватывает взгляд.

– Психуешь? – усмехается подруга.

Ника пожимает плечом.

– Вот я и думаю, – говорит Галина. – На черта все эти мужья и дети? Только нервы и потерянное здоровье.

Она кивает на дверь детской, из-за которой раздаются дикие вопли.

– Ну, знаешь! – обижается Ника. – Дети – это счастье. Надежда на старость. Оплот.

— Я тебя умоляю! — с пафосом восклицает Галина. — Себя-то не смеши! Будешь этот «оплот» до сорока их лет тянуть. А потом уже ни на что сил не хватит. Даже на себя.

Потом долго молчат, и Ника, честно говоря, рада, что Виталик задерживается в пробках. Идет на кухню и выключает борщ.

— Принеси бутербродик! — кричит Галина.

Ника вздыхает и режет колбасу, сыр и хлеб. Тоненько, как Галина любит. Подруга жует бутерброд — хлеб, сыр и сверху колбаса — и опять рассуждает:

— Или вот Аркадий. Нет, ну надо, чтобы так угораздило! Шесть лет учиться в институте — и стать патологоанатомом. Нет чтобы хирургом или гинекологом. Там — бабки, почет и уважение. А здесь? Я с ним даже есть за одним столом не могу. Не могу на его руки смотреть. Так и представляю, как он этими руками в трупах копается.

— Так он же в перчатках! — удивляется Ника.

— Какая разница? — возмущается Галина. — Не могу, и все. И еще мне кажется, что от него анатомичкой пахнет.

— Все тебе пахнет! — в сердцах бросает Ника. — И потом, откуда ты знаешь, как пахнет в анатомичке?

— Представляю, — отрезает Галина. — У меня очень хорошо развито воображение.

— Даже слишком хорошо, — соглашается Ника.

Потом из детской пулями вылетают разгоряченные растерзанные мальчишки, и Ника утирает сопливые носы и оправляет им одежду. Галина брезгливо морщится и поднимается наконец с дивана.

В прихожей она долго и тщательно красит губы ярко-красной помадой, разглядывает себя в зеркало и наконец надевает шубу — коричневую норку густого шоколадного цвета.

Ника смотрит на эту норку и переводит взгляд на вешалку, на свой китайский пуховик пятилетней давности. Ника тяжело вздыхает. Галина, покрякивая, застегивает черные замшевые ботильоны на высоком каблуке.

– Ну а что ты на Новый год? – спрашивает она.

Ника отвечает дрожащим голосом:

– Господи, ну ты еще спрашиваешь! Все как всегда. Приедут свекор со свекровью, брат Виталика с детьми. Я буду стоять трое суток у плиты: холодцы, пироги, индейка, сто пятьдесят салатов – они все пожрать не дураки. Конечно, все сожрут и выпьют. Потом будут смотреть этот дурацкий телевизор и подпевать Пугачевой. В три ночи соберутся на улицу поджигать петарды.

Ника замолкает и кривит лицо.

– А потом все опять проголодаются и снова усядутся жрать. Дальше всех надо устроить на ночлег. Достану белье и буду стелить постели. Все улягутся, а я буду мыть посуду, – она всхлипнула. – А часов в семь утра пойду под бочок к Кольке или Вовке, потому что на моей кровати будут храпеть до обеда свекор и свекровь. А утром всех корми завтраком и снова мой посуду. Потом еще поздний обед, часов эдак в шесть. Ну и, дай бог, к ночи они все уберутся.

Ника опять всхлипывает и замолкает, вконец обидевшись на жизнь.

– Кошмар! – трагически произносит Галина. – Просто кошмар какой-то.

Так она, видимо, проявляет сочувствие.

– Семья! – вздыхает Ника. – Вот такая проза.

Галина тоже вздыхает и завязывает на шее ярко-красный шелковый шарф.

– Да уж! – отвечает Галина.

– А ты? – спрашивает вконец обиженная на судьбу Ника.

– Я? – тянет с ответом Галина. – Ну, не знаю. Пока не решила. Савельев предлагает ресторан – «Турандот» или «Пушкин», Забельшанский зовет на дачу к приятелям. А Могилко и патологоанатом еще составляют бизнес-план.

– Ага, – мрачно острит Ника. – Могилко – в могилу, а патологоанатом – в прозекторскую.

– Дура, – отвечает Галина, и обе они начинают в голос смеяться. – А еще тридцатого на работе корпоратив, – вспоминает Галина.

– Везет! – с завистью откликается замученная бытом и детьми Ника, мечтающая поскорее выйти на работу.

Потом они чмокают друг друга в щеки, и Галина наконец выходит из квартиры. Ника бросается в комнату и распахивает настежь окно – Виталик не любит запах табачного дыма. Потом летит в комнату к мальчишкам и приходит в ужас от причиненных убытков.

Вскоре на пороге возникает муж, недовольно ведет носом – запах табака еще плотно стоит в квартире. Долго моет в ванной руки и садится за стол. Ника пляшет вокруг него, а он с брезгливой миной на лице начинает есть борщ. Что поделаешь – Виталик всегда чем-нибудь недоволен. «Но зато он верный муж и хороший отец», – думает Ника. И она, между прочим, права.

Галина садится в машину, заводит мотор и включает Патрисию Каас. Она кладет локти на руль и долго смотрит на улицу. На улице плавно и медленно, словно в загадочном танце, кружат крупные редкие снежинки. Она вздыхает, приоткрывает окно и медленно трогает с места.

Назавтра, подхватив мальчишек и пластиковые клетчатые сумки, Ника отправляется на рынок.

Галина, приняв дома перед работой косметичку, которая делает ей массаж и накладывает маску из распаренного овса, неспешно собирается на работу. Сегодня в ее турбюро все равно работы не будет – все готовятся к корпоративу. К трем часам столы уже накрыты. Галина выходит из своего кабинета начальницы и придирчиво оглядывает стол. Она знает: веселье продлится до позднего вечера. Домой никто торопиться не будет – почти все девчонки свободные, разведенные или холостые. Только Оля Гречишникова семейная, за ней в восемь заедет муж. После ее поспешного ухода девчонки раскиснут, и веселье сойдет на нет. Все вспомнят, что дома их никто не ждет – в лучшем случае мама или подросший ребенок, до смерти довольный, что родительница задерживается и не выносит мозг. Уже изрядно принявшие на грудь сотрудницы начнут вспоминать свои былые любовные истории и по ходу дела хвастать и, естественно, привирать. Потом Галина раздаст всем сувениры, что-нибудь вроде геля для душа и коробки с «Рафаэлло», вызовет такси – и все наконец разъедутся по домам. По дороге, им по пути, завезет домой Ленку Кулагину, которая, как обычно, здорово наберется. И в машине, не стесняясь водителя, одинокая и бездетная Ленка, икая, будет в голос выть и проклинать судьбу. А Галина будет утешать ее и вытирать пьяные и честные слезы.

Ника притащит с рынка тяжеленные сумки, разденет вспотевших мальчишек, накормит их обедом и встанет к плите. У плиты она будет стоять и весь следующий день, до вечера. У нее сильно разболится спина и затекут руки. А потом она будет накрывать на стол: стелить парадную белую скатерть, к концу праздника напрочь убитую, в пятнах вина и масла, ставить на стол праздничный сервиз и бокалы, грустно думая, что не все тарелки и рюмки доживут до следующих торжеств. А дальше она будет перекладывать из кастрюль и мисок салаты и пирожки, обязательно в нарядные хрустальные плошки, и с волнением поглядывать на часы – родственники мужа явятся не позже восьми вечера. Это у них называется «проводить старый год». Она, конечно, очень устанет и будет счастлива, если выкроит хотя бы полчаса и просто полежит на диване.

Галина проснется тридцать первого не раньше двенадцати. Куда торопиться? Потом долго будет валяться в постели и щелкать пультом от телевизора. Найдет какой-нибудь старый, сто раз просмотренный, любимый фильм, обязательно досмотрит его до конца, раздражаясь на навязчивую рекламу, и обязательно всплакнет в конце – это уж непременно.

Потом она решит сварить овощи для салата, но передумает. Будет постоянно проверять, не разрядился ли мобильный телефон. У телефона – полная батарейка, но он будет упорно молчать. Днем она выпьет бокал вина и ляжет спать. Проснувшись, спустится в магазин, купит салатов в пластиковых коробочках – столичный и селедку «под шубой», – бутылку итальянского шампанского и еще большой и очень калорийный торт, украшенный ядовитыми кремовыми цветами. Вернувшись, отключит мобильник, наденет старый любимый халат, густо намажет жирным питательным кремом лицо, не перекладывая из пластиковых контейнеров салаты, откроет бутылку дорогого шампанского и снова усядется у телевизора. В двенадцать, когда начнут бить куранты, она нальет большой бокал шампанского, поднимет его и пожелает себе «большого человеческого счастья». Всплакнет, съест весь салат и всю селедочную «шубу» прямо из коробки, столовой ложкой будет есть очень сладкий и противный торт, посмотрит «Огонек» с одними и теми же опостылевшими до боли лицами и примерно в час ночи уляжется спать. Перед этим, понятное дело, наревевшись по полной программе. Перед сном она подумает про Нику и представит, как за Никиным столом собирается вся большая Никина семья, где все порядком надоели друг другу, но где все друг за друга горой. Это уж точно. Галина тяжело вздохнет, укутается в одеяло и попытается уснуть.

А Нике будет не до телевизора и не до слез. Она будет челноком мотаться между кухней и комнатой, безуспешно пытаясь уложить валящихся с ног детей. Индейка, как всегда, пригорит, и она расстроится до слез. Свекор заснет в кресле перед телевизором, свекровь будет требовать чаю с тортом, а золовка пьяненько, но громко затянет про темно-вишневую шаль. Дети, конечно же, не уснут и будут бегать по комнатам и хватать со стола конфеты, чтобы назавтра на щеках буйным цветом расцвели малиновые розы диатеза. За окном будут рваться петарды, и про них все

вспомнят и захотят «на воздух». На следующий день все проснутся не раньше трех и, естественно, захотят пообедать. Ника с трудом упросит мужа погулять с детьми и будет опять носиться между комнатой и кухней и бесконечно разогревать, накрывать и подавать. К позднему вечеру, выпив в последний раз чаю, родственники наконец выкатятся. В бессилье Ника сядет в прихожей на банкетку и расплачется. Но впереди ее ждет большая уборка – пылесос, швабра, мочалки и щетки. К ночи, свалившись «без задних ног», она подумает про Галину. Она представит, как Галина в длинном вечернем платье входит в зал ресторана и в ее ушах переливаются всеми цветами радуги розовые сапфиры. Галина садится в кресло, и официант наливает в ее фужер французское шампанское. Потом Галина ест икру и фуа-гра, и ее приглашают танцевать. Или, например, вот так: Галина сидит у камина, в котором уютно потрескивают дрова. Галина в брючках и мягком свитере. У нее распущены волосы. В углу комнаты стоит пушистая елка, и на ней искрятся разноцветные лампочки. Потом Галина накидывает дубленку и идет на улицу. Естественно, не одна. На улице они играют в снежки или просто, дурачась, валяются в сугробе.

Ника тяжело вздыхает и пытается уснуть. Нет, она совсем не из завистниц, просто почему-то ей за себя очень обидно. Она, конечно, совсем не выспится – ведь дети просыпаются, как всегда, рано. И снова с утра начнутся привычные хлопоты.

Первого января Галина проснется к полудню. Спокойно примет душ и усядется пить кофе. Потом позвонит какой-нибудь одинокой подружке и протреплется с ней до обеда. А дальше они решат, что хорошо бы сходить в баню, а потом поужинать в японском ресторане. И запирая за собой дверь, Галина подумает, что в ее жизни все не так уж плохо. В конце концов, у нее есть здоровье, молодость и красота. И, что немаловажно, деньги. Она ни от кого не зависит и может наслаждаться свободой. В машине она даже замурлыкает какую-то прилипчивую песенку.

А Ника вечером, уложив мальчишек спать, сядет наконец с мужем у телевизора, нальет обоим крепкого, только что заваренного чаю, положит на тарелку пирожки – из тех, что удалось сберечь от буйной оравы гостей, и с удовольствием оглядит прибранную квартиру. Они будут сидеть долго, до позднего вечера, смотреть по телевизору все подряд и наслаждаться тишиной и покоем.

В общем, каждый будет проживать свою жизнь – кому какая отпущена.

Добровольное изгнание из рая

Мать все умилялась: как же ты похож на отца. И это тоже раздражало. Прежде всего раздражало вечное материнское умиление – слишком много эмоций, слишком сладко, слишком высокопарно. Все – слишком, впрочем, как всегда. В матери всего всегда было в избытке. Павлику казалось, что родители совершенно не подходили друг другу, – какая сила их вообще столкнула и свела, пусть даже на недолгие совместные годы? Отец – вечный пример для подражания и скрытого детского восторга. Высок, смугл, худощав, с прекрасными черными волосами и карими глазами. Весь его облик наводил на мысль о каких-то дворянских корнях или наследственной военной выправке. Но на самом деле ничего подобного не было, корни были самые обычные, рабочие – и откуда такие стать и аристократизм? Мать была внешне простовата, хотя хорошенькая, особенно смолоду. Белокурая, курносая, с распахнутыми голубыми наивными глазами. Роста она была небольшого, со смешными маленькими ладошками и совсем крохотными ступнями тридцать третьего размера. Но тоненькой была только в юности, а родив сына, прилично раздалась, особенно в бедрах. Однако миловидность, обычно к середине жизни исчезающая у женщин подобного типа, у нее все же осталась, совсем немного уступив место простоте. Была она болтлива и смешлива до крайности. Впрочем, так же легко, как засмеяться, могла она и горько зарыдать. Умиляло ее все: и снегирь на ветке за окном, и немецкий резиновый пупс в витрине, похожий на младенца, и лохматая дворовая собака, и рассказ в последнем «Новом мире», и хрустальный голос Ахмадулиной по радио, и заварной эклер в кафе, и легкий цветастый сарафан, и бабочка павлиний глаз на дачном крыльце. Перечислять это можно было бесконечно. А выносить весь этот бесконечный и постоянный накал эмоций? Ну ладно, это ее дело. Но отец – технарь, человек расчетов и холодного ума. Ему каково? Павлик вспоминал, как отец морщился и пытался остановить мать: «Шура, довольно!» Потом они долго выясняли в спальне отношения, всхлипывала, потом смеялась мать, шумно втягивал носом и кашлял отец, долго куря на кухне, – а потом Павлик засыпал.

Ушел отец, когда Павлику было восемь лет. Объясняться с сыном нужным не посчитал, а через полгода встретил у школы и предложил зайти в его новый дом. Дома была и новая жена отца – Инесса Николаевна, отцовская сослуживица, из одной лаборатории. Ее твердый голос и строгий вид определенно внушали уважение. Была Инесса Николаевна совсем некрасивая, правда, высокая и стройная – в общем, то, что называется статью. Носила унылую прическу и грубоватые круглые очки. Была строга, но беспристрастна.

Павлик ее сначала испугался, но скоро понял, что бояться нечего, что совсем она не вредная, а скорее равнодушная. Его она не очень-то и замечала, задавая дежурные вопросы про школу и отметки. В Инессиной квартире было мрачновато: никаких салфеточек, цветочков, картинок – всего того, чем украшала дом мать. Готовить Инесса не умела, подавала на ужин либо сосиски, либо пельмени. Причем варил их, как правило, отец, без возражений. Павлик обожал и то и другое, да многие ли дети любят трудоемкие домашние обеды?

Дома мать обычно тщательно его расспрашивала: что там у отца, как отец, что Инесса, чем кормили, о чем говорили? Павлик огрызался, злился, а мать обижалась и уходила к себе плакать. Ему было жаль мать, но сильнее была досада и даже злость за то, что не смогла удержать отца, а еще за то, что отпустила его легко и сразу, даже не устроив скандала. Продолжала восхищаться жизнью, правда, теперь реже и тише, и чаще плакала, закрывшись в ванной. Павлик всеми силами боролся с собой – его разрывало на части, он хотел зайти к матери и обнять ее, но побеждало другое, и он, стиснув зубы, злясь и раздражаясь на нее и себя, включал телевизор на полную громкость, только бы не слышать, не слышать и не пожалеть. Потом, отплакавшись, мать бросала: «Жестокий ты, в отца!» – и у нее светлели глаза и останавливался взгляд.

Замуж мать больше не вышла. Да что там замуж! За все эти годы Павлик не заметил даже подобия любовной истории в ее жизни. Отец иногда, впрочем, нечасто, заходил к ним – и мать была в эти дни особенно бестолкова и суетлива, варила любимый отцом фасолевый суп, пекла пироги с капустой, но он сидел в комнате уже подросшего сына, пространно и неконкретно обсуждал будущее Павлика, а мать заглядывала и с заискивающей улыбкой предлагала им поужинать. Отец всегда смущался и отказывался, объясняя это тем, что дома ждет Инесса. И уже подросший Павлик, слегка обиженный за мать, ехидно спросил его как-то, не удержавшись:

– Сегодня у вас сосиски или пельмени?

Мать со вздохом убирала кастрюльки в холодильник и опять плакала в ванной. Когда отец уходил, она обязательно говорила Павлику:

– Тебе не кажется, что отец сильно сдал?

– Не кажется, а тебе этого очень хочется? – хамил Павлик. Почему хамил? Сам не понимал. Мать он уже начал жалеть – первый признак того, что вырос, но по-прежнему стеснялся проявлять сочувствие. От стеснения, видимо, и хамил.

На Павликово восемнадцатилетие отец подарил ему часы «Полет» и объявил, что алименты закончились. Потом Павлик поступил в МАИ и через пять месяцев, в аккурат после первой сессии, привел в дом жену. Ее звали Лора, она была русская, но из Баку и смешно прибавляла к месту, а чаще невпопад слово «да» – в утвердительном, вопросительном и отрицательном смыслах. Это вот «да» страшно веселило Павлика. Была Лора высокая, почти длинная, с грустными глазами навыкате и длинной русой косой до пояса. Эта коса и ее постоянное забавное «даканье» Павлика и сразили. Была она из семьи военного, и свадьбу справляли в офицерской столовой подмосковного военного городка. Отец с Инессой подарили громоздкий кухонный комбайн, и Лора заплакала, увидев на дне коробки товарный чек семилетней давности. А мать отдала Лоре свою единственную драгоценность – старое кольцо со слегка оплавленным темно-синим сапфиром. По семейной легенде, это кольцо перенесло какой-то пожар в конце девятнадцатого века.

Лора как-то сразу объявила, что двум хозяйкам на одной кухне будет точно тесно и что нельзя превращать совместную жизнь в ад. Мать собрала вещи и уехала жить к своей матери, старухе со скверным характером, в Томилино, где у той была половина дома – две комнаты и веранда, удобства во дворе. Приезжала мать теперь в свою квартиру три раза в неделю – сидеть с внучкой Машенькой, которую обожала. Против этих приездов Лора, конечно, не возражала – она пыталась вести «светскую» жизнь: консерватория, Зал Чайковского, Большой. Возвращались они поздно; после очередного концерта Лора делала томные глаза и говорила, что ей надо немного пройтись, все это «переварить», но никогда не предлагала свекрови остаться на ночь. Она вообще не любила причинять себе неудобства.

К отцу Павлик с семейством заезжал редко, примерно раз в полгода. Отец с Инессой писали учебник по физике для вузов и были страшно заняты. Отец сдержанно радовался внучке и дарил какие-то нелепые крупные пластмассовые игрушки, постепенно захламляющие квартиру.

А потом заболела Инесса. Положили ее в клинику Академии наук в Ясеневе – больница неплохая, а вот ухаживать за ней было некому. Отец был занят по горло: учебник, кафедра, лаборатория. Лора? Кто мог рассчитывать на Лору? Инесса вела себя мужественно, боли терпела, сжав зубы, и, лежа на высоких подушках, продолжала что-то писать. Работала.

Когда об этом узнала мать, она встрепенулась, засуетилась и стала принимать активное участие в болезни Инессы. Теперь она протирала супы из цветной капусты, лепила паровые котлеты и давила морсы из клюквы. Потом везла все это в судках и бидонах в больницу и, не заходя к Инессе в палату, передавала все это медсестре.

Инесса лежала в больнице полгода и умерла от инфаркта, слава богу, не дожив до страшных болей. Отец плакал, был абсолютно растерян и беспомощен, и у него стали мелко трястись голова и руки. Все поминки сделала мать – накрыла столы, нарезала салаты, нажарила кур. Лора, скорбно поджав губы, предложила испечь торт. Мать несколько минут пристально смотрела на нее, а потом сказала: «Нет, Лорочка, не надо, это не ко времени». Похороны были многолюдные, все-таки Инесса была профессор и завкафедрой, но на поминки почему-то пришли немногие. Мать все беспокоилась, что не хватит еды, потом до трех ночи мыла посуду. Отец уснул в кабинете на диване, а матери пришлось лечь в спальне, на остывшее семейное ложе своего бывшего мужа.

Теперь она приглашала его в Томилино – отъесться, подышать воздухом, но он только отмахивался, мол, дел по горло. Однажды, передавая через Павлика вязаное кашне для отца, услышала едкое:

– Зря стараешься, у него роман с молодой разведенной лаборанткой.

Просто так сказал, чтобы его жалкая мать наконец-то навсегда распрощалась с иллюзиями и надеждой.

Брак Павлика с Лорой счастливым можно было назвать с большой натяжкой. Хозяйкой Лора была никакой, домом заниматься не любила, была очень расчетлива и даже скупа, деньги обожала, а вот в постели всегда уступала со вздохами и одолжениями. Через пару лет у Павлика появилась женщина, коллега, – мать узнала об этом от него же, так как он просил ее о комнате в Томилине, куда и приезжал со своей пассией.

– Бедная Лорочка! – причитала мать.

– Ну ты блаженная, Лорочку тебе жалко! А что хорошего в этой жизни тебе сделала эта Лорочка? – возмущался Павлик.

А потом мать неожиданно вышла замуж за брата своей томилинской приятельницы, отставного подводника, и уехала с ним в Эстонию, в маленький городок, где ему предложили работу в военном училище. Были молодожены вполне довольны жизнью, и на крошечной даче, уютной как игрушка, они выращивали на песке необыкновенные по величине и сладости помидоры. И конечно же, отправляли их в Москву с проводником – вместе с копченой салакой и шоколадными эстонскими конфетами. А отец, одинокий отец, все чаще и чаще заходил к Павлику и очень привязался к подросшей внучке.

И однажды на кухне, в отсутствие вяловатой и претенциозной невестки, вдруг сказал сыну, что всю жизнь, оказывается, любил его мать, но жить с ней было невыносимо. Что не мог он сгорать в огне ее любви ежеминутно и ежечасно –

как требовал ее темперамент, ну просто не мог отвлекаться на все это, иначе просто не стал бы тем, кем стал. А с Инессой все получилось, видимо, он все правильно рассчитал, бормотал отец. И еще, если быть честным до конца, если приоткрыть эту самую тайную тайну, все же он надеялся, что, может быть, они еще и сойдутся, ну, гипотетически это же могло быть, а? А она видишь как поступила, ну кто бы мог предположить? Ведь он на нее так рассчитывал... И еще что-то бормотал отец про те недолгие годы с матерью, когда был счастлив. Оказывается, он был счастлив только с ней.

Павлик сидел оглушенный. А когда прошел ступор, он начал кричать, громко, с надрывом, кашляя и задыхаясь:

– Как же ты мог, как мог? Такое натворить, так распорядиться и своей жизнью, и ее! Ты преступник, тебе нет оправдания, не ищи его! – А потом, еще что-то вспомнив, он запричитал шепотом, страшно: – А моей жизнью, как ты мог так распорядиться и моей жизнью? Заодно?

Он еще долго кричал и плакал, и по его небритому лицу текли слезы.

Лицу совсем зрелого мужчины.

«Прелестницы»

Ася и Соня достались Жене в наследство от бывшего мужа при разводе. Правда, не сразу, но это только по ее вине.

Прожив с мужем три года и родив дочку Марусю, они спокойно и разумно решили развестись, как-то одновременно заметив, что страсть кончилась, а любовь почему-то так и не началась. Разводились без обычных эксцессов: когда-то сошлись по взаимной симпатии и уважению, прожили легко и беззаботно недолгие годы и так же легко расстались. В благородстве друг друга не сомневались (а по-другому было в их среде не принято). С его стороны это был беспрепятственный раздел небольшой двухкомнатной (его же, кстати) квартиры – ему при этом доставалась комната в коммуналке, а Жене с Марусей – однокомнатная квартира. С ее, Жениной, стороны – тоже беспрепятственное общение отца с дочерью и хорошие, дружеские отношения.

Квартиру Женя выбирала долго; не потому, что капризничала, – просто очень хотелось хорошего, тихого места. Уже нажились и намучились на шумном Ленинградском проспекте. А когда приехала на Юго-Запад и вышла из метро,

то, глубоко вдохнув, поняла, что сама квартира ее мало интересует. Это было ее место.

Неожиданно и в этом повезло: квартирка небольшая, но уютная, совсем чистая, а главное – всеми окнами на знаменитую зеленую рощу. И балкон! Женя потом смеялась, что Маруська спит головой в квартире, а ногами в роще. И когда уже бывший муж перевозил ее с нехитрым скарбом и вышел на балкон покурить, похвалил Женю, искренне порадовался за нее и Маруську. И, присвистывая, вдруг вспомнил:

– Слушай, а ведь здесь у меня две тетки живут! Ну совсем дальние родственницы, божьи одуванчики, даже чуть ли не в этом доме!

Дом и вправду был непомерный в длину, на целую троллейбусную остановку. Бывший муж все это помнил плохо, был здесь в последний раз еще юношей с матерью, рано умершей от болезни крови.

Женя обжилась быстро, все ей пришлось по душе. Вдвоем с мамой худо-бедно побелили, освежили потолки, поклеили новые обои, какие смогли достать, покрасили масляной краской окна. Рукодельная Женя сшила шторы на кухню – крупная красно-белая клетка – и такие же подушки на стулья. Из Прибалтики мамина сослуживица привезла красный пластмассовый абажур на витом шнуре. Получилось здорово. Женя была счастлива.

Свои небольшие акварели, в основном цветы, теперь она кропала вечером на кухне под уютным абажуром или в плохую погоду днем, когда нельзя было гулять с Маруськой в роще. Они эти прогулки обожали. Сначала Маруська спала положенный ей час в прогулочной коляске, потом ковырялась в песочнице с совком и формочками – у нее уже была своя компания. Потом с руки кормили белок, в лесу их было множество.

Женя разговоров избегала, где-нибудь поодаль читала одним глазом журнал, другим – прицельно смотрела на Маруську. Вот тогда-то и начала она почти ежедневно встречать эту парочку, Шерочку с Машерочкой, как поначалу мысленно она их окрестила. А потом они начали раскланиваться, и она прониклась к ним симпатией и называла уже пожилыми девушками – ибо на «старух» они совсем не тянули, да и на дам (это в Женином представлении было что-то статное и величественное) тоже.

Были они обе небольшого роста, примерно одной худощавой комплекции (хотя младшая, Соня, всегда считала себя изящнее, это у нее называлось «тоньше в кости»). Одеты были почти одинаково: летом – легкие крепдешиновые платья, вязанные из полотняных ниток шляпки-панамки. Но у младшей, Сони, на шляпке был обязательно вышит кокетливый цветок или приколоты пластмассовые вишни. На стройных и ладных, почти девичьих ногах были надеты шелковые носки и светлые босоножки с кнопочкой. У младшей, Сони, был обязательно напудрен нос и на шее непременный аксессуар – бусы, все, что поставляла тогда индийская промышленность.

Обе были слегка надушены пряным, каким-то прежним, неизвестным Жене ароматом. Каждая несла полотняный стульчик со спинкой и плетеную корзинку, где лежали обязательная книга для старшей сестры (что-нибудь из классики) и толстый литературный журнал – для младшей, она обожала новинки, пара яблок и бутылка холодного чая.

Раскланявшись с Женей на аллее, обменявшись любезностями о погоде, они уходили в глубь леса, в тишину, подальше от гвалта детворы. Было очевидно, что живут они вместе, обе не замужем и, скорее всего, бездетны. Однажды они столкнулись с Женей при выходе из леса, и Женю, которая поняла, что живут в одном, длинном, как состав, доме (она – в начале, они – в конце), наконец осенило, что это и есть две дальние родственницы бывшего мужа, те самые старые девы, божьи одуванчики. Она им об этом сказала, а они всплеснули руками, долго ахали

и удивлялись, обменялись телефонами и пригласили Женю в гости.

Обе, особенно младшая, Соня, были искренне рады и приняли Женю как-то сразу за родственницу, хотя даже Женин бывший муж был им «седьмая вода на киселе». Теперь, когда они встречались в роще, подолгу беседовали, сдержанно восхищались Марусей, спрашивали, не привезти ли чего-нибудь из центра (за продуктами они ездили в «город», на Горького). Просили не стесняться и обращаться за помощью. Ей — к ним?! И смех и грех.

Хотя как иногда хотелось сбегать вечером в кино или просто пошататься по центру, уложив Маруську (мама жила далеко, в Кузьминках)! Но Женя понимала, что нарушать привычный ритм сестер и вторгаться в их жизнь она не имеет никакого права.

Впрочем, однажды все-таки она пришла в их дом, обеспокоившись, что два дня не встречает их на «променаде». Она позвонила и услышала, что обе они больны: старшую, Асю, прихватил радикулит, младшая, Соня, где-то простыла. Женя попросила разрешения их навестить и, уложив Марусю пораньше, взяла вьетнамскую «звездочку», банку с малиной (заначка от Маруськиных долгих зимних простуд), пачку дефицитного индийского чая, лимоны и отправилась вдоль их бесконечного дома в гости к своим «пожилым девушкам». Поохав и смущенно приняв Женины дары, сели пить чай в большой комнате за круглым столом.

В этой комнате обитала старшая, Ася. Здесь было все строго и раритетно. Наследный ореховый сервант, наполовину заполненный книгами и остатками разрозненного гарднера и мейсена, почти вольтеровское вытертое бархатное зеленое кресло и темное, почти черное трюмо с резными лилиями и съеденной временем амальгамой. На трюмо стояли фарфоровая дамочка с отломанным зонтиком и тяжелая хрустальная, с серебряной крышкой, пудреница. И еще шкатулка из ракушек с надписью «Крым. 1915». На стене висел натюрморт, какая-то копия с чего-то известного, но забытого Женей, потертый китайский ковер («папа привез его из Китая в тридцать третьем году»). А на окне висели слишком тяжелые, старые, когда-то золотистые бархатные шторы с кистями.

Спала Ася на высокой кровати с резным деревянным изголовьем. А вот у Сони все было легче и современнее. Главная гордость – доставшийся по блату немецкий бар-торшер, который, конечно же, не использовался как бар: там хранились толстые альбомы с фотографиями, современная тахта, покрытая клетчатым пледом, легкие чешские полки в шахматном порядке, забитые любимыми книгами и журналами, большой телевизор (старшая сестра слушала радио), а на полу – пестрый гэдээровский палас. И шторы легкие, из серебристого тюля. В общем, при всей внешней схожести было очевидно, что сестры – люди разные, с абсолютно разными характерами и мироощущением.

Пили чай, смотрели альбомы. Сестры (в который раз!) с удовольствием, Женя – рассеянно. Она не любила чужие фотографии. И еще она слегка нервничала, что вдруг проснется Маруська.

На одной фотографии она «споткнулась» взглядом – увидела известного, даже очень известного театрально-киношного артиста с лицом старого, лысоватого Пьеро. Оказалось, их гордость – двоюродный племянник, сын давно умершего брата. В общем, единственный (не считая Жениного бывшего мужа) родственник. Этого племянника-артиста они обожали, боготворили, страшно гордились причастностью к нему и общей фамилией. Он позванивал тетушкам примерно раз в три недели, правда, четко, и в эти дни они обе крутились возле телефона, каждая в надежде, что именно она схватит первой трубку и он именно ее одарит своим трехминутным вниманием. И дежурным вопросом, не нужно ли чего.

А это значило, что они не одиноки и что о них есть кому заботиться. От его помощи они, конечно, отказывались, по-

нимая, что это вопрос скорее риторический, но были счастливы и возбуждены еще пару дней, обсуждая между собой его самого, его точный звонок и – в который раз! – его роли. Здесь у каждой были свои пристрастия и свои мнения. Вообще-то, не считая этих редких встрясок и незначительных в ту пору новостей страны и мира, переживаемых более бурно младшей, Соней, и более сдержанно – старшей, Асей, жизнь их текла совершенно размеренно и по четкому, привычному плану.

Во вторник они ездили в Елисеевский на Горького или ближе – в «Диету» на Калужскую заставу (если чувствовали себя неважно) за продуктами. Швейцарский сыр, «Докторская» колбаса, «Подарочный» тортик, хлеб. В «городе» все другое, утверждали обе. В четверг ехали на ближайший Черемушкинский рынок за мясом. Только парная телятина. Там же брали домашний желтоватый слоистый творог. Продукты долго и строго выбирала старшая, Ася, придирчиво и недоверчиво осматривая мясо и пробуя творог. Соня смущалась и торопила сестру. Летом еще прибавлялись ягоды: клубника, вишня, абрикосы.

Это были основные и самые крупные выезды сестер. В эти дни они уставали, долго спали днем и часто манкировали вечерней прогулкой. Потом все входило в обычный ритм. Утренний кофе (молока больше, чем кофе), бутерброд с сыром, творог с вареньем. Трехчасовая прогулка в лесу, затем обед – овощной суп, желательно с цветной капустой, паровые телячьи тефтели, кисель с мороженым.

Легкий отдых с книгой. Прогулка, небольшая, минут на сорок, гречневая каша или сырники вечером, долгий чай с вареньем на кухне. Телевизор у Сони и радио у Аси.

В театр они ходили редко – на хорошие постановки билеты достать трудно, – но иногда знаменитый племянник все же оставлял контрамарки на свои премьеры. Нрав у него был очень неуживчивый, и он поменял почти все московские театры. Был всегда недоволен собой и всеми осталь-

ными и, как следствие, нигде не приживался. Ну а если уж сестры выбирались в театр, готовились заранее, нервничали, не спали накануне и после – и впечатлений хватало на ближайшие полгода.

Жили дружно, «цапались», как говорила Соня, редко, в основном при несовпадении мнений по политическим вопросам. Более принципиальной была старшая сестра. Младшая в отместку капризничала, что недосолен суп или слишком крутые тефтели. Но дулись недолго. Все равно жизнь их была замкнута друг на друге. Куда деваться?

Возникновению Жени обрадовались – появилась близкая душа. О том, что по крови она им не родственница, старались не думать. Называли ее между собой племянницей – при ней стеснялись. Маруся их немного раздражала и умиляла, как всегда ребенок раздражает и умиляет бездетных и пожилых людей. Женя усмехалась про себя, думая про однообразие и схожесть их жизни. Но если они были рады этому неспешному графику, то Женя, пожалуй, начинала тяготиться.

Подливала масла в огонь еще и мать, приезжавшая не чаще одного раза в две недели посидеть с Маруськой. Чаще добираться на другой конец города ей было тяжело, пересадки. На просьбу Жени поменять район и перебраться поближе к дочери и внучке она отвечала решительным отказом, объясняя его привычкой и близостью работы. Хотя, смутно догадывалась Женя, не очень желая признаться в этом даже самой себе, мать боялась, что увеличится ее нагрузка, будут чаще «запрягать» посидеть по вечерам и так далее, по списку. А так – взятки гладки.

Так вот, мать постоянно подкалывала Женю: сама, мол, сидишь в своем темном болоте и подружек таких же нашла, старых девственниц, себе под стать.

– Ревнуешь? – спрашивала Женя.

Но тоска и отчаяние подступали все чаще и сильнее. Себя стыдила, ругала, говорила в сотый раз, что у нее есть

Маруська, вполне здоровая (тьфу-тьфу) мама, квартира, любимая, хоть и приносящая скудный доход работа. Но всего этого было мало. Банально хотелось любви. А что тут странного, когда женщине нет еще и тридцати?

Да, было еще одно событие, случавшееся у сестер раз в году, – день рождения. Родились они в одном месяце, почти подряд, с разницей в две недели. Справляли, естественно, вместе – так удобнее. Этот нечеткий день определял, конечно, племянник – всегда, правда, предупреждая их заранее и непременно раз в год посещая тетушек. Они опять нервничали, старательно готовились к этому событию: Ася пекла пироги с капустой и вишней, варила бульон с яйцом и жарила обязательную курицу. Почему-то они не хотели, чтобы Женя заходила к ним в этот день. Монополию на родственника охраняли, что ли? Потом они рассказывали Жене, что он привез роскошный букет роз, огромный торт и провел с ними целый вечер.

Последующие три дня они отходили (у себя не принимали), были слишком возбуждены и утомлены. Потом, спустя несколько дней, Женя заходила их поздравить с букетом, конфетами и очередной своей картинкой в подарок, но почему-то не было роскошных роз (увяли!), ни остатков торта (подъели). Женя все понимала и душу не бередила.

Но вскоре изменилась Женина личная жизнь. На проводах бывшего мужа – а он, умница и трудяга, засобирался в эмиграцию, в Америку, откопав в себе каплю еврейской крови, – познакомилась с его приятелем, бывшим однокурсником, Андреем. С проводов ушли вместе. Первый раз в жизни Женя отвела Марусю ночевать к сестрам, и в этот же первый день, вернее ночь, Андрей остался у нее. Она так и не уснула, а в пять утра почему-то начала горько плакать от счастья, стыда и оттого, что Маруськи не было дома.

Андрей проснулся, удивленно смотрел на нее, тер глаза, глядел на часы и совсем ничего не понимал. Потом она ушла на кухню, долго пила чай и много курила. А он тут же, так и не поняв (да и зачем?), почему эта новая его женщина так горько плачет, ведь все совсем неплохо, опять уснул.

В девять утра Женя его растрясла и попросила собираться.

– Мне надо за дочкой, пей быстро кофе.

– До вечера? – осведомился Андрей.

– Вряд ли. Тут живет моя дочь, – резко остановила его суровая Женя.

Почему она так злилась на него, за что? От смущения? Или она злилась на себя? Анализировать было некогда.

Проветрила квартиру и побежала за Марусей, встревоженная и суетливая. А там – все хорошо, Маруська довольна, тетки тоже вроде.

На улице Маруся настучала, что суп был пресный и без сметаны, а котлеты вареные. А так все было здорово: бабушка (!) Ася давала играть в «морскую» шкатулку, а там и сережки, и пуговицы, и пряжки, и бусы... В общем, целое девчоночье счастье.

Бывший муж вскоре пришел прощаться. Долго не отпускал с колен Марусю, а она вырывалась – отвыкла от него. Он принес Жене деньги. Правда, не все – алименты за Марусю, на годы вперед. Иначе Женя не подписала бы ему бумаги на выезд. Пересчитав, Женя удивилась:

– Я тебе поверила, а ты...

– Больше не смог, прости, здесь треть, буду высылать, как смогу.

– Ладно, иди. – Женя была разочарована. А ведь уже строила такие грандиозные планы!

Но и эта сумма показалась ей огромной. Долго пересчитывала, не зная, как распорядиться. Потом придумала. Купила себе с рук поношенную югославскую дубленку, длинную, со стриженой ламой на воротнике, новый маленький цветной телевизор на кухню. Накупила деликатесов, что смогла достать, – и честно поделилась с Асей и Соней. А остаток положила на книжку на Маруськино имя.

Немного мучила совесть за дубленку, но соблазн был слишком велик. Себя простила. Приехала мама, добивалась правды, нашла спрятанную в постельном белье сберкнижку, кричала, почему так мало, оскорбляла, называла никчемной дурой, которой все по заслугам.

— А тебе? — тихо спросила Женя.

Маруся плакала в ванной.

Теперь по выходным Женя ездила в Битцу торговать. Тогда Битца была стихийной, только начиналась прямо в парке, на траве. Радость, если в жару найдешь местечко под деревом. Если везло, продавала две-три картинки. Еще Женя пыталась расписывать тарелки. Ей нравилось, но не было муфельной печки для обжига — приходилось просить у знакомых, — и давняя мечта заняться керамикой так и не осуществилась.

А по ночам снились высокие кувшины с тонким горлом, блюда для плова и фруктов, маленькие пузатые чашечки для кофе — почему-то какие-то восточные мотивы.

Денег, как всегда, не хватало, жили скромно — скромнее некуда. Хотелось, конечно, многого, но свои желания Женя задвинула в самый дальний угол. Главное — Маруська. Все равно: очень хотелось на море. Разглядывала с неудовольствием себя в зеркале — сероватая, веснушчатая кожа, усталые глаза, тусклые волосы. Казалось, что войдет в море — и смоет оно всю печаль и тоску одной волной. И порозовеет, посмуглеет кожа, засветятся глаза, и волосы лягут, как раньше, густой и непослушной волной.

Мечтала, что в августе вынет заветные бумажки и поедут они с Маруськой в Крым. Хотелось в Коктебель и еще обязательно — в Ялту, к Чехову. Вообще просто хотелось теплого моря, горячей гальки и шашлыков с молодым вином.

Но моря не случилось. Очередная игра наверху. Дяди играли и пополняли свои банковские счета в «швейцариях», а маленькие девочки так и не вылечили на море свои аденоиды и хронические бронхиты, и их худые, бледные

и замученные московские мамы так и не выпили молодого и шального вина и не поплыли ночью по лунной дорожке с кем-нибудь.

Женя понимала: стоило столько экономить – все прахом. Не жадная до денег, эти сбережения жалела ужасно.

Забегала к подружкам-соседкам, пили чай, обсуждали «весь этот ужас», но разговоры были какие-то обтекаемые, ничего, решительно ничего сестры не рассказывали про свою жизнь, что-то мельком, случайно оброненное – но из этого ничего не составишь. Женя удивлялась этой скрытности – обычно пожилые люди обожали с удовольствием пересказывать эпизоды из своей жизни. Но вопросов не задавала – была так воспитана. Знала только наверняка: сестры – старые девы. Конечно же, случались у них какие-то романы, истории – хорошенькие же были, прелесть.

В сентябре Маруся пошла в школу. Ася вызвалась помогать. Женя долго отнекивалась – у самой ведь была уйма свободного времени, – но, понимая, что для Аси и Сони, нет, все-таки для Аси, это было почти необходимостью и искренним желанием (к Маруське сестры привязались всерьез), – постеснялась этому перечить.

Хотя потом очень быстро поняла выгоду такого положения. Встречала Марусю у школы, кормила – и девочка шла с Асей гулять в рощу. Там они читали, болтали, Ася, конечно, еле ноги домой приносила. Но терпела, улыбалась и с удовольствием и гордостью объявляла всем в роще, что Маруся – ее внучка.

Соня же жила своей легковесной прежней жизнью. Странно: ее, начитанную, знающую два языка, интеллигентную даму увлекали идиотские бразильские и мексиканские (разницы никакой!) сериалы, бесконечной чередой ползшие по экранам телевизоров. Жизнь ее теперь была посвящена этому наркотическому действу. Ася сестру за это презирала. А вот свою миссию считала очень ответственной – она была теперь почти бабушка.

Андрей, пропавший почти на полгода, опять возник: однажды, поздно вечером, просто позвонил в Женину дверь. Женя думала, что получится, как обычно, ерунда, раз уж сразу не закрутилось. Но ошиблась. Получилась любовь. Именно все то, чего она так долго ждала. Андрей объяснил свое отсутствие долгим и тягостным разводом (Женя тут была, естественно, ни при чем). У него с женой было все как-то не очень решено. И Женя чего-то не понимала.

– Если там все так плохо, а здесь так хорошо, ведь это же просто? – удивлялась она, вспоминая, как просто это было у нее.

Но у нее получалось просто, а у него – нет.

– Пойми, когда связывают годы, сын, родители, которые сплотились против нашего развода, дача, которую я строил с отцом и тестем, – это сила, страшная сила, понимаешь? Все это долги и обязанности, а это сильнее всего держит человека, – объяснял он непонятливой Жене.

Здесь же было одно счастье: смятые простыни, упоительные перекуры ночью, под трели соловья, на балконе, выходящем в темный влажный лес.

Что сильнее? Жизнь покажет. Хочешь быть счастливым? Будь им. Женя очень хотела, чтобы так и было, но получалось опять почему-то плохо.

А в октябре умерла Ася. Ночью, во сне – счастливая смерть. Соня убивалась, совершенно потерялась и была похожа на маленькую девочку, отставшую в толпе от родителей. Сразу сникла, сгорбилась и приговаривала: «Как же я теперь буду одна?» И все время хватала Женю за руки.

Все верно: живые думают о жизни. Именитый племянник приехал в крематорий, положил четыре гвоздики, поклонился и уехал. На поминках его не было. Женя втайне осуждала Соню: печалится только о себе, ни слова об умершей сестре. Но заставила себя перестать злиться. Соня есть Соня. Всю жизнь прожила маленькой девочкой при старшей сестре. Чему удивляться? Продолжала ходить теперь уже к Соне, но как-то через силу, вспоминала Асю, плакала, понимая, что та успела ей стать близким, почти родным человеком.

Но Соня быстро успокоилась и даже нашла много положительного в своем нынешнем состоянии: теперь она одна стала хозяйкой своим желаниям. «Нет» овощным супам и тоскливым фрикаделькам! Теперь она покупала дорогую копченую колбасу, диковинные йогурты с кусочками нежных персиков и ананасов внутри, длинные горячие французские батоны в расплодившихся, как грибы, пекарнях. И мороженое! Шоколадное, с орешками, с прослойкой из варенья! Старых привычек как не бывало. У Сони началась новая жизнь. Можно спать до одиннадцати, не гулять часами в любую погоду, смотреть без оглядки любимые сериалы и читать (без осуждения) размножившуюся в изобилии желтую прессу. Все складывалось не так уж плохо.

Женя, заверченная Марусей, работой, непростыми и странными отношениями с Андреем, успокоилась. Грустила по Асе теперь больше всех Маруся. Но и она горевала недолго. Детская душа! Скорая на любовь и легкая на разлуку.

Спустя годы объявился Женин бывший муж. Приехал победителем. В твидовом пиджаке, кашемировом (цена видна невооруженным глазом) свитере, длинном пальто, которое почему-то хотелось потрогать. Очки в тонюсенькой оправе, вместо буйных волос – коротко стриженный и, увы, седой ежик. Человек из другого мира. Чужой.

Чему удивляться? Там он, разумеется, преуспел (Женя в этом не сомневалась). Женился на тоненькой польке с платиновыми, по пояс, волосами. Родил двух сыновей. В общем, полностью состоялся. Женя за него искренне радовалась и мечтала, чтоб в Маруське сказались его честолюбивые и талантливые гены. Сводил Женю и Марусю в дорогущий ресторан – имитацию корабля на воде, не скупился, все показывал фотографии своего дома в Сиэтле, машин, польки и мальчишек. Было видно, что сам любовался и не верил, что все это происходит с ним. Подарков не привез,

боялся ошибиться с размером. А вот деньги все вернул, тот старый долг — с лихвой. «Эх, мама, — подумала Женя, — все-таки людям нужно верить!»

А потом заболела Соня. Сначала начала худеть, перестала радоваться запрещенным когда-то вкусностям. Женя всполошилась — рентген сразу подтвердил диагноз. Без возможностей на надежду. Оперировать никто не брался — возраст. И стадия — о чем вы говорите? Женя пометалась, и теперь оставалось только Бога молить, чтобы он избавил хрупкую и слабую Соню от мучений. Болей, к счастью, не было, Соня просто худела и медленно угасала. Врачи говорили, что в этом возрасте все происходит медленно, но более или менее спокойно. Радовалась и этому.

Последние два месяца Женя почти жила у соседки, наняла медсестру из поликлиники (теперь было на что). Иногда сама, не дождавшись медсестры, делала обезболивающий укол — долго искала подобие мышцы, но получалось все равно подкожно. Ночью, куря на маленькой Сониной кухне, думала о превратностях судьбы, о том, как к ее берегу случайно «прибились» эти две старухи, ставшие — теперь она уже это осознавала точно — родными, ее семьей, и что с ними прожита большая часть ее, Жениной, и, кстати, Марусиной жизни.

На похоронах было четыре человека: Женя, Маруся, Женина мать и медсестра из поликлиники. Именитому племяннику не дозвонились. Он, видимо, был в отъезде.

После похорон и подобия поминок — нарезали винегрет, сварили картошку, разделали селедку (было жарко, есть совсем не хотелось), — отправила мать с Марусей домой и осталась одна в квартире сестер.

Долго сидела — сначала в Асином вольтеровском кресле, потом на тахте у Сони, — ни о чем не думала. Хотя нет, думала, что все-таки надо дозвониться до артиста, узнать, куда девать все эти вещи — наверняка он захочет взять старую и теперь такую ценную Асину мебель, — и испросить разрешения забрать на дачу Сонину тахту и чешские полки.

Спустя две недели дозвонилась до артиста. Он поохал, поцокал языком, сказал, что родни и вовсе не осталось, и даже всхлипнул. Был очень словоохотлив, а Жениного вопроса о вещах и мебели испугался, сказал, что ничего ему не нужно. Вот фотографии заберите себе, я потом как-нибудь заеду.

— Да, ищите завещание, я знаю, что Соня писала, я даже давал ей домашнего нотариуса.

Женя растерялась и возмутилась:

— Ищите сами, это же все ваше!

— Думаю, что нет, — загадочно усмехнулся артист.

Женя потихоньку начала разбирать бумаги; ей все казалось, что она делает что-то неприличное. Правда, в Сонином любимом баре она быстро нашла тоненькую прозрачную папочку. Раскрыла — и удивлению ее не было предела.

Единственное ценное украшение — небольшие сережки с сапфиром и жемчугом отходили Марусе, опаловая брошь с травмированной бриллиантовой бабочкой — Жене. Но главное, главное — квартира и все (господи!) ее содержимое было завещано ей, Жене, и еще какому-то Хвостову Анатолию Илларионовичу, 1925 года рождения. Что все это значило? Не артисту, любимому и единственному племяннику, а какому-то мифическому Хвостову. Да и кто он, внебрачный сын Аси? Соня была как-то совсем молода для матери.

Мучаясь стеснением и извиняясь, опять позвонила артисту. Он не удивился, что не указан в завещании, небрежно отмахнулся (видимо, торопился), а после вопроса о Хвостове замолчал и стал что-то долго и мучительно вспоминать. И вспомнил, что была в семье такая фамилия, да-да, по мужу у какой-то рано умершей сестры по матери или племянницы. Он сказал, что поищет телефон этого самого Хвостова, но надолго исчез. И Женя решила искать Хвостова сама, через Мосгорсправку.

Адрес дали быстро, помогло редкое отчество «Илларионович». Жил этот Хвостов недалеко — в Теплом Стане. По-

ехала к нему утром, когда Маруся была в школе, без особой надежды его застать в это время дома. Но дверь открыл сам хозяин.

Долго и путано Женя объясняла, кто она и по какому поводу пришла. Хвостов, пожилой коренастый дядька в несвежей майке и очках с бифокальными стеклами, угрюмо слушал ее, по-бычьи наклонив вперед крупную голову. Без удовольствия пригласил Женю войти в квартиру. На кухне Женя выложила на стол папочку с завещанием. Пока Хвостов долго искал очки для чтения, опять закуривал, внимательно разглядывая бумаги, Женя оглядывала запущенное и явно холостяцкое жилье и все строила догадки. Хвостов поверх съехавших на нос очков грозно уставился на Женю и резко, даже угрожающе спросил:

– Объявились, значит, прелестницы?

Женя вздрогнула и испуганно спросила:

– Это вы, простите, о ком?

Хвостов смерил ее долгим взглядом, видимо, раздумывая, стоит ли вообще начинать с незнакомкой тяжелый разговор, но все же решился. Еще раз уточнил, действительно ли она ничего не знает об «этой истории». Женя клялась и отрицательно мотала головой.

И Хвостов начал свой рассказ. Его мать, Вера, была сестрам родной теткой, сестрой их матери. Тут Анатолий Илларионович замолчал и с кряхтением достал с антресолей старый пакет с фотографиями. Потом сунул Жене под нос размытое временем желтоватое фото – фото матери. Даже на этом смазанном снимке было видно, что Вера – красавица. С легкими, светлыми волосами, вздернутым носом и широко расставленными, распахнутыми светлыми глазами.

– Красавица! – искренне сказала Женя.

– Да, только убогая.

– Как это? – испугалась Женя.

– Ходила как утка, хромая была. Но сосватали, и вышла замуж. Как казалось тогда, удачно. Илларион Хвостов был уже набиравшим силу адвокатом. Был высок, хорош собой, образован, но страшно беден. А мать – из зажиточной семьи. Впрочем, все они там были не бедные, – раздраженно заметил Хвостов. – И его купили. За матерью дали хорошее приданое: цацки, шубы, мебель и, роскошь по тем временам, – две отдельные комнаты. Тогда ведь все с родителями жались. Мой дед был гравером.

Хвостов женился, но мать не полюбил и даже не жалел, относился брезгливо – инвалид. Изменять ей начал практически с первого дня, но самая гадость случилась потом. На дачу в Болшево, я тогда был грудной, мать взяла с собой племянниц – четырнадцатилетнюю Асю и десятилетнюю Соню. Ей – помощь, и девки – на воздухе.

Они тетешкались со мной маленьким, но старшая, Ася, тетешкалась еще и с моим отцом. Регулярно, пока мать варила обеды на всех, стирала опять же на всех, укладывала меня спать. Они умудрялись все это проделывать у нее под носом без всякого стеснения и особой конспирации. Конечно, она их застукала. Отца ни в чем не винила, любила его до беспамятства, а обвинила во всем развратного и наглого подростка – племянницу. И с позором изгнала ее из дома, младшую, Соню, в доме оставив. Скандал в семействе был грандиозный: кто-то обвинял пакостницу Аську, кто-то (их было больше) – взрослого и опытного Хвостова, но в душе все почти единогласно оправдывали его, понимая, что женился он на деньгах, жену взял убогую и все (особенно больная Вера) должны об этом помнить.

Родители услали Аську в Ригу, к старой и строгой тетке Полине, мол, она-то не спустит. Благополучно спустила. Прозевала и она. За ее широкой спиной продолжались и его приезды в Ригу, и криминальный аборт, от которого Аська чуть не померла. Все это было вплоть до его посадки в тридцать девятом. Тогда все закончилось, и ее вернули в Москву.

– Это действие первое, – с пафосом объявил Хвостов и, следя за Жениной реакцией, спросил: – Ну, как историйка?

Женя не была потрясена, лишь удивлена. «Ну и что, – подумала она, – что тут такого? Все донельзя банально: не любил жену, под рукой оказалась хорошенькая юная особа, сволочь этот Хвостов, конечно, порядочная. – А Асю осудила только за то, что эта история произошла в самой сердцевине семьи. – Ну а что взять с четырнадцатилетнего ребенка? Это все для этого, мягко говоря, неприятного Хвостова трагедия: калека-мать и все такое, а так...»

Хвостов, встав, поставил чайник на плиту, сходил в туалет, с урчанием завыли трубы. Жене ужасно хотелось пить, но перспектива попить чайку из хвостовских чашек ее пугала. Она быстро подошла к замызганной раковине, открыла кран и жадно выпила несколько пригоршней тепловатой воды. Начинала болеть голова. Вошедший хозяин победоносно окинул взором Женю: как, дескать, произвел впечатление?

– Ну а действие второе? – задал вопрос Хвостов. Женя повела плечом, хотите, мол, болтайте, а нет – обсудим наши дела. – Так вот, – все же воодушевился Хвостов, раскуривая очередную вонючую «беломорину». – Младшая сестрица оставалась при семье, ее мать не отлучала. Во-первых, была справедлива, при чем тут Сонька? А потом, здоровье у нее было паршивое, помощь была необходима, а чужих людей мать в доме не любила. Соня была тихая, невредная, вечно с книжкой, только ела не в меру сладкое, воровала конфеты по ночам из буфета. Со мной, маленьким, возилась, но недолго. Это ей быстро надоедало, и она убегала гулять. Мать часто просила взять меня с собой, она нехотя, но брала. Понимала, что живет приживалкой в сытом доме в голодное время. По дороге ругалась, злилась, щипала меня, называла «репей».

Я родился в двадцать пятом, Соне было на десять лет больше. В тридцать девятом посадили отца, мать совсем сдала, и врачи посоветовали ей и мне море. Отправились в Ялту. Там мать сняла две комнаты у хозяйки. Ночами не спала, а читала при свечке или керосинке. Нас с Сонькой поселили в большой комнате, говоря всем, что мы брат и сестра. Выглядела мать старо, плохо, была истощена духовно и физически и вполне сходила за Сонькину мать. Ходила она в санаторий, делала там какие-то процедуры для больных ног. Ей удалось прикрепиться к столовой – брать еду в судках, по-моему, это называлось курсовкой. Это была большая удача. – Хвостов замолчал и посмотрел в окно. – В эти самые душные ночи она и начала меня мучить. Взрослая, зрелая девица, меня – четырнадцатилетнего мальчишку. В первый раз позвала к себе в постель, я дрожал как осиновый лист, с холодными ногами и выпрыгивавшим из груди сердцем. Обливался холодным потом. Залез к ней под тонкое пикейное одеяло. Она разрешала себя трогать, щупать, трогала меня, а дальше – ни-ни. В общем, каникулы у меня были!

Мать не могла понять: я бледный, тощий, голова болит, ничего не ем. А эта весела – свой обед съест и мой подожрет. Сил набирается. Арбуз могла одна съесть целиком. И сладкое, сладкое! Так мы куролесили каждую ночь. Мать сходит с ума, а эта веселится, вечером на набережной со мной гуляет, с кавалерами знакомится, а я, мальчишка, погибаю от ревности и жду не дождусь этой проклятой ночи и своих сладких мучений.

Все открылось почти перед нашим отъездом. Мать нас застукала в одну из бессонных ночей, наверное, услышав возню.

Умерла она на следующее утро от разрыва сердца, не перенеся вида своего истерзанного, с воспаленными и безумными глазами ребенка. А эта, эта сбежала тут же, испугавшись хлопот с гробом, перевозкой. Боялась правды – вдруг расскажу. Я остался один с трупом матери, без денег. Деньги она тоже прихватила. Реву день напролет. Хорошо, добрые люди посоветовали похоронить мать в Ялте. Там ее душа и успокоилась – на старом, каменистом ялтинском кладби-

ще. Раньше ездил туда раз в год, теперь... – Немного помолчав, Хвостов сказал: – Все, занавес.

Женя увидела слезы на его небритых щеках. Смущаясь, он вышел из кухни. Потом крикнул, не входя:

– Жизнь моя так и не сложилась. К бабам относился всегда с недоверием и опаской. Эту стерву любил еще долго, лет семь. Мучился страшно. Любил и ненавидел. Долго забыть не мог, а за смерть матери всю жизнь считаю себя виноватым. Вырастила меня та самая рижская суровая тетка, растила строго, без любви. Сестричек больше я не видел, слава богу. Знал, что они объединились, защищаясь от общественного порицания. Ни мужей, ни детей Бог им вроде не дал. Наказал, наверное. И меня заодно. А мою мать, ее горькой жизнью, за что? В общем, идите, девушка. Как вы поняли, ничего мне *оттуда*, – он сделал ударение, – не надо! Ничего. Идите.

Женя растерялась:

– А как же воля умершей? – Но на этой фразе споткнулась и, покраснев, быстро вышла из квартиры. Долго сидела во дворе на лавочке, глубоко дышала по йоговскому методу и наконец без сил пошла к метро.

Разными чувствами была полна ее душа: терзалась Женя и жалостью к обманутой хромой Вере, брезгливостью и осуждением – к странным и страстным подросткам, но больше всего ее душа была полна удивлением. Да, удивлением. Ничего-то она не знала о них и об их страшных тайнах и страстях. А ведь это только малая часть жизни. Что же было дальше? А может быть, ничего и не было? «Слава Богу, я этого не знаю. И так чересчур».

Маме, конечно, этого не рассказала – не хотелось слушать ее комментарии.

Постепенно успокоилась, заняла своя непростая жизнь. Через полгода, после вступления в права наследования, получив от Хвостова отказ, продала квартиру и почувствовала себя миллионершей. Ночью лихорадочно думала, где прятать американские деньги – банкам уже не доверяла. А утром – как подбросило. Взяла половину денег, завернула их в целлофановый непрозрачный пакет, перехватила толстой черной резинкой, положила на дно сумочки и поехала в Теплый Стан.

Хвостов долго не открывал, а когда открыл – удивленно вскинул брови. Женя протянула ему пачку, перетянутую резинкой, он молча взял, повертел в руках, шутовски поклонился. Женя тоже молча кивнула.

На улице ей сразу стало легко. Улыбаясь, она быстрым шагом пошла к метро. И подумала, как просто бывает иногда самой себе облегчить жизнь. Без долгих раздумий и колебаний. Когда точно знаешь, что поступаешь правильно.

Вруша

То, что по рождению ей была дана такая фамилия, было, видимо, не случайно. Знак судьбы. Ее странной и путаной судьбы. Итак, фамилия ее была довольно редкая – Вистунова. И конечно же, очень скоро она превратилась в Свистунову – оно и понятно. Боже, какая же она была врушка! Конечно, врут все – в той или иной степени. В основном по необходимости и в зависимости от ситуации. Она же врала по вдохновению, без остановки, по любому поводу и, главное, без оного. На абсолютно ровном месте. Врала так легко и неприхотливо, как другие дышат или молчат. Ложь ее была бесполезна, беспричинна и так откровенно нелепа и смешна, что можно было вообще-то задуматься о каком-то странном врожденном пороке сознания.

Звали ее Лида. К нам в школу она пришла классе в третьем или четвертом, точно не помню. Была довольно хорошенькая, если, правда, внимательно приглядываться, – длинная, худенькая, довольно угловатая, как, впрочем, большинство высоких и тонконогих девочек, с короткими темными прямыми непослушными волосами, красиво вздернутым носом и большими, редкого и странного бирюзового цвета глазами. Взгляд у нее был слегка встревоженный и настороженный, но это довольно быстро прошло, и уже на первой перемене вокруг нее столпилась стайка девчонок. Всем было любопытно – кто она, откуда, что за штучка. И Лида Вистунова уже вовсю заливалась соловьем. Шепотом и с придыханием она сообщила (страшная тайна), что отец ее разведчик и что их семья только-только вернулась из Латинской Америки (откуда – не уточнялось), где они прожили много-много лет и где, собственно, она, Лида, и выросла. Все слушали открыв рот. Только умная Попова хмыкнула, оглядев Лидкины простые колготки в резинку и туфли из «Детского мира», и желчно осведомилась, не в Латинской ли Америке куплены эти предметы ее туалета. И еще что-то добавила по поводу легкой промышленности стран капиталистического мира. Попова была умна не по годам.

А вот Лида ничуть не смутилась. Она внимательно оглядела язвительную Попову и сказала, что ее родители считают, что в школе лучше не выделяться, а быть как все. Как большинство. Попова ничего не ответила, только криво усмехнулась, а все мы тут же и безоговорочно поверили новой подруге. Да что там поверили – мы ее сильно зауважали. Ну кто бы из нас смог напялить страшные (брр!), коричневые, растянутые на коленках уродцы, если в шкафу лежат тонкие эластичные и цветные? На следующей переменке Лида вдохновенно рассказывала еще и о том, что побывала она и в Лондоне, и в Париже и заезжала, кстати, и в Стокгольм, и в Прагу – вместе с папой, у которого были туда командировки.

– Врет, – уверенно отрезала Попова. – Семью берут только в долгосрочку. – Так называлась длительная, длиною в два-три года, командировка. – А ни в какие краткосрочки никто ни жен, ни уж тем более детей точно не берет. Да и потом, ну нет в ней никакого лоска. А загар? Где загар, если она только что оттуда приперлась?

Мы послушали умную Попову и почти согласились с ней. Хотя мне все это было все-таки странно. Вообще-то я считала: зачем врать без причины? Все равно это когда-нибудь раскроется, и будет стыдно. Опыт уже был. И почему-то эта Лидка Вистунова мне сразу стала как-то неинтересна. Свиту свою она все же собрала – человек из пяти-шести. Они смотрели ей в рот и были ее горячими поклонницами. Но задушевной подруги у нее все-таки не появилось. Была она довольно толковой – треплется на уроке на задней парте, а поднимут – секунду смотрит на доску, тут же въедет в тему и бойко так, на твердую четверку, отбарабанит. Да, про маму она рассказывала, что та из балетных, но карьера не сложилась, так как ей приходится мотаться по миру с отцом. И еще было что-то про бабку, то ли циркачку под куполом, то ли оперную певицу. Уже не помню. Правда, домой к себе она никого ни разу не позвала. И день рождения свой не справляла. На школьные собрания ее родители не ходили, да и у учителей особых претензий к ней не было.

В ее наиглупейшем вранье я вскоре убедилась, придя от этого в полное недоумение и почему-то испытав чувство неловкости и даже стыда. За нее, разумеется. А дело было вот как. Что-то потекло в ванной комнате – то ли кран, то ли труба, и мама вызвала водопроводчика. Пришел какой-то дядька, внешне – хмырь хмырем: тощий, мосластый, в грязной спецовке. Повозился с поломкой и под занавес попросил попить воды. А заодно и поинтересовался, в какой я учусь школе. Я ответила. Он сказал, что в той же школе у него учится дочка, зовут Лидкой, примерно моих лет.

– А фамилия вашей Лиды как? – спросила я, почти уверенная в ответе.

Он сказал. Все совпало. Разведчик предстал в образе сантехника. Видимо, внедрялся. Очередное сложное задание. Глупо и смешно. И мне почему-то сделалось неудобно. Держать в себе Лидкин обман я не стала, хотя и по школе не понесла. Сказала только Поповой. Та удовлетворенно посмеялась и при случае что-то вставила по поводу разведчика-сантехника. Не в открытую, а так, намеком. Почему-то мы обе смутились. А вот Лидка совсем нет. Она даже не покраснела и тут же выдала, что, типа, по службе много чем ему приходится заниматься. Вот так-то. В общем, все как я и предполагала. Все, оказывается, просто. У нее все на голубом глазу. А дуры – мы с Поповой. Дуры и сплетницы. Потом я увидела Лидкину мать. Опознала я ее по отцу, вместе с которым они сдавали пустые молочные бутылки в приемном пункте при магазине. Мать ее была худа, сутула, неопрятна, в выношенном пальто и стоптанных донельзя сапогах. В общем, тетка, сильно прибитая жизнью – сильнее не бывает. Балерина, даже бывшая, в ней никак не угадывалась. Одним словом, с Лидкой мне было все ясно, и интереса для меня она не представляла никакого.

Впрочем, поклонницы оставались у нее до окончания школы, правда, ряды их сильно поредели. Было смешно смотреть, как на переменках ее окружала чахлая стайка самых серых и неинтересных девиц, и Лидка вдохновенно им «ездила по ушам». На выпускной она явилась в умопомрачительном наряде, сразившем всех поголовно – и учителей, и учеников, и родителей. На ней были широченные – дань моде – полосатые красные брюки (что-то типа матрасной ткани), белая гипюровая блузка и шелковый красный мужской галстук. Все это было довольно нелепо и смешно, но Лидка Вистунова добилась главного – обратила на себя всеобщее внимание и выделилась из толпы. Цель была достигнута. Свою минуту славы она получила. Кстати, ее родителей на выпускном не было, а было какое-то объяснение, что они не смогли пропустить важный прием в каком-то там посольстве. Разведчик на приеме в посольстве! Мы с Поповой в голос заржали. Наверняка на вечер она их просто не пустила – они явно бы подпортили ее сногсшибательный выход. В физкультурной раздевалке, куда мы

сбились тайно покурить, Лидка заявила, что скоро за ней заедет любовник. На черном «Мерседесе». «Мерседесов» тогда в Москве было от силы несколько штук, да и то у очень знаменитых людей. Когда Попова спросила, чем занимается ее любовник, Лидка бросила на нее презрительный взгляд, выпустила длинную струйку дыма и сказала, что до этой информации Попова еще не доросла. Через пару часов она бросила всем «чао» и выпорхнула на улицу. Мы высунулись в окно. За углом стояли видавшие виды красные «Жигули».

– Больная на голову, – коротко бросила Попова. – И охота ей брехать?

Я кивнула.

Из актового зала послышалась наша любимая песня – «Отель «Калифорния», и мы поспешили туда. Под эту песню можно было танцевать даже с недоумками-одноклассниками и мечтать при этом о прекрасных принцах.

После окончания школы все изменилось. Жизнь разводила нас и ставила на место – хорошо, если на свое. Школьные дружбы постепенно иссякали, связи прерывались, что вполне естественно. А мы с усилиями и молодым упорством пытались вписаться во взрослую жизнь. Я поступила в медицинский, а моя подружка Попова выбрала педагогику. С ней, единственной из класса, я регулярно держала связь. Поначалу мы еще с интересом выясняли, кто куда поступил, кто провалился, а кто уже успел выскочить замуж. А вот про нашу врушу Свистунову слышно не было НИ-ЧЕ-ГО. Как в воду канула. Нет, не так. Какие-то слухи о ней все же витали: то она поступила в Ярославле на актерский, то вышла замуж за моряка-подводника и укатила с ним на Север, то вроде собирается замуж за югославского певца, то за студента-араба. Кто-то пустил слух, что она работает в морге – гримирует покойников и зарабатывает какие-то немыслимые деньги. Короче говоря, правды не знал никто. Видимо, правда и Лидка были понятиями несовместимыми.

Первый сбор случился у нас на десятом году после окончания школы. Пришли в основном те, у кого жизнь на тот момент сложилась более или менее успешно. Были окончены вузы, впереди маячили диссертация и карьера, росли дети. Кто-то даже успел повторить брак, и это тоже считал достижением. После окончания педа моя подруга Попова вернулась в нашу школу – теперь она вела у старших классов химию. Тогда еще мы были молоды, амбициозны, полны сил и надежд, безапелляционно и резко судили, припечатывали определениями и твердо верили в удачу. Оживленно перебивая, доложив друг другу о своих достижениях и планах, мы стали поименно перебирать отсутствующих. Вспомнили и про нашу врушу. И опять ничего не сходилось – настолько слухи о ней были разноречивы, разнообразны и нелепы. Нелепы настолько, что верилось практически в любую версию. И, как водится, опять никто не знал правды. Правды, которую сама Лидка ни в грош не ставила и которой упрямо пренебрегала. Натрепавшись вволю и потешив самолюбие, мы с удовольствием расстались еще на добрый десяток лет. Впрочем, класс у нас никогда не был особенно дружным.

С годами поубавилось и спеси, и надежд – поровну. На следующую встречу однополчан (нам тогда было уже к сорока) мы с Поповой собирались более тщательно, и у нас были на это основания. Во-первых, мы дружно решили похудеть. Хотя бы килограмма на два-три. Постановили не есть сладкого и не ужинать. Попова жаловалась, что у нее совсем нет времени, даже на парикмахерскую.

– Найдешь, – уверила ее я.

Потом мы обсуждали наряды. Пойти, как всегда, было не в чем. Обычная проблема. В гардеробе имелась только удобная повседневная одежда – брюки, свитера, сапоги без каблуков.

– Ну не покупать же вечернее платье, – убийственным голосом твердила Попова.

Та же песня была и про сапоги на каблуках. И еще про выходную и изящную сумочку. Ходили-то мы с баулами – мама не горюй: и удобно, и пара пакетов молока туда влезет. Но в итоге все как-то образовалось. Сапоги на каблуке я все-таки купила – должны же быть у приличной женщины хотя бы одни приличные выходные сапоги. Еще я купила красивую шаль цвета спелой сливы, с серебристой ниткой и кисточками, способную украсить любой, самый строгий, свитер. А элегантную узкую лаковую сумочку я одолжила у подружки Ирки. Ирка была просто сумочный маньяк – этого добра у нее было навалом, на все случаи жизни. Оставались только стрижка с мелированием и маникюр, ну, с этим я справлюсь сама. Попова тоже вышла из положения: платье одолжила у сестры, сапоги – у соседки. Итак, мы были вполне готовы предстать на всеобщее обозрение и обсуждение.

Бывшие одноклассники оказались уже не вполне узнаваемы. Увы! Имелись среди нас и люди успешные, многого добившиеся, прошедшие через все адские круги становления капитализма со звериным оскалом, и состоявшиеся люди науки, и даже один довольно известный политик, этакий «думский» молодец в костюме за пять тысяч баксов, естественно, радеющий за бедный российский народ. Пришел и спившийся, потерянный и когда-то подававший большие надежды местный плейбой, непонятно для чего представший перед нами в своем жалком виде. Девочки, ставшие уже вполне тетками, с гордостью демонстрировали фотографии своих отпрысков, а одна из нас уже была бабушкой. Не пришли, видимо, те, у кого уж совсем не сложилось в этой жизни, и, наверное, те, кто взлетел слишком высоко. Не было среди собравшихся и Лиды Вистуновой. Никто этому не удивился, но все же вспомнили о ней. И опять показалось, что речь идет о совершенно разных людях, как минимум о десяти, а не об одном человеке. Впрочем, когда дело касается нашей вруши... Кто-то утверждал, что она спилась и закончила свою недолгую жизнь в канаве, кто-то вспомнил, что слышал вроде, будто у нее все хорошо и даже отлично и что она замужем за небедным человеком и родила ему троих детей. Кто-то опроверг и это, заявив, что знает точно – Лидку увез турок или перс, и сгинула она в гареме, так что концов не найдешь. Кто-то утверждал, что Лидка все же вышла замуж за подводника и стала ему верной женой, живет где-то на Севере, в крошечном военном поселке. Также прозвучала версия, что она содержит в Америке что-то типа борделя, и еще уж совсем неправдоподобная, что она здесь, в Москве, и служит в серьезных госструктурах, и что она там не последний человек, из «серых кардиналов», и посему ее имя – конечно же! – не на слуху. Кто-то неуверенно вспомнил, что слышал о том, что попала она в жуткую аварию, повредила позвоночный столб, обезножела и живет сейчас в каком-то богом забытом интернате. В общем, обычная история – одна сплошная мистика. Но не слишком ли много для одного человека? Впрочем, скоро забыли и о ней – нам было о чем поговорить. «Господи, – подумала я, – вроде все уже давно чужие люди, но пахнуло детством, юностью, и мы, замученные жизнью и проблемами, стали опять интересны друг другу. Правда, на какие-нибудь два-три часа». Из школы мы вышли вдвоем с Поповой. На улице было совсем темно. Осторожно перебирая ногами на непривычно высоких каблуках, мы медленно пошли к метро.

– Еще лет десять никого из них увидеть не захочу, – сказала Попова. Я с ней согласилась. Мы с удовольствием перемыли косточки бывшим одноклассникам и заключили, что все очень постарели. Про самих себя мы старались не думать.

– А знаешь, – продолжала Попова, – вот на кого я бы с удовольствием посмотрела, так это на Вистунову. А так – ну их всех на фиг.

И я опять с ней согласилась.

В метро мы расцеловались и клятвенно пообещали друг другу встречаться хотя бы раз в полгода. И почти поверили в это. Прошло еще несколько лет. С Поповой мы опять не встречались, но зато исправно общались по телефону. Теперь это были больше разговоры про здоровье, дачные участки и проблемы уже совсем выросших детей. Теперь уже они женились и разводились. А мы хоронили родителей и – увы! – своих ровесников. Сами мы уже почти успокоились – страсти и любовные истории остались далеко позади, зато появились болячки и проблемы, решать которые с годами почему-то становилось все труднее и труднее. Или просто мы так воспринимали свою жизнь? Не знаю. Но мы уже смирились со своими браками, принимая их не как неудачу или невезение, а просто как данность. У всех в дому по кому, что говорить. А если оглянуться, посмотреть вокруг, то собственный ком уже не кажется таким многопудовым. Да и коней на переправе не меняют, так как сама эта переправа оказалась – будьте любезны! В общем, мы стали мудрее – это точно. А мудрость, как известно, помогает жить. Если не мешает. Но каждый из нас, о ком стоит вообще говорить, все же попытался найти себя. Кто-то со всеми потрохами окунулся в бизнес или с удовольствием (или без) погряз в хозяйстве и внуках, другие с головой ушли в религию, кое-кто оттягивался в творчестве. Как-то в начале лета мне позвонила старая приятельница, почти подруга, Лариса и пригласила на свадьбу младшей дочери. С этой Ларисой в последнее время мы общались довольно редко. Дело тут не в потере взаимного интереса, а просто так бывает – жизнь разводит. Ее семье тоже досталось в лихие годы. Муж ее в начале девяностых очень быстро и высоко поднялся, впрочем, в те времена это было не слишком сложно – сложнее оказалось на этой высоте удержаться. Тогда у Ларисы появились и огромная квартира с дорогущим ремонтом, и шикарные машины, и шубы, и бриллианты без числа, и поездки по миру. Надо сказать, что деньги их с мужем не скурвили – они оставались нормальными людьми. А потом случилось то, что случилось, – они потеряли все. Тотально. Резко и сразу. И даже была история с прокуратурой и следствием, но, слава богу, обошлось. Лариска с мужем не развелась, не сбежала, хотя ему светил приличный срок, а вместе с ним достойно и мужественно переживала эти черные дни. Ушло все: квартира, машины, загородный дом, шубы, цацки. Лариска тогда подрабатывала: убирала квартиры. И в то время они пришли к Богу. Как это произошло, мне неведомо, но вполне понятно. Однажды Лариска сказала, что если они вылезут, то она будет считать, что это она вымолила у Бога. Это ее право. Все приходят к этому по-разному. Сейчас у них все хорошо. Тьфу-тьфу. Никаких богатств уже нет и в помине, но есть мир, любовь и покой в душе. А разве бывает что-нибудь ценнее? У Ларискиного мужа какой-то невеликий бизнес – он нашел силы начать все с нуля. Они купили себе славную и уютную избушку в маленьком подмосковном старинном городке, в зеленом месте, в десяти минутах ходьбы от действующего монастыря, развели цветник и огород и вполне счастливы. Лариска говорит, что на воздухе отступили болячки, успокоились нервы и что вообще жить в таком намоленном месте – счастье и покой. Сначала они выдали замуж старшую девочку, а сейчас настала очередь младшей. Свадьбу решили играть там же: во-первых, венчание в маленьком уютном местном храме, во-вторых, лето, воздух, река, природа, шашлыки – понятное дело. Меня пригласили и на венчание, и на обед.

– Места у нас сказочные – русская Швейцария, сосны, река, монастырь. Ты ведь бывала в наших краях? – спросила подруга.

– Приезжала когда-то, сто лет назад, еще в советские времена, правда, помню все плохо.

– Все вспомнишь, как увидишь, хотя, конечно, все изменилось, – уверяла Лариса.

В назначенный день я поехала к ним. Накануне всю неделю шли дожди, а тут выглянуло солнце и осветило молодую и промытую свежую листву.

Невеста, Ларисина девочка, была свежа и прекрасна, впрочем, как и положено невесте. Жених тоже вполне был хорош – молод, строен, с хорошим блеском в глазах. Славные ребята, дай им Бог. Только почему-то мелькнула мысль, что у нас-то все в прошлом, все пронеслось, пролетело, но это не зависть, не приведи господи – какая уж тут зависть к почти собственным детям! – просто констатация факта. Я в первый раз присутствовала на венчании и ощутила и торжественность момента, и какую-то истинность происходящего, что ли. После церкви все отправились к дому, а я шепнула Лариске, что чуть-чуть прогуляюсь по городу, который, к счастью, как мне показалось, совсем не изменился. Мне захотелось немного побыть одной, вспомнить юность – когда-то я приезжала сюда со своим молодым человеком, в которого была отчаянно влюблена и вроде бы даже собиралась замуж, если мне не изменяет память. В общем, что-то ностальгическое, короче говоря. Вот такое настроение. Я прошлась по старому центру, где еще вполне сохранились прежние здания и домишки, купила в киоске реабилитированное эскимо на палочке – тоже из прежних лет – и взгрустнула: где ты – ау! – моя юность и мой пылкий ясноглазый мальчик? Где? Где-где, где положено. И мальчика уже нет, а есть наверняка лысый и пузатый дяденька, да и я уже вполне себе тетенька, не будем вдаваться в подробности. Но хватит грустить, пора двигаться в сторону свадебного шатра – я посмотрела на часы. Дорожка вывела меня к монастырю, о котором мне говорила подруга. Зайду, решила я. Моего отсутствия на торжестве никто не заметит, народу там и без меня полно. Монастырь был вновь действующий, пока еще восстановленный только частично, но все же величественный и прекрасный. Стоял он на пригорке, откуда открывался дивный вид на городок, реку и лес. По территории ходили монахи с серьезными и одухотворенными лицами, в основном совсем молодые. Я зашла в маленькую церквушку и поставила свечи за здравие Ларисиных детей – раньше я этого никогда не делала. На душе было и грустно, и светло. Все-таки есть в этом и покой, и отдохновение, и успокоение. В общем, я поняла людей, приходящих сюда для облегчения души. Жаль, что у меня с этим вопросом как-то не решено. Для себя самой, разумеется. Все сложно, запутанно и непонятно, и что-то не пускает. Или я отношусь к этому слишком ответственно. Поди разберись. Я вышла за ворота монастыря, присела на перевернутый ящик, оставшийся, видимо, от околоцерковных нищих попрошаек, и закурила, настроенная на лирический и философский лад.

– Не узнаешь? – услышала я хрипловатый женский голос.

Я оглянулась и увидела худую женщину непонятных лет в матерчатых туфлях и темной косынке, повязанной низко, почти на глаза.

– Не узнаешь? – настойчиво повторила она.

Я вглядывалась в сухое бледное лицо с узким небольшим ртом и светлыми потухшими глазами.

– Нет, извините. – Я отрицательно покачала головой. – Видимо, вы что-то путаете, по-моему, мы незнакомы.

– Ну... – Она стянула платок, и я охнула:

– Лидка Вистунова! Неужели ты?

– Дошло наконец. – Она хмыкнула. Господи, это действительно была она, наша вруша. Хотя узнать ее было довольно сложно.

– Столько лет прошло, извини, – оправдывалась я за неловкость.

– Да чего там. – Она махнула рукой. – Я понимаю, узнать меня непросто. – Она замолчала, а я лепетала:

– Косынка, понимаешь, ну, ни бровей, ни глаз не видно.

— Не в косынке дело, — опять усмехнулась она. — Не косынка меня изменила, а жизнь. — Она отвела глаза. — Ну, как живешь? Судя по тебе, — она кивнула, оглядев меня, — все в порядке.

— Слава богу, — ответила я, почему-то смущаясь. — Сын, муж, работа, не без проблем, разумеется, — отчитывалась я, — но, в общем, грех жаловаться, бывает хуже.

— Бывает, — согласилась Лидка и попросила сигарету.

— Ну а у тебя-то как? Ничего про тебя неизвестно, только слухи какие-то мутные ходят.

— Мутные, — кивнула она.

Я посмотрела на часы.

— Спешишь? — спросила она.

— Да нет, все нормально, — ответила я, кривя душой. Мне-то, конечно, уже надо было поторопиться.

Она молча, жадно курила и смотрела в сторону. Надо было как-то выбираться из этой ситуации.

— А ты приехала сюда или живешь поблизости? — наконец спросила я.

— Живу, — кивнула она. — Снимаю комнату у бабульки и живу круглый год. Хожу сюда, помогаю чем могу, всякие мелкие дела: полы мою, подсвечники чищу, в общем, при монастыре.

Я молча кивнула. Потом она затушила сигарету и, помолчав, сказала:

— Сын у меня тут в послушниках. Третий год. А я вроде бы как при нем. Чтобы видеть его, ну, понимаешь?

Я кивнула.

— Судьба у него трудная. Была компания дурная, фарца, наркотики, тюрьма маячила. Еле успела его с того света вытащить. Пока чуда не случилось. К Богу пришел. А до этого я дочку похоронила — она из окна выскочила. От несчастной любви. Они с братом неразлейвода были, вот он и сорвался тогда. Все прошли — и клиники, и экстрасенсов, и знахарей. Ничего не помогло. Только Господь пожалел.

Она тяжело вздохнула и перекрестилась. Я сидела в абсолютном оцепенении и не знала, что сказать.

– А муж? – наконец произнесла я.

– Что – «муж»? – усмехнулась она. – Муж объелся груш. Сначала стал квасить по-черному, а потом и вовсе свалил – нашел себе молодую, из бывших дочкиных подружек. Как живет, не знаю, неинтересно. А я вот тут, сбоку припека. Только бы быть к сыну поближе. Так и спасаюсь.

Она вытерла ладонью сухие глаза и опять повязала косынку. Я не знала, как мне быть, что тут скажешь? «Держись, Лидка, крепись, все обойдется»? Какие уж тут слова, какие утешения. Но она сама спасла ситуацию:

– Ну, мне пора, дел по горло. – Она кивнула и пошла к воротам.

– Держись, Лида, – по-дурацки все же посоветовала я ей.

Она махнула рукой. Я еще посидела на ящике, выкурила еще сигарету и, тяжело поднявшись, двинулась к Ларискиному дому – благо было недалеко.

Там уже вовсю шла гульба. Столы были накрыты на улице, дымились мангалы, и пахло солнцем, молодой скошенной травой и сочным, душистым жареным мясом.

– Господи, ну куда ты подевалась? – подлетела ко мне встревоженная подруга.

Я извинилась, села за стол и почувствовала, как смертельно хочу есть. Да и вообще пора отключиться, сделать нормальное лицо, а то как-то неловко – свадьба все-таки. Молодежь уже резвилась вовсю. Периодически кто-то громко кричал «горько!» и настаивал на продолжительных поцелуях молодых. Народ постарше, в основном Ларисины соседи, сидел за столом, выпивал, закусывал, сплетничал и даже уже пытался затянуть песню.

После двух рюмок водки меня немножко отпустило, и даже захотелось погорланить про то, что было, то было, и про то, как заалел закат. Выход из стресса, наверное. Мо-

лодые переоделись – юная невеста сняла пышное платье и отколола длинную, в пол, фату, влезла в пестрый, цветастый сарафан и явно вздохнула с облегчением. Переоделся и жених, снял торжественный темный костюм и надел джинсы и майку. Торжество момента отступило, и расслабленная и радостная молодежь отправилась на речку – купаться. Женщины начали убирать со столов. На маленькой Ларискиной кухоньке с низким потолком я встала у мойки и принялась мыть посуду. Хотелось переключиться, но тяжкие мысли все равно лезли в голову. Вымыв немыслимую гору тарелок, я вышла на улицу. Очень ломило спину. Молодежь еще не вернулась с речки, а на столах уже все было накрыто к чаю – закипали два огромных пузатых самовара. Мне подумалось о том, как чудно начался этот день, какой лад и покой были на душе, а сейчас вот муторно так и тревожно. Бедная, бедная Лидка. Бедная наша вруша. Вот уж досталось человеку по полной программе, врагу не пожелаешь. И как все это вынести, уму непостижимо. Да и за что? Ну не так уж она плоха, эта Лидка, да, имеет странную страстишку, но вполне же невинную, в конце концов. И кому от этого плохо? Хотя, кто там что знает – кому, за что и почему.

Возле меня на лавочку опустилась немолодая полная женщина, скорее всего, тоже местная жительница. Одета она была в простое сатиновое платье, турецкие шлепки на ногах, в ушах дешевые розовые сережки, на плохо прокрашенных волосах остатки «химии», золотые зубы, короткие, натруженные пальцы.

– Хорошо у вас тут, – сказала я. Надо же было что-то сказать.

Она кивнула:

– Суеты мало.

Мы замолчали.

– А *эту* давно знаешь? – спросила она.

– Лариску? Давно, лет двадцать тому.

— Нет, я не про Лариску. Я про чумовую говорю.

— Какую чумовую? — не поняла я.

— Ну какую-какую, про ту, с которой ты у ворот трекала. Я так понимаю, что не в первый раз вы увиделись, — объяснила она.

— Вы имеете в виду Лидию? — наконец дошло до меня. — Давно, давнее не бывает, учились вместе в одном классе.

— А-а, — протянула женщина и опять замолчала.

— Вот судьба какая! — сказала я и глубоко вздохнула. — Кошмар ведь, а не судьба.

Женщина с каким-то удивлением посмотрела на меня.

— Жалеешь ее, что ли? — словно удивилась она.

— А что, ее не за что жалеть? — возмутилась я. — Дочь погибла, муж сбежал, сына еле спасла. И сейчас ее жизнь тоже не сахар. — Я почти обиженно замолчала.

— Не пойму, о чем это ты, — нахмурилась женщина. — За что эту стерву жалеть? Какая дочь, какой сын? Не было у нее отродясь ни дочери, ни сына. Про мужа не знаю, врать не буду. — Она замолчала, сурово поджав губы.

— Да что вы, вы просто не в курсе, — продолжала горячиться я. — У нее страшная судьба, страшная. — Я начала повторяться. — Дочь ее покончила с собой, сын был наркоман, погибал почти, только здесь и спасся. А она — она при нем, только бы видеть его почаще, живет у чужих людей, чтобы быть к нему поближе.

— К кому к нему-то? — почему-то разозлилась на меня Ларискина соседка. — Это я-то не в курсе? Перебрала ты, что ли, девка? Какая дочь, какой сын? Любовник у нее тут молодой, пацан совсем, двадцать пять лет. Из приличной семьи — родители такие солидные, дипломаты, что ли. В загранке они были, когда он с этой связался, зеленый еще совсем, двадцати лет не было. И начали они гульбанить во весь рост. Да так гульбанили, что он все из родительской квартиры вынес. Учиться бросил, пил с этой на пару, из ре-

сторанов не вылезали. Родители вернулись, а он уже и не человек вовсе. Совсем пропащий стал. От этой гадины его никак оторвать не могли. Увозили, прятали, а он опять с ней сходился. На иглу, говорят, подсел. Мать его несчастная мне сама все это рассказывала. Не было от этой стервы никакого спасу – так к нему приклеилась. Не знаю, какими уговорами, правдами-неправдами, привезли его родители сюда. Здесь он в послушниках. Думали, не найдет. А она через год объявилась. Только он стал в себя приходить. Я почему все это знаю – она угол у моей кумы снимает и шастит в монастырь каждый день, опять воду мутит. Все уговаривает его уехать. Парень совсем измучился, высох, глаз не поднимает. И сколько он так выдержит? Слаб человек-то. Не знаю, может, это любовь такая, только все равно грешница она великая. – Женщина тяжело вздохнула и замолчала. А спустя несколько минут уверенно добавила: – А детей у нее никогда не было. Это точно.

С шумом вернулась молодежь, и все снова стали рассаживаться за столы. Соседки помогали Ларисе разливать чай и резать пироги. А я все сидела на лавочке и не могла встать. То самое состояние, про которое говорят: пыльным мешком по голове. Лучше не скажешь. И хуже тоже. Потом кто-то окликнул меня, и я села за стол. Уезжала я вечером с какими-то друзьями молодых – в их машине нашлось для меня место. Лариска уговаривала меня остаться на пару дней, но мне почему-то хотелось скорее уехать. Разболелась голова, и очень захотелось домой – встать под теплый душ, выпить таблетку феназепама и провалиться в сон. Слишком много событий и впечатлений для одного дня и одной меня. Слишком много.

Я ехала на заднем сиденье и молча смотрела в окно. На душе было ох как погано. «Надо встряхнуться, – приказала я себе. – Нельзя же из-за этой чокнутой дряни так себя разрушать. Все мне в минус».

Дома я встала под горячий душ и выпила снотворное.

– Хорошо повеселилась? – поинтересовался муж.

– Лучше не бывает.

Ночью мне все-таки не спалось – таблетка не помогла. Чтобы не разбудить мужа своим ворочанием и вздохами, я тихо выскользнула из спальни и пошла на кухню. Только в это время Москва затихала на коротких пару часов. За окном в нашей роще пела какая-то птица. Соловей? Когда-то раньше в этой роще пели соловьи. Раньше...

Пустые хлопоты

Молодой врач с серыми оловянными глазами спокойно сказал, что пока ничего не ясно, а ясно станет тогда, когда разрежут и увидят. Увидят что? Этого не знает никто. Хотелось бы, конечно, надеяться на лучшее, но Вика готовилась к худшему. Что поделаешь, такой характер. И Вика Василькова приготовилась умирать – неизвестно, как распорядится судьба. Вика вообще была абсолютной фаталисткой. И еще она была человеком крайне дотошным и педантичным.

Себя она называла реалистом, склонным, как все реалисты, к пессимизму. В этой ситуации она оставалась верна себе. Да нет, после визита к врачу поплакала, конечно, и даже обревелась – живая ведь. А потом села спокойно на кухне, посмотрела в окно, задумалась и решила составить список неотложных дел, без выполнения которых, как она считала, ее миссия на земле не была бы вполне завершенной. На все про все у нее оставалось две недели – врач с оловянными глазами тянуть с операцией не советовал.

Вика вырвала лист из блокнота. Итак, по пунктам:

1. Переклеить обои в Ксюниной комнате (старые в дырках от подростковых постеров и флаеров).

2. Выстирать занавески – два раза (кухня и гостиная).

3. Вымыть все три окна (Ксюня, понятное дело, до этого доберется не скоро, года через три-четыре).

4. Вызвать электрика и починить наконец розетку на кухне (искрит, а это опасно). Вика выдергивает из нее шнур от чайника всякий раз, когда выходит из дома и на ночь, а кто рассчитывает, что Ксюня не забудет делать то же самое?

5. Починить «молнию» в осенних сапогах.

Вика призадумалась и этот пункт, вздохнув, решительно вычеркнула. Сейчас январь, и осенние сапоги ей уже вряд ли пригодятся. К чему тратить деньги? О том, что их доносит Ксюня, не было и речи. Ксюня зимой и летом носит черные мужские ботинки на шнурках, с толстой рифленой подошвой. Значит, правильно – вычеркиваем.

Теперь о долгах. Негоже уходить на тот свет, оставляя долги на этом. Сто долларов соседке Ритке, полторы тысячи рублей Ольге Ивановне на работе. Да, еще заполнить квитанции по квартплате хотя бы на полгода вперед – Ксюня в этом точно не разберется. Хорошо, что в заначке есть деньги. Вика копила на новую дубленку цвета «баклажан». Вспомнив о дубленке, она снова горько разрыдалась, и ей стало безумно себя жаль – этой дубленки у нее теперь не будет никогда. Потом она умылась холодной водой, выкурила сигарету и продолжила свой список.

Отправить сестре в Мурманск старую каракулевую шубу. Сначала думала сделать из нее жакет, но теперь-то это точно ни к чему. А сестра еще шубу вполне поносит. Да, не забыть положить в карман шубы письмо, где Вика попросит у сестры за все прощение и еще напишет, чтобы та поменьше о ней горевала. Всякое в жизни случается.

Теперь из области нематериального. Расстаться с Василевским. Сделать это сейчас и самой. Сейчас, в свете происходящих событий, сделать ей это будет почти легко. Если бы не обстоятельства, не решилась бы ни за что. А так можно уйти первой, громко хлопнув дверью. Пусть помучается! А правду ему знать необязательно. Следующим пунктом – помириться с Рыжиком. А это даже труднее, чем хлопнуть дверью в предыдущем пункте.

Да, чуть не забыла: серьезно разобраться с Ксюней по поводу ее дурацких планов бросить институт и пойти работать диджеем в ночной клуб. Просто взять с нее клятвенное обещание! И последним пунктом... Тут Вика серьезно призадумалась, надо ли вообще это вносить в повестку, но, подумав, все же решила – надо. И написала: позвонить Курносовой в Израиль. Позвонить и все объяснить, а то как-то смешно и глупо, ей-богу, все получилось.

Внимательно просмотрев свои записи, Вика поняла, что охвачено все самое главное, а это означало, что надо браться и все это исполнять – строго по пунктам. Ну, с обоями все ясно, с занавесками тоже проще простого. Окна вымыть – ерунда, главное – надеть куртку, теплые носки и замотать голову шарфом – чай, не лето на дворе. В ЖЭК позвонила – электрика обещали прислать через пару дней. Долги соседке и коллеге отдала – все удивились и обрадовались. Шубу достала с антресолей, проветрила на балконе, зашила дырявый карман. С письмом решила подождать день-другой. Начнешь писать – опять одни слезы. Легко ли прощаться?

Теперь оставались дела посерьезнее. Итак, Василевский. Знакомы они были уже сто лет, с самого института, когда закрутился обычный студенческий роман – легкий и необременительный. Бродили по улицам, забегали в киношки на последний ряд, сидели в кафе-мороженом на Горького – два бокала шампанского, два пломбира с вареньем, на большее денег не было. Просили ключи от комнаты в общаге, но она редко была свободна. Их так и звали – Васильки: фамилии-то однокоренные. Но хоть и однокоренные, а что такое Василькова? Простенько и незатейливо, без вкуса, прямо скажем. А Василевский – уже вполне себе фамилия. Звучит – будьте любезны. В общем, любовь любовью, а летом Вика улетела в Мурманск к сестре, а Василевский отправился с родителями в Крым. И там, в Рыбачьем, он закрутился с девицей из Таллина – та приехала погреться у теплого моря. Звали ее Майра. Дело кончилось обычным образом, по-житейски: погуляли – расстались, и Василевский с открытым сердцем и слегка подпорченным от своей случайной измены настроением вернулся в Москву, сильно тоскуя по Вике. Но не тут-то было. В конце ноября в Москву явилась эстонская Майра и предъявила Василевскому вполне образовавшийся живот. Деваться было некуда – сыграли свадьбу. Василевский тогда днями рыдал у Вики на плече. Днями – у Вики, а ночью, понятное дело, – у Майры. Но встречаться с Викой не перестал, теперь вот окончательно и твердо поняв, где любовь, а где чувство долга. Майру эту, кстати, Вика сразу стала называть Сайрой. Так и сложилось. Сначала Василевский просил Вику подождать год-два максимум – пусть ребенок чуть подрастет, а то как-то неудобно получается. Но прошло четыре года, Василевский полюбил дочку всем сердцем, и на пятый год Вика разозлилась и выскочила замуж. Именно выскочила. За водителя-дальнобойщика. Жизнь ее почти не изменилась: дальнобойщик почти всегда в рейсе, а если он дома, то спит целыми днями – и как бы его опять нет. Через три года собрала ему вещички и выставила за дверь. Он даже не удивился. Из воспоминаний остались две покрышки на балконе и дочка Ксюня. Василевский поначалу почти оскорбился. Все возмущался: как же ты можешь предавать любовь? К нему эти претензии не относились. Себя он считал стороной пострадавшей, как ни посмотри. У него просто все так исторически сложилось, он не виноват. Себя он считал человеком приличным. После того как дальнобойщик тихо съехал, Василевский опять возник в Викиной жизни – прямо на следующий день, как черт из табакерки.

Вика открыла дверь и увидела, как Василевский стоит, прислонившись к стене, заплетя ногу за ногу, и курит. Взгляд в пространство, а во взгляде – тоска и любовь. Помолчали минут десять, Вика вздохнула и впустила его в квартиру. Проявила слабость. Вот за эту слабость и расплачивается все последние шестнадцать лет. О его уходе из дома больше не говорили. Что оставалось, кроме любви? Одинокие праздники и выходные, в отпуск вдвоем с Ксюней, гвоздь забить – Вика, картошку притащить – опять она. А что Василевский? С карьерой не очень-то сложилось, дома Майра со взглядом сайры, радости никакой, одни повинность и оброк. Вика же – счастливый человек: никакого ежедневного раздражителя в виде мужа, ни отрицательных эмоций, ни чужого человека в постели. Есть родная дочка Ксюня и еще свобода – хочу халву ем, хочу – пряники. Ни тебе носков грязных, ни борщей. Кого пожалеть? Правильно, Василевского. Вот она его и жалела. Два раза в неделю – во вторник, в обеденный перерыв, и в пятницу – с 18.00 до 21.00. Это называлось – клуб нумизматов, для Майры, разумеется. Но, как она ни храбрилась, конечно, в душе хотелось и борщей, и тихих семейных выходных, и каждый вечер, и каждое утро... Чтобы семья, чтобы как у людей, а не по штатному расписанию. И чтобы утром проснуться и просто так поваляться и поболтать, а потом, накинув халатик, бежать на кухню и варить ему кофе. И, открывая дверь в прихожей каждый вечер, класть ему голову на грудь – на минуту и зажмуриваться – соскучилась. И знать, что это только твой человек. Твой, и больше ничей. И нет на свете никакой Сайры. Но Вика гордая. Не хотите – не надо. Сами не попросим. А вот сейчас и пришло то время, когда можно Василевскому взять и прямо так сказать: «Знаешь, мой милый, я просто устала. – И еще так жестко: – Хватит решать проблемы за мой счет. Халява кончилась». Вот такой Вика придумала текст и отрепетировала. Понравилось – коротко, веско и минимум пафоса. Что и требовалось доказать. Эта акция была запланирована на следующий четверг – аккурат за день до отправки в больницу. Чтобы он не смог ее достать и выяснить отношения. А что будет дальше, ее уже не касается. Вернее, скорее всего, не коснется. Так как потом ее уже не будет.

Теперь о Рыжике. Вот здесь все было куда как сложнее. Рыжик – бывший двоюродный брат. Бывших двоюродных братьев не бывает? Еще как бывает! Просто Вика вычеркнула его из родственников и из своей жизни, и было за что.

Изначально сестер было три. Две старшие – Евгения и Тамара – умерли молодыми и прекрасными, оставив сиротами своих уже, правда, взрослых детей – Вику и Рыжика. Осталась одна младшая и бездетная сестра – их родная тетка Наталья. Ей и досталось от родителей кое-какое наследство – квартира у «Кропоткинской», маленький подлинник Кустодиева, правда, совсем нетипичный, что-то блеклое и акварельное и много еще чего из дамских украшений, может, и не очень дорогих, но точно очень старинных. Когда тетка Наталья состарилась и стала немощной, Рыжик переехал к ней, оформив квартиру на себя. Цацки начал планомерно таскать на Арбат в комиссионки, а Кустодиева удачно задвинул кому-то из литовского консульства. О Вике он предпочел на это время забыть. Не то чтобы Вика убивалась по этому барахлу, но было до смерти обидно – с Рыжиком они дружили всю жизнь, с самого детства. Всегда были неразлейвода. Вика безоговорочно принимала всех его жен, дружила со всеми его любовницами, бежала к нему по первому зову, забыв про себя и даже про святые дни клуба нумизматов.

Но не цацки и квартира главное. И даже не Кустодиев. Главное и самое ужасное было то, что Рыжик стал абсолютной сволочью и безобразно относился к старой и безнадежно больной тетке Наталье. Орал на нее, толкал, издевался, да еще много всего было такого отвратительного, о чем просто неприлично говорить. На похоронах тетки они виделись в последний раз. Вика сказала ему, что он подонок,

а он просто рассмеялся ей в лицо. Вика смотрела на этого упитанного полысевшего и наглого дядьку в дубленке нараспашку и с толстой золотой цепью на шее и вспоминала тоненького рыжеволосого мальчика с вечно раскващенными коленками, которого она, старшая сестра, защищала от дворовых разборок. И которому на ночь читала Диккенса. Вспомнила, как он дразнил ее Викушкой-индюшкой, когда она на него дулась.

С Рыжиком она не виделась восемь лет. Узнавала о нем что-то случайное, отрывистое: женился, развелся, опять женился. Конечно, боль понемногу утихла, отпустила, но все же Вика мучилась и скучала по нему беспредельно. Теперь вот она решила к нему поехать. Не позвонить, а именно поехать. Как-то все обиды меркнут и обезличиваются перед лицом смерти. День для этого определила – среду. Теперь оставалась Курносова, подружка со студенческих лет, та самая, которая отдавала им с Василевским ключи от комнаты в общаге. Надька Курносова вполне соответствовала своей фамилии. Была она маленькой, полненькой, круглолицей, с курносым носиком, конопатым лицом и ясными, как летнее небо, голубыми круглыми глазами. Вика обожала торчать в убогой общежитской комнатушке у Надьки. Надькина мать, тетя Поля, постоянно боялась, что бедная Надька в общаге оголодает, и бесперебойно присылала с проводником харчи. На широком подоконнике стояли емкости с солеными огурцами и помидорами, батареи банок с солеными груздями и опятами, под окном громоздились компоты и варенья, а за окном, в зимнее время, разумеется, висели авоськи с толстыми шматами розового сала, нашпигованного чесноком, и домашними курами и утками. Когда Надька варила на огромной обшарпанной общаговской кухне домашнюю курицу, на запах сбегался весь этаж. Девчонки сидели у Надьки, ели курицу с лапшой и мечтали о любви. В деревне у Надьки оставался жених – Пашка-электрик. Фотография этого самого кудрявого добра молодца стояла у Надьки на тумбочке.

Надька писала ему длинные письма о любви, а Пашка нервничал, ревновал Надьку к Москве и веселой студенческой жизни, строчил сердитые короткие ответы, обещал приехать разобраться и задавал один и тот же ключевой вопрос: не завела ли себе кого легкомысленная Надька? Как в воду глядел. Завела. Да не просто завела, а влюбилась без памяти. Ее возлюбленный был мал ростом, худ и носовит. Звали его Мушихай Ханукаев, и был он бухарским евреем. Мушихай Ханукаев, в обиходе просто Миша, тоже полюбил пампушку Надьку сразу и всем сердцем и неосмотрительно решил на ней жениться. Его семья, конечно же, восстала. Начались революция, обстрел и баррикады. Надька и ее смелый возлюбленный отбивались как могли. Мишина семья, надо сказать, была сильно небедной. Непокорному сыну в случае тотального послушания были обещаны трехкомнатный кооператив в Ясеневе, обставленный полированной румынской мебелью (спальня, столовая, детская), голубая сантехника, люстры из чешского хрусталя, ковры из родной Бухары, машина «Волга» 31-й модели – бежевого цвета, с велюровым салоном – и тихая невеста из города Самарканда. Прелестная и пугливая, как горная серна. Без паранджи, но покорная и послушная. Но наш Ромео стоял насмерть. Отстоял.

Свадьбу гуляли в ресторане «Узбекистан». Вика никак не могла понять, чем отличаются бухарские евреи от бухарских же узбеков. На столе дымились плов и самса, женщины были в шелковых платьях и пестрых платках на головах, с черными, подведенными к переносице бровями. Больше всего Вику поразило количество золотых зубов на душу населения. Золотые зубы переливались и горели не меньше крупных, с вишню, бриллиантов в ушах присутствующих дам. Надькина мать, тихая и бледная тетя Поля, сидела, зажавшись в углу, и зачарованно смотрела на это пестрое и колоритное зрелище испуганными и удивленными глазами. На перепуганную Надьку нацепили килограмм золота и пышную,

многоярусную фату. Были восточные песни и пляски, длинные и витиеватые тосты, а когда Вику и Надьку застукали в женском туалете с сигаретами в зубах, разразился скандал, который с усилием погасил жених. Вика приехала к Надьке на следующий день — помогать разбирать подарки. Поразило несчетное количество перламутровых сервизов с аляповатыми пастушками, шелковых пестрых покрывал и браслетов из дутого красноватого золота. Среди всего этого богатства ходила Надька в гэдээровском розовом пеньюаре с жестким многослойным кружевом и попыхивала сигареткой.

— Ничего, — говорила уверенно Надька. — Я им еще покажу, где раки зимуют. Еще попросят сальца с черным хлебушком.

Ага, как же, попросили. Через год, сдав сервизы с пастушками в комиссионку, Надька со всей обширной мужниной родней укатила в Израиль. Там она прошла специальный обряд и стала вполне себе правоверной иудейкой. Теперь она покрывала голову маленькой шапочкой, похожей на чалму, перестала носить брюки и научилась готовить лагман, фаршированного карпа и плов. К тому времени у нее уже было трое сыновей.

А обиделась Вика на Надьку вот за что. Тогда, в начале девяностых, когда в Москве были абсолютно стерильные прилавки, Вике до мурашек захотелось плетеный золотой браслетик и цепочку — их она увидела у одной своей знакомой, которая привезла все это как раз из Израиля. Стоило все это великолепие сто пятьдесят долларов. Вика подробно описала Надьке изделие и даже пыталась его нарисовать, получилось, правда, плоховато. И отправила Надьке сто пятьдесят долларов — огромные по тем временам деньги. В ответ Надька прислала одну цепочку — тоненькую, хлипкую, совсем непохожую на Викину светлую мечту. От разочарования Вика расплакалась и набрала Надькин номер. Надька долго заверяла Вику, что цепочка шикарная и что стоит она гораздо дороже. И что выторговала она ее за эти смешные деньги с большим трудом и исключительно по блату – хозяин ювелирной лавки двоюродный брат ее мужа. И еще она убеждала Вику, что той сказочно повезло.

– Врешь ты все! – выкрикнула Вика. – Просто ты стала такой же, как они!

– Кто – «они»? – тихо и медленно спросила Надька.

Вика уточнять не стала, но добавила, что Надька не подруга, а аферистка. Надька ответила, что Вика – завистливая сволочь и антисемитка и что знать она ее больше не желает. В общем, разругались они тогда смертельно и на всю жизнь.

Потом, как водится, для себя Вика пыталась Надьку оправдать: а вдруг она тут ни при чем и аферист, скорее всего, тот самый двоюродный брат? С антисемиткой она еще как-то смирилась, хотя это была явная неправда, но, когда вспоминала про «завистливую сволочь», обида снова туго сдавливала горло. А теперь, в свете событий, все это казалось бредом и чепухой, и ближе Надьки за все эти годы подружки у Вики не было.

Вика сварила трехлитровую кастрюлю борща – Ксюня борщ обожала и могла его есть три раза в день: утром, запивая кофе, днем – компотом, а вечером – чаем. Потом она постирала занавески и стала готовить для Ксюни речь о ее дальнейшем будущем и необходимости высшего образования. Вечером появилась Ксюня – в джинсах на два размера меньше чем нужно, с голым животом и в ботинках-тракторах. При виде Ксюни, такой худющей и беззащитной, у Вики сжалось сердце и в горле застрял предательский ком. Ксюня ничего этого не заметила, смолотила две тарелки борща и собралась отправиться спать. Но Вика ее притормозила и начала свою пламенную речь. Ксюня слушала невнимательно, откровенно зевала и накручивала на указательный палец колечки волос. Когда Вика замолчала и глубоко вздохнула, Ксюня вежливо осведомилась:

– Это все? – И добавила: – Зря ты, мам, столько энергии потратила.

– В каком это смысле – «зря»? – испугалась Вика.

Ксюня беспечно добавила:

– Институт я вообще-то уже практически бросила, и еще, кстати, я выхожу замуж.

Вика опустилась в кресло, и комната поплыла перед глазами. А Ксюня еще что-то вещала про какие-то три месяца.

– Три месяца до чего? – не поняла Вика.

– Не до чего, а чего, – объяснила Ксюня. – Срок у меня три месяца.

– Какой срок? – тупо спросила Вика.

– Тот самый, – ответила Ксюня. И еще добавила: – Да ты, мам, не волнуйся, у нас любовь, и жениха зовут Иржи, он чех, и этого ребенка мы очень даже вместе хотим, и жениться Иржи не отказывается. А жить, скорее всего, уедем в Прагу. Здорово, да, мам? – радовалась она. – Прага такая классная: Влтава, Карлов мост, Пражский град, Староместская площадь, куранты Микулаша из Кадани, кнедлики, ну, чего еще там?

– Кнедлики, – эхом отозвалась Вика и замерла, уставившись в одну точку.

– А с Иржи я тебя познакомлю завтра, хочешь?

Вика, как болванчик, кивнула. Ксюня посоветовала матери не расстраиваться, клюнула ее в щеку и ушла спать.

К часу ночи Вика стала приходить в себя. Ну, в общем, складывается все совсем неплохо. А даже если задуматься, то очень хорошо. Ксюня не останется одна – у нее теперь есть почти муж. А скоро будет еще и малыш – она закрутится, завертится, и у нее совсем не останется времени, чтобы тосковать и страдать. К тому же если она уедет в Прагу... А институт? Ну и черт с ним, с институтом. Да и что это за профессия для женщины – инженер-гидростроитель? А все могло быть гораздо хуже – Вика вспомнила про диджея в ночном клубе. Она почти успокоилась и даже стала засыпать, но тут представила Ксюниного ребенка – пухлого, розовощекого, теплого, описанного до ушей, которого она может и вовсе не увидеть и не взять на руки, – и заплакала горько и безудержно.

К концу первой (и предпоследней, как она считала) недели своей еще молодой и несчастной жизни Вика выполнила все первые и наиболее легко исполнимые пункты плана, который она назвала «Приведение в исполнение жизненно необходимых действий». Теперь она готова была приступить к части второй и более сложной – «Очищение совести во имя успокоения души».

В среду она поехала к Рыжику – звонить ему ей почему-то было сложнее. Что скажешь по телефону? А если посмотреть друг другу в глаза? У знакомой двери на «Кропоткинской» она встала и призадумалась, стоит ли вообще нажимать на кнопку звонка, но потом вздохнула, собралась с духом и решительно нажала. Через пару минут дверь с грохотом распахнулась, едва не ударив Вику по носу, и на пороге образовался мальчик лет пяти, толстый и щекастый, с коротким рыжим ежиком на круглой голове.

– Ты кто? – без «здрасте» спросил мальчик.

– Мне нужен Владимир Борисович, – объяснила Вика.

– А папки нету дома, – буркнул мальчик.

– А ты его сын? – удивилась Вика.

– А кто же еще, понятное дело, – бросил он.

– А как тебя зовут? – разволновалась Вика.

– Ну, теть, сколько вопросов. – Мальчик скорчил недовольную гримасу и осведомился: – А чего вам надо?

– Ничего не надо, – успокоила его Вика. – А папа твой здоров?

– А че ему сделается? – удивился мальчик.

Вика кивнула и подошла к лифту. Лифт стоял на этаже и тут же открылся. Когда Вика зашла в лифт, мальчик крикнул ей вслед:

– А что папке передать? Кто приходил?

– Передай, что приходила Индюшка, – ответила Вика, и двери лифта плавно закрылись. Она услышала, как мальчик громко рассмеялся.

С Василевским она решила до четверга не тянуть. Дома она налила бокал красного вина, наполнила ванну, бросила туда перламутровые цветные шарики с пеной, забралась в душистую теплую воду, залпом выпила кисловатое вино и набрала номер Василевского.

– Что? – услышала она недовольный голос Василевского – он не любил, когда его беспокоили не ко времени.

– Всё, – лапидарно ответила Вика.

– В каком смысле? – удивился Василевский.

– В прямом. Я от тебя ушла, – объяснила Вика.

– Далеко? – усмехнулся он.

«Дальше не придумаешь, – подумала она, а вслух произнесла заранее приготовленную и отрепетированную речь. Затем, не дождавшись ответа, решительно нажала на «отбой» и нырнула с головой в пышную пену. Слава богу, Василевский не перезвонил. «Осмысливает, – мстительно и удовлетворенно подумала Вика. – Или обиделся. Что ж, и это не повредит, пусть помучается».

На следующий день она набрала Надькин номер.

– Хэлло! – услышала она до боли родной голос.

– Надька, – прошелестела взволнованная Вика.

– Господи! – ответила Надька, и они обе замолчали.

Потом Вика спросила:

– Ну как ты там?

– Четвертого жду, может Бог пошлет девочку, – всхлипнула Надька. – А у тебя что? Как Ксюня?

– У меня все хорошо, Надька, – врала Вика, – и Ксюня на месте, правда, слегка беременная, и Василевский присутствует.

Зачем Надьке знать всю невеселую правду? Не за этим она ей звонила.

– Ксюня? Уже? – ойкнула Надька. – А кто у нее муж?

– А муж у нее чех, Иржи называется.

– Чех? А парень-то хороший, тебе нравится? – продолжала охать Надька.

– Классный! – уверила ее Вика, подумав при этом: «Знала бы Надька, что я его вообще не видела!»

– А Василек с Килькой не разделался? – поинтересовалась Надька.

– С Сайрой, Надька, ты забыла, – напомнила Вика.

– Ну а с Рыжиком ты помирилась? – сыпала вопросами подруга.

– Да, все классно, он женился, у него чудный мальчишка, тоже рыжий, – оживилась Вика. – Общаемся, а как же. Что было, то прошло, брат все-таки. Да и вообще жизнь всех научила: надо уметь прощать, особенно родным людям.

– Точно! – обрадовалась Надька и, помолчав, добавила: – Это ты очень правильно сказала.

Потом они еще болтали минут двадцать, и уже вовсю солировала Надька, подробно рассказывая про детей, мужа и всю его родню. Свою мать, тетю Полю, она тоже перетащила на Землю обетованную, и тетя Поля вовсю помогала ей с детьми, периодически рыдая по брошенной избе-пятистенке и огороду в деревне Кислицы. Когда Надька полностью отчиталась, Вика тихо попросила ее:

– Прости меня, Надька!

Надька смутилась и ответила:

– Да за что, господи, я уже ничего не помню. Но ты меня тоже прости, ладно? Кто старое помянет...

В пятницу Вика отправилась в больницу, Ксюне сказала:

– Так, ерунда, киста какая-то крошечная, ничего серьезного. – Еще не хватало расстраивать дочь, в ее положении!

В понедельник сделали операцию, и вечером, когда Вика окончательно оклемалась от наркоза, к ней в палату зашла дежурная врачиха – немолодая, полная, с уютным лицом.

– Все плохо? – тихо спросила Вика.

– Что «плохо»? – удивилась врачиха.

– Ну, у меня там, сколько мне осталось?

– Господь с вами, в каком смысле, «осталось»? – испугалась врачиха. – Все у вас нормально, обычная миома, рановато, конечно, но сейчас – увы – такая статистика. Подождем неделю биопсию, но я абсолютно уверена.

– Абсолютно? – прошептала Вика и через минуту разревелась.

– Тихо, тихо, швы! – испугалась врачиха и погладила Вику по руке.

А она никак не могла успокоиться, и еще очень разболелся живот. Ей сделали два укола – успокоительный и обезболивающий, – и она уснула. На следующий день, к вечеру, пришла Ксюня, как раненого бойца взвалила на себя Вику, и они медленно пошли по коридору. Через неделю получили ответ из лаборатории, и Вику выписали домой. Она была еще очень слаба, и Ксюня одевала ее как ребенка и застегивала ей сапоги. Они медленно вышли на улицу, и у ворот Вика увидела Василевского – тот стоял у машины и курил.

– Привет, – сказал он ей.

– Привет, – ответила Вика и укоризненно посмотрела на Ксюню. Ксюня пожала плечом и отвела глаза.

Домой они ехали молча, и Вика даже слегка задремала. Ксюня открыла дверь в квартиру, и из кухни вышел очень высокий и очень кудрявый парень в Викином переднике. Вика растерянно и смущенно кивнула:

– Мам! Иржик приготовил кнедлики со свининой и кислой капустой!

И правда, запахи с кухни доносились умопомрачительные. Вика сглотнула слюну, и впервые за последние несколько недель ей по-настоящему захотелось есть.

– Сейчас, только пойду переоденусь! – крикнула Вика. Она зашла в свою комнату и в углу увидела большой коричневый чемодан. «Иржин, наверное», – подумала Вика и открыла шкаф. В шкафу ровнехонько, одна к одной, висели рубашки Василевского, а на полках аккуратненько были разложены свитера, майки, трусы и носки. Вика переоделась и пошла в ванную. Там, в ванной, на полочке стояли пена для бритья «Жиллетт» и одеколон «Арамис» – ее любимый запах. Точнее, запах ее любимого мужчины. Она приняла душ, подкрасила губы и глаза и зашла на кухню. Иржи и Ксюня накрывали на стол. На подоконнике в вазе стояли ее любимые белые гвоздики, а рядом лежала красная кожаная коробочка.

– Это тебе, мам, – кивнула на коробочку Ксюня.

В коробочке лежали толстая, крученная в веревку цепь и такой же плетеный браслет. Вика застегнула браслет и вытянула руку – полюбоваться.

– Твоя работа? – сурово спросила она Василевского.

Он смутился и отрицательно замотал головой.

– Это от тети Нади, мам, дядька какой-то принес. Смешной такой, в черной шляпе и с пейсами.

Потом все сели за стол и выпили шампанского, хотя Иржи был недоволен и настаивал на пиве, которое, разумеется, было бы более уместно к кислой капусте и свинине. Но Ксюня объявила, что сегодня семейный праздник, а на праздник положено пить шампанское.

За столом сидели вполне милый будущий зять Иржи, счастливая Ксюня с Викиным внуком в животе и любимый и смущенный Василевский. Квартира сияла чистыми окнами, свежими занавесками и новыми обоями.

А потом Вика устала, и Василевский уложил ее в постель. Они ни о чем не говорили, ничего не обсуждали. Им все было ясно без слов. А когда Вика почти заснула, раздался телефонный звонок, и она взяла трубку, лежащую на тумбочке у кровати.

– Привет, Индюшка! – услышала она знакомый голос. – Как дела?

Вика подумала и уверенно сказала:

– Прекрасно! – И еще раз повторила по слогам. – Дела у меня действительно пре-крас-но!

И это было абсолютной правдой.

С Рыжиком они проговорили около часа и могли бы говорить еще, но Вика очень хотела спать, и совсем не было сил. Засыпая, она подумала, что нужно срочно отнести в починку осенние сапоги, потому что хоть на улице и январь, но все уже начало таять, ну просто как в марте – знаете этот наш сумасшедший московский климат. Ну да, сапоги, и что там еще? В общем, список дел как обычно. Житейские хлопоты. А как же, если такая большая семья... А потом она уснула. И ей приснилась дубленка цвета «баклажан».

Легкая жизнь

Отца мать прозевала из-за своего патологического для женщины нелюбопытства, ни разу не задержавшись после работы с бабами у подъезда. Бабы за это считали ее высокомерной и слегка недолюбливали, хотя и уважали. Мать работала старшей сестрой в районной поликлинике. И, конечно, в доме многие к ней обращались: выписать рецепт, померить давление, да просто пожаловаться на какую-то хворь, безусловно, тайно ожидая совета. Мать была человеком строгим, даже сухим, но с чувством юмора и без занудства. Проходила как-то вечером мимо соседок на лавочке, кто-то ее окликнул: Лида, мол, посиди, переведи дух. Мать шла с работы и по дороге купила мяса и большого, еще живого сома – сумка была тяжелой, но это была все равно удача. Мать же не притормозила, а бросила:

– Не могу, семью надо ужином кормить.

Ехидная и зловредная Нинка Уварова прошипела вслед:

– Семью, а где она, семья-то?

Мать остановилась, резко развернувшись, и спросила Нинку:

– Ты о чем, Нина?

– Иди-иди, Лида, – засуетились бабы. – Кого ты слушаешь?

– Нет, Нина, погоди. Что ты имеешь в виду? – настаивала мать.

– Что имею? А то, что твой уже год к Ритке-балерине бегает. Вот что имею!

Мать побелела, а бабы смущенно зашушукались и отвели глаза. Никто информацию не опроверг. Мать медленно, пешком поднялась по лестнице и зашла в квартиру. Отец уже был дома.

– Это правда, Гоша? – спросила мать.

– Что правда? – растерялся отец.

– Про тебя и про Ритку?

Отец молчал.

– Собирай вещи, Гоша. Ужин отменяется. Я тебе помогу, – устало сказала мать.

Он кивнул. Вещи быстро собрали и сложили в клетчатый матерчатый чемодан – да и какие там вещи, а потом ведь человек не на Северный полюс уезжает, а всего лишь на два этажа выше.

– Иди, Гоша, – кивнула мать. – Разговоров не будет, что тут обсуждать!

Мать вышла курить на кухню. Когда Ладька вернулся вечером со двора, мать все еще курила на кухне.

– А чего поесть, мам?

– Ну да, поесть, – повторила мать и тряхнула головой. – Открой банку шпрот, или ветчины, или еще чего там есть.

«Чего там есть» – это нижняя полка в комнате в буфете, куда складывались «дефициты», как говорила мать. Все, что удалось отхватить в очередях тех скудных лет, и еще заначки из продуктовых заказов. Все береглось на праздники и даты – дни рождения, Новый год, майские и октябрьские.

Ладька не поверил своему счастью и рванул в комнату, пока мать не передумает и не отварит вермишель или разжарит картошку в мундире.

Радость, наверное, какая-то, мелькнуло у Ладьки в голове. Он лихорадочно перебирал отложенные баночки. Либо бате премию дали, либо вообще ордер на отдельную квартиру, хорошо бы в Черемушках, куда уже переехал закадычный дружок Толик Смирнов.

Ладька нахально выбрал большую банку колбасного фарша и еще венгерское лечо в томате. Мать по-прежнему стояла на кухне лицом к окну. Он торопливо сорвал с банок крышки и ложкой стал выковыривать бледно-розовый фарш.

– Хлеб возьми, – не оборачиваясь, бросила мать.

Когда первое чувство голода прошло, Ладька буркнул матери:

– Сама-то поешь.

Она махнула рукой:

– Иди спать.

Ладька икнул, довольный, и пошел к себе в комнату. Уже на пороге он крикнул:

– А что, праздник, мам, какой?

– Праздник, – кивнула мать. И, помолчав, добавила: – Твой отец от нас ушел. К Ритке на четвертый этаж. Вот и весь праздник.

– Ну и шутки у вас, боцман! – разозлился Ладька.

Заснул он быстро и легко, но почему-то ночью проснулся, тихонько подошел к смежной родительской комнате, аккуратно приоткрыл дверь и увидел сидевшую на кровати мать в белой и длинной ночнушке, с распущенными по плечам волосами. Отца рядом не было – и тут до Ладьки дошло, что все это самая настоящая и страшная правда. Он почему-то побоялся окликнуть мать, тихонько забрался к себе в кровать и начал кое-что припоминать. Как, например, на Восьмое марта отец, думая, что Ладька спит, спрятал маленькую бархатную красную коробочку под диванный валик – ночью Ладька валик приподнял и открыл коробочку: там лежало тоненькое золотое колечко с розовым камушком, похожим на леденец. Еще тогда Ладька засомневался, что колечко влезет на крупную материну руку, но за мать был рад, да и за отца тоже – что тот сообразил. Но на Восьмое марта отец подарил матери букет мимозы и зефир в шоколаде. А вот подарка в виде бархатной коробочки почему-то не было.

«Наверное, решил, что все равно матери мало будет, и отнес обратно в магазин», – промелькнуло тогда у Ладьки в голове. Промелькнуло – и тут же из этой головы и выветрилось. Еще вспомнилось, как отец мерил новую нейлоновую рубаху и галстук с переливом, а на галстуке – павлин какой-то. Мать усмехнулась тогда и покачала головой:

– Пошлость какая, совсем на старости лет чокнулся.

– Какая еще старость? – обиделся тогда отец.

А еще с зарплаты без материного спроса купил себе новые туфли, «Цебо» называются. Мать это тоже не одобрила и даже обиделась:

– Говорили же про зимние сапоги, а то ведь пятый год в старых хожу.

И еще отец стал поливаться одеколоном и стричься коротко, а чуб – подлиннее, как на фотографии у мужика в окне парикмахерской.

А вот мать – мать не менялась. Носила гладкий пучок на голове, а на затылок втыкала резную коричневую гребенку. Красила только губы – бледной, почти бесцветной помадой, а глаза и ногти – никогда. И одежду носила какую-то серую – серую юбку, серую кофту. А зимой – вообще дурацкий большущий мохнатый берет на голове. Ладька этот берет ненавидел. И даже стеснялся матери в этом берете. Просто совсем бабка какая-то. А ведь еще не старая, а очень даже молодая бывает. Особенно когда волосы распустит и смеется.

Припомнив эти мелкие подробности, Ладька понял, что все это похоже на самую страшную и противную правду. Тут он подумал, похолодев, что будет твориться во дворе от этой новости, и у него заболел живот. Ладька скривился и застонал. Вот стыдоба-то, мало того, что бросил их с матерью, да еще и в их же подъезде, просто на пару этажей выше поднялся.

Хотя, если быть честным, в душе Ладька отца понимал. По-мужски. Ритка-балерина была тайной мечтой всего двора. Всех мальчишек от десяти до двадцати лет. А про других Ладька просто не знал. Ритка-балерина жила одна в крохотной семиметровой комнате и работала в театре Станиславского, как говорили соседки, на задних ролях. Ясно, что не на передних, жила бы она в этой комнатухе! Не носила бы высокие лаковые вишневые сапоги с черными пуговицами с сентября по май. Была она тощая, слегка рыжеватая, с конопушками на маленьком красивом носу. И было что-то неуловимое, притягательное во всем ее непонятном и нездешнем облике. Шла она по двору, высоко перебирая своими «цапельными» ногами, и пушистые волосы, перехваченные яркой шелковой косынкой, развевались на ветру. И еще у Ритки были зеленые длинные глаза, которые, не скупясь, она подводила черным карандашом стрелками, к вискам.

Она не зазнавалась – даром что артистка. Всегда рассеянно кивала и бабкам у подъезда, и ребятам во дворе. Но вместо того, чтобы яростно не любить ее за неземную красоту, отрешенность и одиночество, почему-то все ее даже слегка жалели. Вот и отец пожалел, гад, подумал Ладька и заплакал.

Утром пили с матерью чай. Мать была бледная и с синевой под глазами.

– После школы в буфете поешь, на тебе рубль, и в кино сходи, если хочешь, а если отец зайдет, с ним ни о чем не говори, понял меня? – повысила голос она. Ладька молчал. – Он тебе отец, а остальное – мое с ним дело.

Ладька кивнул – мать всегда была главным авторитетом в Ладькиной жизни. После уроков вместо обеда Ладька взял в буфете три сосиски и коржик с орехами, а потом сгонял в кино на исторический фильм «Даки», который он смотрел уже раз шесть. Когда он пришел домой, дома был отец. Не

поднимая глаз, он перебирал какие-то книжки, и на столе стояли его вещи – подстаканник и бритвенный прибор.

– Такие вот дела, сын, – вздохнул отец.

– Знаю, – бросил Ладька. Ему хотелось поскорее вырваться во двор.

– Не обижайся, сын, потом поймешь.

– Да ладно, дело ваше. – Ладька торопился на свободу.

– На вот тебе. – И отец протянул Ладьке три рубля – невиданное богатство. – Если что, заходи, я тут в семьдесят третьей, – рассеянно бормотал отец.

Ладька выскочил во двор. Стыдно было признаться, но он как-то не проиграл от этого дела. Отцу теперь будет не до уроков и дневников, а мать вообще про это забывает, и деньги подкидывают оба – жалеют, наверное, и чувствуют свою вину. И обеды мать перестала варить – надоели эти щи и макароны до смерти. И в кино среди недели пустили. «Да нет, ничего такого в этом нет, – подумал Ладька, гоняя по двору мяч. – Все даже совсем неплохо складывается».

Но щи и макароны с котлетами появились уже через три дня, а мать еще больше посуровела и взяла на работе еще полставки. Дома теперь ее почти не было.

Жизнь у Ладьки шла вроде бы и неплохая, вполне даже вольная и хорошая, пока однажды не увидел он, как через весь двор, наперерез, взявшись за руки, направляется Ритка-балерина, грациозно перебирая ногами в вишневых сапогах, смеясь и щурясь от весеннего солнца, а рядом – его отец в новых туфлях «Цебо», в расстегнутом по-молодежному плаще и сам какой-то незнакомый и молодой, даже на прежнего отца непохожий. Двор замер, и замерло Ладькино сердце, застучавшее где-то в горле. А они так и прошлись, смеясь и взявшись за руки, и всем стало как-то немножко неловко, как будто все они, весь шумный двор, подсмотрели что-то, что им и не собирались показывать. Когда те двое зашли в подъезд, бабки зашушукались, оборачиваясь на Ладьку, а Ладька еле сдерживал рыдание в своем маленьком детском сердце.

– Айда к метро за мороженым! – крикнула умная Алька Соткина и дернула Ладьку за руку. Она спасла тогда Ладьку от позора – разреветься в голос перед всем двором.

У метро купили цитрусовое за девять копеек и пирожки с повидлом. Алька шепнула ему на ухо:

– Не обращай ни на кого внимания, – и мудро, по-женски, вздохнула. – Все пройдет, Ладька, не психуй.

Отец заходил редко и всегда старался, чтобы матери не было дома. А однажды позвал Ладьку к себе. Ладьке было, конечно, интересно, как у них там все, и, смущаясь, он поднялся к отцу в его новое жилище. Комната у Ритки была крохотная, но какая уютная!

Занавески зеленые с ромашками и такой же абажур – низкий, над маленьким круглым столиком. В углу комнаты стояла тахта, Ладька почему-то отвел от нее взгляд. Ритка-балерина приветливо кивнула и вышла в коридор. А потом зашла с подносом. На подносе стояли коричневые керамические чашки, желтые внутри. На блюдце лежали сыр с большими дырками и маленькие печенья, пахнувшие корицей.

– Давай, Владислав, пить кофе! Любишь кофе?

Голос у Ритки был низкий, хрипловатый. И называла она его не домашним именем – Ладька, а по-взрослому – Владислав. И кофе предлагала тоже по-взрослому.

– Георгий сказал, что ты кофе не пьешь, но не лимонад же идти тебе покупать, – тихо рассмеялась она.

Ладька не сразу понял, кто такой Георгий, потом дошло – отец. Отец был какой-то чудной, молодой, рот до ушей – чудик, ей-богу. Ладька даже хмыкнул от пренебрежения. Кофе Ладьке не понравился, горький. Вот мать дома пила вкусный и сладкий кофе из высокой жестяной баночки с надписью «Напиток “Летний”». А вот печенья с корицей были хрустящие и нежные, прямо распадались на языке.

Выпив невкусный кофе (слава богу, хоть чашка маленькая), Ладька встал, сказал «спасибо» и «мне пора».

— Дела ждут? — насмешливо осведомилась Ритка-балерина.

Ладька, смущаясь, кивнул.

— Заходи, сын, — как-то просяще сказал отец.

Ладька выскочил из квартиры с облегчением и твердо решил: ему там больше делать нечего. Во-первых, все что надо он увидел, ничего интересного, а во-вторых, и мать может на такие вот заходы обидеться. У них своя жизнь, у нас — своя. Вечером мать спросила:

— У отца был?

Откуда узнала? Ладька кивнул. Других вопросов мать не задала.

— Больше не пойду, — коротко бросил Ладька.

— Что, так не понравилось? — усмехнулась мать.

Ритку-балерину и отца вместе Ладька видел еще всего один раз. Шли они, уже не держась за руки, и почему-то уже не смеялись. Бабы на лавочке слегка поговорили, опять, мол, глаза мозолят, но уже как-то вяловато. Эта история постепенно потеряла свою актуальность. А мать — мать совсем замкнулась, здорово похудела, теперь юбки и пиджаки на ней болтались, Но почему-то она этому совсем не радовалась, а ведь раньше как мечтала похудеть! Зато курила еще больше и уже совсем не красила губы. Ладька смотрел на нее и тяжело вздыхал, думая о том, что вообще-то понимает отца, да и Ритка-балерина... Да что там говорить. Однажды у подъезда Ритка окликнула Ладьку с укором:

— Совсем к нам не заходишь.

Ладька пожал плечами.

— Пойдем, отца нет, он в командировке в Омске, я одна. Вот бублики купила и колбасы «Любительской», идем чай пить!

Ладька сглотнул слюну! Бублики с колбасой! Да еще с «Любительской»! Эх!

В маленькой комнате было все по-прежнему, только прибавился магнитофон «Комета» – несбыточная Ладькина мечта. Колбасу Ритка нарезала толстыми кусками, а бублики просто разломила пополам. Кивнула – лопай, не стесняйся. Была она какая-то грустная и поникшая. «По бате, видать, скучает», – решил Ладька, наворачивая колбасу.

Ритка пожевала немножко и откинулась на диванную подушку. Потом сказала:

– Вот так-то, Владик, такие дела.

Что это значит, Ладька не понял, но на всякий случай жевать перестал. Ритка помолчала, затянувшись тонкой сигаретой с золотым ободком, а потом произнесла:

– Не понимает меня твой отец, Владик. – А потом еще раз по слогам: – Не по-ни-ма-ет.

Ладька замер, на откровения он как-то не рассчитывал.

– Ну не могу я сейчас рожать, понимаешь?

Ладька кивнул.

– Не могу, да, лет мне немало, не девочка, но впервые появился какой-то шанс, пусть крошечный, но шанс, понимаешь?

Ладька в волнении сглотнул слюну и опять послушно кивнул. Первый раз взрослый человек доверял ему свою, да еще какую важную, тайну!

– Вот такие дела, Владик. А он ничего слушать не хочет. Он не понимает, что я прежде всего артистка, а уж потом все остальное. А он не понимает, говорит, что ему дико все это слышать. – Ритка горько усмехнулась и помолчала. – Не понимаю, чего ему еще надо? Есть же у него один сын – ты, правда?

С этим нельзя было не согласиться. И Ладька опять, как болванчик, кивнул.

– Ладно, иди, – негостеприимно закончила Ритка. Она встала, всхлипнула и ладонью стерла потекшую тушь.

Через неделю отец зашел к ним с матерью. Принес вафельный торт и деньги в конверте, сел и замолчал.

– Чаю хочешь? – спросила мать. Он кивнул. Ладька тоже пристроился, выпил две чашки чаю с вафельным тортом, а потом ушел к себе – делать уроки.

Сначала родители молчали, а потом начали вполголоса говорить – сперва отец долго, сбивчиво. Мать молчала. Потом заговорила мать. Ладька слышал обрывки ее фраз:

– А ты чего хотел? Так не бывает, любишь – терпи. – И еще что-то в этом роде.

Потом отец спросил:

– Ну скажи мне, что это за женщина, которая не хочет иметь детей?

– Женщины разные бывают, – уклончиво ответила мать.

А потом Ладька уснул.

Беда с отцом стряслась спустя полтора года, в Рязани, куда он поехал в командировку на опытный завод. «Уазик» врезался в столб – водителя занесло на скользкой после дождя дороге. Водитель и пассажир на переднем сиденье, главный инженер завода, погибли сразу. Отец выжил, но повредил позвоночный столб. Было еще много всего – да что говорить.

Привезли его в Рязанский военный госпиталь, там были лучшие специалисты – помог завод. Мать с Ладькой выехали в тот же день, как узнали о случившемся. Мать говорила с врачами, спорила, ругалась, но от нее не отмахивались. Ритка-балерина приехала через неделю – у нее были спектакли. Она громко, навзрыд, плакала в коридоре больницы, причитала, подвывала – в общем, раздражала всех, а толку никакого. В палату к отцу заходить боялась, вцепившись побелевшими пальцами в халат врача. Мать ей сказала, поморщившись, жестко: «Лучше уезжай побыстрей». Ритка оказалась сговорчивой и уехала тем же днем.

Через месяц отца перевезли в Москву, в Бурденко, мать взяла отпуск и жила практически в больнице. Ладьке вечерами сухо докладывала: динамики нет! Ладька не понимал, что это, но точно чувствовал, что плохо.

Потом мать повеселела и сказала, что отец заговорил и заработала правая рука, и еще – что это очень и очень большие сдвиги. И слава богу, динамика уже положительная. От этой вот динамики, как понял Ладька, теперь и зависела дальнейшая отцова жизнь. Когда он пришел к отцу, то не сразу его узнал – отец был похож на сморщенного старичка. Но Ладьке обрадовался и долго его гладил по руке. Мать кормила его с ложки киселем.

Вечером, когда Ладька уже почти засыпал, клюя носом над «Графиней де Монсоро», он услышал в комнате матери приглушенный разговор. Вылезать из-под одеяла страшно не хотелось, но любопытство взяло верх, и Ладька тихонько подкрался и осторожно приоткрыл скрипучую дверь. В комнате за столом сидели мать в старом байковом халате и Ритка, тоже в халате, похожем на стеганое одеяло.

Ритка плакала, что-то доказывая, стучала длинным ногтем по столу. Мать отвечала ей резко и сурово, но все это почти шепотом. Разговор их был яростный и горячий, и обрывки фраз, что услышал сонный Ладька, не объяснили ему ничего. Правда, ему показалось, что Ритка просит у матери прощения и повторяет без конца одну и ту же фразу, что чего-то она не может сделать, и еще просит мать не губить ее молодую и несчастную жизнь.

Наконец их спор утих, и мать сказала, что она ставит одно условие: чтобы ее, Ритки, в их доме больше не было.

– Меняйся, съезжай, – говорила решительно она.

Из больницы отца перевезли к ним.

– Теперь мы будем с тобой в одной комнате, сын.

Бывшую Ладькину комнату оборудовали под отца – стул с дыркой посередине, кровать со съемной доской – чтобы ночью не упал, резиновые ремни, чтобы отец мог самостоятельно на этой кровати садиться, и еще маленькая шведская стенка – для лечебной физкультуры. Теперь мать приходила с работы и, выпив чаю, занималась с отцом: заставляла сжимать и разжимать резиновые мячики, делала

отцу массаж, разводила черное вонючее мумие, настаивала травы в банках. Брила отца, мыла в старой желтой коммунальной ванне. Через год отец уже ходил потихонечку с палочкой по длинному коридору. Настроение у него улучшилось, теперь он подолгу курил с соседом Петровичем на кухне и нетерпеливо ждал с работы мать. Во время ужина отец старался сказать что-то остроумное, торопился неловко помогать матери убрать со стола и почему-то часто повторял ее имя — «Лида, Лида». И еще приезжали к отцу коллеги с завода, долго с ним о чем-то говорили. После их ухода отец был очень возбужден и даже плакал, приговаривая:

— Все-таки я там нужен, Лида, все еще нужен!

И уже совсем отец пошел на поправку, когда с завода домой ему стали привозить чертежи, и он смог работать.

А в августе мать пришла с работы веселая, с цветами, и сказала, что с понедельника у нее отгулы и они с Ладькой поедут смотреть новую квартиру, которую ей выделил райздрав. Квартира была и вправду чудесная — две комнаты, кухня и свой, отдельный, туалет. На улице Ладька оживленно тараторил и спросил у матери, знает ли об этом отец. Вот, наверное, уж он-то обрадуется?

— Отец? — жестко усмехнулась мать. — А при чем тут твой отец? Здесь будем жить мы с тобой вдвоем.

— А отец? — еще раз растерянно и тупо повторил Ладька.

— Отец твой уже почти здоров, мы с тобой свое дело сделали, и теперь пусть уж он как-то сам. Теперь мы заживем каждый своей жизнью. Мы — своей, а он — своей.

— Мы его с собой не возьмем? — чего-то все-таки не понимал Ладька.

— А предателей с собой не берут, — спокойно и твердо сказала мать, и они с Ладькой спустились в метро.

Всю неделю, пока мать собирала их вещи, Ладька сквозь сон слышал разговоры родителей, вернее, бесконечные монологи отца.

Но ничего не изменилось, и Ладька с матерью уехали на Академическую. Кстати, Новые Черемушки и закадычный дружок Толик Смирнов были совсем рядом, минут пятнадцать пешком.

Мать замуж больше не вышла, Ладька ездил к отцу примерно раз в месяц – ведь у него, у Ладьки, была теперь своя, полная впечатлений, новая жизнь. Отец так и жил бобылем, много работал, ходил на улицу с палочкой и сам научился себе варить первое и гладить рубашки.

Ладька женился рано, на первом курсе своего автодорожного. И свою юную, белокурую, уже беременную жену Зою привел к матери на Академическую. Там мать поднимала их с Зоей двойняшек – Мишку и Валюшку.

В середине девяностых уже не Ладька, а Владислав Георгиевич, человек солидный по возрасту и положению, начальник отдела логистики большой торговой компании, и его белокурая и верная жена Зоя отдыхали в Египте. Мать осталась дома с мальчишками. Владислав Георгиевич с удовольствием так бы и валялся на пляже и пил бы свое пиво, а потом уходил бы спать в прохладный номер до самого ужина, если бы не любознательная Зоя. Она обожала всяческие экскурсии и путешествия, и Владислав Георгиевич, конечно, нехотя ей поддавался. Выезжали из отеля рано, в семь утра, по дороге забирая туристов из других отелей. Ехали к известным пирамидам.

– Быть в Египте и не видеть это чудо! – восторженно восклицала Зоя.

Наверное, она была права. Владислав Георгиевич в автобусе задремал, но вскоре проснулся, и ему показалось, что слышит он чей-то отдаленно знакомый хрипловатый голос. Он обернулся и увидел сильно пожилую и очень худую, ярко накрашенную даму в белых брюках и открытой белой рубашке. Дама сидела в компании молодых людей и, видимо, рассказывала что-то остроумное и увлекательное, так как периодически раздавались взрывы хохота. Потом он услышал,

как молодой человек обращается к даме Марго. И тут окончательно узнал ее. Владислав Георгиевич напрягся и услышал квинтэссенцию ее повествования и то, что и определяло ее саму, и, видимо, всю ее жизнь, и все его воспоминания и впечатления от встреч с этой женщиной в его далеком детстве. Марго кокетливо наставляла молодежь, что никто никому ничего в этой жизни не должен, и еще что-то о своем благодатном одиночестве и отсутствии долгов – человеческих, разумеется. И что-то о том, что главное, главное – это понять и не переусердствовать, так как жизнь, в общем-то, легкая и приятная штука, если уметь к ней правильно относиться. Потом он вспомнил, как эта женщина прошла однажды по жизни их семьи, походя и невзначай, оставив за собой, собственно, руины, и еще подумал, что своим установкам она, видимо, действительно не изменяла всю жизнь. А потом ему все это стало неинтересно, и он опять заснул, мечтая о том, чтобы путь к пирамидам был неблизкий.

Умная женщина Зоя Николаевна

Зоя Николаевна считала себя умной женщиной. Если говорить начистоту, даже очень умной. Судите сами: всю жизнь проработать в торговле, от продавца до директора магазина, и ни разу не иметь крупных неприятностей. По-настоящему крупных. Тьфу-тьфу. Конечно, всякое бывало – и ночей не спала, от ужаса тряслась, и взятки давала, да по молодости не только взятки. Все было. Но худо-бедно все разруливала. Все потому, что есть масло в голове. И еще потому, что никогда не зарывалась. Всем жить давала. Но и про себя не забывала, что говорить.

А про дочку? Все опять сделала своими руками. Хоть дочка и сама по себе куколка, ничего не скажешь. Но куколок вон сколько, и что, у каждой жизнь сложилась? Да еще так! Как? А вот так: всех Лидусиных кавалеров строго отслеживала. Всех в дом пускала, со всеми чаи распивала, про семью выведывала, про планы на жизнь.

Один раз, правда, испугалась всерьез – Лидуся влюбилась. Да в такого неподходящего – бандана с черепом на голове, косуха черная с заклепками, и все «это» на мотоцикле. Рокер, короче. Или байкер – Зоя Николаевна путалась. Лидуся на заднее сиденье – прыг, а Зоя Николаевна ночи не спит, валокордин литрами глотает. Чует, дело далеко зайдет. Если не вмешаться.

Вмешалась. Старые связи помогли. Все по пунктам объяснили, как надо действовать. Что Лидусе говорить, чем кого припугнуть, ну и так далее. Нелегко было, но чего для родной дочки не сделаешь. В общем, вынудили того рокера-байкера убраться по месту прописки в город Волжский. Лидуся плакала, убивалась, за ним вдогонку собралась. Но Зоя Николаевна ее быстренько в Сочи отправила, в «Жемчужину», между прочим, а по приезде шубку норковую на плечи накинула – шоколадную, с отливом. И Лидуся собой в зеркало залюбовалась.

– Ты, мамуся, лучше всех!

Рыдать стала пореже. Если в миноре, губки дрожат, Зоя Николаевна после работы – еле живая, ноги гудят, рухнуть бы на диван всеми восьмьюдесятью пятью килограммами – предлагает: Лидуся, хочешь, в ресторанчик пойдем, твой любимый, грузинский? А потом по магазинам прошвырнемся, может, что интересненькое присмотрим. Лидуся минут десять головкой помашет, носиком похлюпает – и идет одеваться. А потом и вовсе успокоилась.

Тут Зоя Николаевна взялась ей жениха искать. Была одна клиентка – дочь у той в Германии жила, за немцем. Жила, как царева племянница. И дом в три этажа, и бассейн, и прислуга. На «Мерседесе» рассекает, муж в ней души не чает. А она как пирог непропеченный – белая, рыхлая. Разве с Лидусей сравнить? Если у той, «непропеченной», бассейн, то у Лидуси должно быть как минимум два. Вот с той клиенткой и начала она шуры-муры: вырезка парная, сервелат финский, кофе гранулированный из самой Бразилии. Чайку попить в кабинете, по сигаретке под ля-ля. Так фотографии Лидусины ей и подсунула. Та как раз к дочери в гости собиралась. На фотографиях Лидуся то в шубке, то в купальнике. Как есть куколка. Клиентка женишка подобрала. Правда, вдовца и не первой свежести. И даже не второй. Жаба небось задушила получше что-нибудь Лидусе подобрать. Ну да ладно. И так сойдет.

Женишок собрался быстро, не терпелось на Лидусину красоту поближе посмотреть. Через три недели в Москве нарисовался. Похож он был на румяного резинового пупса. Зоя Николаевна стол накрыла, постаралась. На столе – икра, севрюга, лососина, пироги. У немца глаза на лоб полезли. Из подарков привез то, что в самолете не доел, – печенье, сырок, сливки, все кукольное, игрушечное. У Лидуси от этих подарков началась истерика. К себе ушла, сначала даже за стол садиться не хотела. А потом ничего, пришла в себя. Вечером пошли с ним по Москве гулять.

На следующий день «пупс» пришел с цветами и колечком в сафьяновой коробочке. Предложение сделал. Лидуся долго колечко в руках вертела, колечко-то пустяковое, брильянтик – как комар писнул, слова доброго не скажешь, а потом важно так бросила: «Подумаю».

У Зои Николаевны гора с плеч. Боялась, что дочка этой дешевкой в женишка швырнет. И всю ночь напролет Лидусю увещевала да уговаривала, все объяснила: про дом, про «Мерседес», какая жизнь там и какая здесь. Лидуся все плакала и говорила, что ей и здесь неплохо, а под утро согласилась – очень хотелось спать.

И что теперь? На свою жизнь там не нарадуется. Муж в Лидусе души не чает. Дом новый купили, больше прежнего, бассейн, прислуга и садовник. Лидуся целый день в шезлонге полосатом сидит, ногти полирует. Потом вздохнула, настроилась – и дочку мужу родила. Копия он, тоже как гладкий розовый пупс. Немец от счастья совсем ошалел, нанял няню, а Лидусе подарил новую «БМВ», с открывающейся крышей – кабриолет называется. Вот и мотается Лидуся по городу – массаж, парикмахерская, кофе с яблочным штруделем. Дома прислуга с садовником стараются. Ребенок одет и накормлен, обед готов, везде порядок, газон подстрижен, просто как шелк под ногами, гортензии круглым ровным кустом. Плохая жизнь? А все она, мама, низкий ей поклон.

Теперь муж. Вот здесь сложнее. Полюбила его Зоя Николаевна с первого дня – как увидела. Он и вправду был собою хорош: высокий, длинноногий, пальцы тонкие, изящные, шевелюра густая, с ранней проседью, глаза голубые, брови у переносья срослись. Не мужчина – снежный барс. Ходил он почти год к Зоиной соседке студентке Маринке. По ней, Маринке, сох. Та – тоненькая, как прутик, глаза черные, зрачков не видно, и коса по пояс. И все зубрит, зубрит. Врачихой хочет стать. А он вечером после работы придет, сидит со стаканом бледного чая, курит на кухне – Маринку дожидается. А Зоя как раз котлеты с картошкой жарит. Он смотрит, слюну сглатывает. Зоя ему – хотите котлетку? Он слюну сглотнул и кивнул. Она на тарелочку разложила – справа картошечка, румяная, с корочкой, слева пышная котлетка, сбоку по кромочке огурчик соленый, тонко так, на просвет, нарезан. Барс ест и от умиления головой качает. Так и стала она его вечерами прикармливать, пока Маринка о науку мозги точила.

Однажды в комнату свою пригласила, телевизор посмотреть, время скоротать. Он в кресле расположился, а она ему на столик под правую руку – чаю свежайшего с чабрецом и лимоном, печенья домашнего, еще теплого (яйцо, маргарин, сметана, мука – все через мясорубку). Он чаек прихлебывает, печенье одно за другим в рот отправляет – во рту тает. И по комнате глазами. А там – чистота, придраться не к чему.. Занавески накрахмалены, пол натерт, подушки взбиты. Вот он на эти подушки и прилег.

Утром посмотрел на Зою – лицо длинное, лошадиное. Зубы крупные, желтоватые, задница – с какого боку обойти? Вздохнул, вспомнил талию Маринкину и косу по пояс, а пока вспоминал, Зоя ему омлетик пышный соорудила, оладушек напекла, кофе в турочке – все на жостовском подносе и в постель.

Он опять тяжело вздохнул и позавтракал с аппетитом. А Зоя ему рубашечку с вечера выстиранную, утром выглаженную предложила и носки свежие. Он от удовольствия крякнул и поцеловал ее в щеку. По-дружески и с благодарностью. И стал теперь к ней на ужины захаживать. А там и до завтрака не бог весть сколько. Ночь всего. Соседка Маринка удивилась: «Ну, ты, Зойка, даешь». И опять за свои учебники.

Это уже потом, спустя месяцев семь, Зоя Барсу объявила, что она в положении. И твердо добавила, что рожать будет непременно. Невзирая на его планы на жизнь. Даже если он этого ребеночка и не думает признавать. Барс замолчал и исчез. На три месяца. А когда появился, Зоя была уже с большим животом, опухшая, с коричневыми пятнами на лице. Увидел все это Барс – такую некрасивую, громоздкую и гордую Зою, – совесть и жалость поднялись со дна его души и мощным камнем придавили все сомнения, которыми он мучился последние месяцы. Где наша не пропадала! В конце концов, жена из нее будет замечательная, а он при этом останется приличным человеком. А с любовью потом разберемся.

С любовью он начал разбираться сразу после свадьбы, через пару месяцев. С Зоей ему и так все было ясно. Разве он обещал ей любовь? Сначала он вернулся к Маринке-медичке. Зоя быстренько разменяла квартиру. Маринка переехала в Измайлово, а они отправились в Беляево. Разные концы света. Не наездишься. Маринка отпала сама собой. Потом появилась другая, третья – и далее со всеми остановками. Зоя всегда была точно (ну, почти точно) в курсе того, что происходит. Не ленилась съездить на соперницу посмотреть, все про нее в подробностях узнать. Да и кто ей, Зое, соперница? Только у Барса взгляд застывал, она ему хлоп — новые «Жигули». Была третья модель, стала шестая. Так и до «Волги» дошли, а потом и до иномарок. Как начнет по ночам ворочаться, шумно вздыхать — она ему дубленку новую в шуршащем пакете. Шапку ондатровую на норковую поменяет, магнитофон последней модели на стол, видик на телевизор сверху пристроит. Он и притихает.

Все эти хлопоты ее, конечно, не красили, что там говорить. Постарела здорово — морщины, второй подбородок, в бедрах еще больше раздалась. Теперь и вовсе стала похожа на старую ломовую лошадь. Ни модная стрижка, ни импортные тряпки ее не спасали. А работа? Лошадь она и есть лошадь. Это барс и в старости остается барсом. Хотя с годами и он пообтрепался. Теперь это был седовласый барс с усталыми глазами и больной простатой. Но всегда найдутся желающие и на такую фактуру. Жизнь у него, прямо скажем, была не самая тяжелая — всю дорогу дурака валял в своем НИИ, о деньгах ни разу не задумался — для этого была она, Зоя. А был ли счастлив? Покой и комфорт на одной чаше, а на другой?

В перестройку она свой магазин выкупила и назвала его в честь себя — «Зоя». Заслужила. Стала завозить туда деликатесы и салаты в пластиковых баночках. Дела пошли еще лучше, чем в «застой». Хотя покоя как не было, так и нет.

Купила своему Барсу синее кашемировое пальто в пол, клетчатое кашне и подержанный «Мерседес». Он уже почти успокоился и даже смирился, что жизнь его прошла так, а не иначе. Но однажды вдруг случилось с ним непредвиденное. То, чего и сам он уже перестал ждать. Пришла к нему *любовь*. Вот что случилось. Не увлечение, не влюбленность, а именно *любовь*.

И почувствовала Зоя Николаевна сразу: беда! Глаза у Барса засветились нездешним огнем, и отчетливо обозначились на помолодевшем лице скулы. Теперь он поднимал гантели по утрам, бегал трусцой и перестал есть копченую грудинку с яйцами. Зоя Николаевна быстро стала вычислять «предмет». «Предмет» этот обнаружился довольно быстро и даже слегка Зою Николаевну разочаровал. Это была замужняя школьная учительница английского тридцати восьми лет по имени Татьяна. Худенькая, маленькая, белобрысая – в общем, среднестатистическая училка. Таких – миллионы. Но Барсу была нужна только одна конкретная эта. Ни тебе фигуры, ни километровых ног, ни волос по плечам. Джинсы, куртешка, кроссовки. С собачкой вечерами гуляла. Зоя Николаевна курила у подъезда, разглядывала ее. Тонким голоском звенит: «Керри! Ко мне!» Пуделька своего зовет. Проходит в подъезд на своих легких ногах, здоровается, хоть и не знакомы. Воспитанная. Учительница. Это вам не полукопченка и яйцо первой категории, не грузчики пьяные в магазине, не вороватые продавцы, не вымогатели из ОБХСС. Здесь все по-другому. Дети, родители, цветы к Восьмому марта. Тетради и учебники. Рук не замараешь. Стихи ему, наверное, читает. По ней видно. А что Зоя? Старая рабочая лошадь, которой давно пора на списание или на мясокомбинат на переработку. Отойди, подвинься. Не мешай людям красиво жить.

Приехала домой на больных, отекших ногах, налила себе коньячку в стакан и подумала: «А ведь бросит он меня». Сердцем чуяла. И за что боролась? Всю жизнь ему дорожку ковровую расстилала, забегала вперед – а он по ней в грязных ботинках. Да ладно бы по дорожке, а то ведь по ней, Зоиной душе. Натоптал – не выметешь, столько грязи. Дочку свою единственную, кровиночку, за пузатого немца отдала. В чужую страну. И где теперь она, дочка, в тяжелую минуту? Внучку свою, опять же, единственную, кудрявую и розовую, сколько раз на руках держала? И внучка ее не понимает. По-русски – ни гу-гу. Ни одной колыбельной ей не спела, ни одной сказки не рассказала. Ковры эти, горки, хрустали – для кого старалась? Кому все это надо? Никому. И бороться уже сил не осталось. Вроде бы хлипенькая эта училка, нищая, а вот чувствовала Зоя, что ей с ней не сладить.

Барс пришел в ночи, она не спала.

– Долго шастать будешь? – грубо так спросила.

А он ответил просто, без вступлений:

– Ухожу я, Зоя.

– Ну и вали, – махнула она рукой.

Хватит, гирька до полу дошла.

– В хрущевку пойдешь, с чужим ребенком уроки делать?

Он счастливо кивнул.

Она достала из шкафа чемодан:

– Собирайся, уйдешь сегодня. Хватит. Точка.

– Куда я в ночь? – возмутился Барс. – Да и некуда мне сейчас уйти, у нее там муж.

– Не мои проблемы. Хватит, отрешалась. Теперь сам попробуй. А я одного хочу – покоя.

Барс собрал чемодан и вышел в морозную ночь.

– Вот тебе и умная женщина! – горько усмехнулась Зоя Николаевна.

Утром позвонила Лидусе в Германию. Та взяла трубку и растянула свое «хэллоу».

– Чего хэллокаешь? – зло спросила Зоя.

– А что? – испугалась Лидуся.

– Папаша твой слинял, вот что, – ответила Зоя.

– Куда слинял? – тормозила Лидуся. В Германии была середина дня – Лидуся еще не совсем проснулась.

– К училке, – бросила Зоя.

– Насовсем? – удивилась Лидуся.

– Ага, я ему и вещички собрала.

– Ты что, мать, спятила? – возмутилась Лидуся.

– Да надоело все до смерти, всю жизнь бьюсь, а что толку, как волка ни корми...

– Значит, плохо кормила, – заволновалась Лидуся.

В ее голове уже выстроилась ясная картина: мать одна, всеми брошенная – значит, надо брать к себе, а это в Лидусины планы не входило. Все комнаты в доме распределены – столовая, гостиная, комната няни, прислуги. Последняя без окна. Мать туда не поселишь, обидится. И няню не засунешь – тут же в профсоюз настучит, здесь с этим запросто. Дом большой, а не развернешься – все спланировано.

В общем, нужно самой в Москву лететь, с папашей, старым козлом, разбираться. Лидуся собралась быстро. Два чемодана своих плюс один – для матери подарки. Хоть порадуется. И дочку с собой взяла – все для бабки утешение. И через три дня в Москве нарисовалась.

Зоя даже не обрадовалась – видеть никого не хотелось, так и лежала бы на диване лицом к стене. А тут – лишние хлопоты. Но деваться некуда. Поднялась, поехала на рынок, притащила неподъемные сумки, встала к плите. Два дня варила, жарила, пекла. На третий поехала в Шереметьево. Лидусю сразу не узнала. Та поправилась и коротко постриглась. Как-то опростилась. Типичная немка. Внучка стояла не мигая и жевала резинку. В глазах ни одной мысли. Круглая, толстая. Ребенок, а живот торчит. В машине Лидуся тарахтела, отца поносила на чем свет. Да и матери досталось.

– Всю жизнь его, козла, поила-кормила, по курортам возила, а теперь, на старости лет, стакан воды подать некому? – Себя Лидуся из этой конструкции исключила заранее.

Зоя отмахивалась – сил не было.

Дома дочь начала метать из чемодана матери тряпки. Зоя покорно мерила, но ничему не радовалась. Не человек – автомат. Снимет, другое наденет и стопочкой на стул кладет.

Зоя накрыла стол в столовой. Лидуся ела за обе щеки, постанывала – соскучилась по холодцам и пирогам. А внучка ничего даже не попробовала. На все Лидусины уговоры отвечала одно – «найн». Лидуся откинулась в кресле, закурила и сказала:

– Надо было ей макарон сварить.

– Какие еще макароны, когда столько еды? – удивилась Зоя.

– А она только их и жрет, – спокойно ответила Лидуся.

К чаю Зоя Николаевна подала торт-суфле с ягодами и взбитыми сливками. Девочка слегка оживилась, деловито взяла ложку и стала снимать с торта верхний слой – суфле, ягоды и взбитые сливки. Лидуся не обратила на это никакого внимания, а Зоя Николаевна поперхнулась и впала в ступор. Потом Лидуся с дочкой пошли спать. А Зоя долго убирала со стола, мыла посуду, потом села на стул на кухне, налила себе чаю и посмотрела на торт – от него остался пустой песочный корж. «Вот это и есть моя жизнь, – подумала Зоя, – кому-то сливки и ягоды, а мне, как всегда, пустой сухой корж». Она горько заплакала, вспоминая Барса и нелегкую свою жизнь. Жизнь прошла, прошелестела, от забот огрубели руки, да что там руки, загрубела душа, сплошные рубцы, с чем осталась? А потом зло разобрало: пусть помучится в хрущобе, на зарплату поживет, почует наконец, что почем в этой жизни.

Утром дом перевернулся вверх дном. Лидуся моталась по квартире с сигаретой и телефонной трубкой – отдавала приказы прислуге, развесила везде свои тряпки, орала на дочку. Немецкая внучка сидела перед телевизором с непроницаемым лицом. Зоя сварила манную кашу, накрошила туда банан и натерла яблоко. Поставила тарелку перед внучкой, а та посмотрела на бабку как смотрят на сумасшедших. Утром девочка ела чипсы, в обед – макароны, а на ужин – чипсы с макаронами. Зоя была в ужасе, а Лидуся беспечно махнула рукой: «Не бери в голову, мам, они там все такие». Потом Лидуся начала обзванивать московских знакомых – надо же было кому-то продемонстрировать два чемодана нарядов. О своей миротворческой миссии она явно забыла.

Барс позвонил своей любимой и сообщил, что он ушел из дома. Она удивилась и спросила, что теперь будет дальше. Этого он не знал. Он вообще-то не очень умел принимать решения. Этим всегда занималась его бывшая жена Зоя. Вообще-то, надо было бы сказать: «Не волнуйся, любимая, я все устрою и придумаю». А что тут придумаешь с его зарплатой? Предложить временно пожить в машине? Устроиться на другую работу? Да кому он нужен в свои пятьдесят шесть? Панельная хрущевка его возлюбленной с мужем в придачу на две квартиры никак не делилась. Неделю он жил у старого приятеля, но тот предупредил – только неделя, через семь дней приезжает из санатория жена, и жилплощадь нужно освободить.

Хрупкая, но сильная духом учительница в тот же день объяснилась с мужем – жить во лжи ей было невыносимо. Муж, человек интеллигентный, все понял и принял без скандала, полки в холодильнике и в кухонном шкафу поделили. Это – твои, это – мои. Культурные люди. Теперь она спала в комнате с дочкой, а муж занял детскую. Все чинно-благородно.

Подали на развод. Барс теперь жил у другого приятеля, там жена была на месте, но с удовольствием Барса приняла, торжествуя, что тот бросил наконец-то эту наглую торгашку Зойку, которой она в душе всю жизнь завидовала. Встречались Барс и его возлюбленная каждый день, теперь их домом стала машина. Ездили гулять на Воробьевы горы, целовались, как подростки, и он грел своим дыханием тоненькие озябшие пальчики любимой. Все это было мило и очень романтично, но надо было еще и как-то выживать. А этого он делать не умел. Учительница смотрела на него печальными глазами и каждый раз спрашивала: что же дальше?

– Что-нибудь придумаем, – отчаянно врал Барс.

Сколько так могло продолжаться?

Просто Чехов в чистом виде.

Учительница развелась и поделила лицевые счета. Теперь они с бывшим мужем назывались соседями. Можно было позвать Барса жить к себе. Неэтично и неэстетично, но жить-то человеку где-то надо. О размене квартиры Барса с бывшей женой она не упоминала – была благородна. За это он ее и полюбил. Здесь – нежная фиалка, там – ломовая лошадь. Почувствуйте разницу.

Барс собрал чемодан и пришел в ее дом. С бывшим мужем договорились — в семь завтракает он, в восемь — они. Так же с ужином. Установили расписание в ванной. С туалетом расписания не составишь. Хуже всего было в субботу и в воскресенье, когда все терлись друг о дружку задницами. На работе Барса сократили, и любимая устроила его в школу преподавать ОБЖ (основы безопасности жизнедеятельности). Звучит красиво, но предмет самый идиотский — как себя вести в случае атомной войны.

Лидуся в Москве задержалась. В доме общих знакомых встретила своего рокера — и совсем пропала. Теперь он был никакой не рокер, а вполне успешный и респектабельный бизнесмен в строгом костюме и галстуке от Армани. Закрутился сумасшедший роман — они яростно наверстывали упущенное. Возвращаться в Германию Лидуся не собиралась. Написала своему адвокату письмо, чтобы он там все поделил чин-чинарем без нее, Лидуси.

Зоя Николаевна ушла с работы и сидела дома со своей молчаливой внучкой. Отдирала ее от телевизора и читала русские народные сказки. Постепенно у девочки появилось осмысленное выражение лица, и она начала улыбаться. Когда внучка заплакала над «Мертвой царевной», Зоя Николаевна поняла: вот где ее ягоды и взбитые сливки. Ездили в зоопарк, катались на пони, гуляли по Кремлю, а на ночь она ей пела про серенького волчка и подтыкала под ноги одеяло. А однажды утром девочка попросила испечь ей оладьи с яблоками. Так у Зои Николаевны появились внучка, родная душа, и вполне счастливая, помолодевшая, влюбленная дочь.

Барс ушел от учительницы через год после того, как двадцать минут бился в дверь коммунального туалета. Собрался за пятнадцать минут. Учительница стояла лицом к окну и не говорила ни слова. Ей и так все было ясно. Барс завел машину и поехал к Зое. Дверь открыла толстенькая кудрявая девочка в джинсовых шортах и крикнула в глубь квартиры: «Ба, к тебе тут какой-то господин».

Зоя вышла в прихожую в переднике и с поварешкой в руке. Она посмотрела на потрепанного Барса, глубоко вздохнула и сказала внучке:

– Подай деду тапки.

Растерянный Барс стоял в прихожей и глупо и счастливо улыбался.

– Иди мой руки, – сказала ему Зоя, – блины еще горячие.

Барс надел свои клетчатые тапки и сразу почувствовал себя дома.

А летом поехали все вместе на море, в Турцию. Барс с Зоей и внучкой и счастливая Лидуся с бывшим рокером. Большая и счастливая семья. Где все, в общем-то, любили друг друга. Пусть каждый по-своему, кто как умел, но все же любили.

В общем, звание свое – умная женщина – Зоя Николаевна полностью оправдала. С этим не поспоришь.

Содержание

Литературно-художественное издание

НЕГРОМКИЕ ЛЮДИ МАРИИ МЕТЛИЦКОЙ
Рассказы разных лет

Мария Метлицкая

НА КРУГИ СВОЯ

Ответственный редактор *Ю. Раутборт*
Младший редактор *Е. Долматова*
Художественный редактор *П. Петров*
Технический редактор *Г. Романова*
Компьютерная верстка *Л. Панина*
Корректор *Н. Сикачева*

ООО «Издательство «Э»
123308, Москва, ул. Зорге, д. 1. Тел. 8 (495) 411-68-86.

Өндіруші: «Э» АҚБ Баспасы, 123308, Мәскеу, Ресей, Зорге көшесі, 1 үй.
Тел. 8 (495) 411-68-86.
Тауар белгісі: «Э»
Қазақстан Республикасында дистрибьютор және өнім бойынша арыз-талаптарды қабылдаушының
өкілі «РДЦ-Алматы» ЖШС, Алматы қ., Домбровский көш., 3«а», литер Б, офис 1.
Тел.: 8 (727) 251-59-89/90/91/92, факс: 8 (727) 251 58 12 вн. 107.
Өнімнің жарамдылық мерзімі шектелмеген.
Сертификация туралы ақпарат сайтта Өндіруші «Э»

Сведения о подтверждении соответствия издания согласно законодательству РФ о техническом регулировании можно получить на сайте Издательства «Э»
Өндірген мемлекет: Ресей. Сертификация қарастырылмаған

Подписано в печать 06.06.2017. Формат 60x90 $^{1}/_{16}$.
Гарнитура «NewBaskerville». Печать офсетная. Усл. печ. л. 24,0.
Тираж 9000 экз. Заказ № 1748/17.

Отпечатано в соответствии с предоставленными материалами
в ООО «ИПК Парето-Принт», 170546, Тверская область,
Промышленная зона Боровлево-1, комплекс № 3А. www.pareto-print.ru

Оптовая торговля книгами Издательства «Э»:
142700, Московская обл., Ленинский р-н, г. Видное,
Белокаменное ш., д. 1, многоканальный тел.: 411-50-74.

По вопросам приобретения книг Издательства «Э» зарубежными оптовыми покупателями обращаться в отдел зарубежных продаж
International Sales: International wholesale customers should contact Foreign Sales Department for their orders.

По вопросам заказа книг корпоративным клиентам, в том числе в специальном оформлении, *обращаться по тел.: +7 (495) 411-68-59, доб. 2261.*

Оптовая торговля бумажно-беловыми и канцелярскими товарами для школы и офиса:
142702, Московская обл., Ленинский р-н, г. Видное-2,
Белокаменное ш., д. 1, а/я 5. Тел./факс: +7 (495) 745-28-87 (многоканальный).

Полный ассортимент книг издательства для оптовых покупателей:
Москва. Адрес: 142701, Московская область, Ленинский р-н,
г. Видное, Белокаменное шоссе, д. 1. Телефон: +7 (495) 411-50-74.
Нижний Новгород. Филиал в Нижнем Новгороде. Адрес: 603094,
г. Нижний Новгород, улица Карпинского, дом 29, бизнес-парк «Грин Плаза».
Телефон: +7 (831) 216-15-91 (92, 93, 94).
Санкт-Петербург. ООО «СЗКО». Адрес: 192029, г. Санкт-Петербург, пр. Обуховской Обороны,
д. 84, лит. «Е». Телефон: +7 (812) 365-46-03 / 04. **E-mail:** server@szko.ru
Екатеринбург. Филиал в г. Екатеринбурге. Адрес: 620024,
г. Екатеринбург, ул. Новинская, д. 2щ. Телефон: +7 (343) 272-72-01 (02/03/04/05/06/08).
Самара. Филиал в г. Самаре. Адрес: 443052, г. Самара, пр-т Кирова, д. 75/1, лит. «Е».
Телефон: +7 (846) 269-66-70 (71…73). **E-mail:** RDC-samara@mail.ru
Ростов-на-Дону. Филиал в г. Ростове-на-Дону. Адрес: 344023,
г. Ростов-на-Дону, ул. Страны Советов, 44 А. Телефон: +7(863) 303-62-10.
Центр оптово-розничных продаж Cash&Carry в г. Ростове-на-Дону. Адрес: 344023,
г. Ростов-на-Дону, ул. Страны Советов, д.44 В. Телефон: (863) 303-62-10. Режим работы: с 9-00 до 19-00.
Новосибирск. Филиал в г. Новосибирске. Адрес: 630015,
г. Новосибирск, Комбинатский пер., д. 3. Телефон: +7(383) 289-91-42.
Хабаровск. Филиал РДЦ Новосибирск в Хабаровске. Адрес: 680000, г. Хабаровск,
пер.Дзержинского, д.24, литера Б, офис 1. Телефон: +7(4212) 910-120.
Тюмень. Филиал в г. Тюмени. Центр оптово-розничных продаж Cash&Carry в г. Тюмени.
Адрес: 625022, г. Тюмень, ул. Алебашевская, 9А (ТЦ Перестройка+).
Телефон: +7 (3452) 21-53-96/ 97/ 98.
Краснодар. Обособленное подразделение в г. Краснодаре
Центр оптово-розничных продаж Cash&Carry в г. Краснодаре
Адрес: 350018, г. Краснодар, ул. Сормовская, д. 7, лит. «Г». Телефон: (861) 234-43-01(02).
Республика Беларусь. Центр оптово-розничных продаж Cash&Carry в г.Минске. Адрес: 220014,
Республика Беларусь, г. Минск, проспект Жукова, 44, пом. 1-17, ТЦ «Outleto».
Телефон: +375 17 251-40-23; +375 44 581-81-92. Режим работы: с 10-00 до 22-00.
Казахстан. РДЦ Алматы. Адрес: 050039, г. Алматы, ул.Домбровского, 3 «А».
Телефон: +7 (727) 251-58-12, 251-59-90 (91,92,99).
Украина. ООО «Форс Украина». Адрес: 04073, г.Киев, Московский пр-т, д.9.
Телефон: +38 (044) 290-99-44. **E-mail:** sales@forsukraine.com

Полный ассортимент продукции Издательства «Э» можно приобрести в магазинах «Новый книжный» и «Читай-город».
Телефон единой справочной: 8 (800) 444-8-444. Звонок по России бесплатный.

В Санкт-Петербурге: в магазине «Парк Культуры и Чтения БУКВОЕД», Невский пр-т, д.46.
Тел.: +7(812)601-0-601, www.bookvoed.ru

Розничная продажа книг с доставкой по всему миру. Тел.: +7 (495) 745-89-14.

ISBN 978-5-699-98555-5

9 785699 985555 >

«Книг
задумать
любим и